JOJO
MOYES

Книги
ДЖОДЖО МОЙЕС

До встречи с тобой

Девушка, которую ты покинул

Последнее письмо от твоего любимого

Корабль невест

Один плюс один

Серебристая бухта

ДЖОДЖО МОЙЕС

Серебристая бухта

Издательство «Иностранка»
МОСКВА

УДК 821.111
ББК 84(4Вел)-44
М74

Jojo Moyes
SILVER BAY

Перевод с английского Илоны Русаковой

Оформление обложки Виктории Манацковой

Издание подготовлено при участии издательства «Азбука».

ISBN 978-5-389-07412-5

Посвящается Локи —
тому, какой он сейчас и каким будет

Пролог

Кэтлин

Меня зовут Кэтлин Виттер Мостин. Когда мне было семнадцать, я прославилась — поймала самую большую акулу из всех, когда-либо виденных в Новом Южном Уэльсе. Это была серая акула-нянька с такими злобными глазами, что даже через пару дней после того, как мы вытащили ее на сушу, в них не исчезло желание разорвать меня на куски. Слава пришла ко мне в те времена, когда вся жизнь в Сильвер-Бей[1] была посвящена рыбной ловле. В честь этого события аж из самого Ньюкасла приехал газетный репортер и сделал фотографию: я с акулой (я — та, что в купальнике). На фотографии акула выше меня на несколько футов, и это притом, что фотограф заставил меня надеть каблуки.

На снимке вы можете видеть высокую девушку, суровую на вид; она симпатичнее, чем думает: конечно, плечи достаточно широки, чтобы вызвать отчаяние у мамы, но талия отделана настолько тонко поворотами-разворотами при закидывании удочки, что девушке никогда не понадобится корсет. В общем, вот она я —

1 *Сильвер-Бей* (*англ.* Silver Bay) — Серебристая бухта.

стою рядом с акулой и не могу скрыть своей гордости и еще не сознаю, что буду привязана к этой твари до конца своих дней, как будто нас сочетали браком. А вот чего вы не можете видеть, так это то, что акулу подвесили на двух проволоках и поддерживают в вертикальном положении мой отец и его бизнес-партнер мистер Брент Ньюхейвен. Я, пока тащила ее к берегу, растянула сухожилие на правом плече, и, когда приехал фотограф, не то что акулу, чашку чая не могла в руке держать.

Однако эта история на долгие годы оставила свой след. Даже после того, как мое девичество кануло в Лету, меня продолжали звать Девочка Акула. Добрая сестричка Нора постоянно шутила, что, судя по моему виду на фотографии, меня скорее можно было бы прозвать Девочка Морской Еж. Зато отец всегда говорил, что мой успех создал отель «Сильвер-Бей». Спустя два дня после того, как в газете была опубликована фотография, все номера у нас были заказаны, и с тех пор никогда не оставалось ни одного свободного, пока в тысяча девятьсот шестьдесят втором году не сгорело дотла западное крыло. Мужчины приезжали, потому что хотели побить мой рекорд: если уж девчонка способна вытащить на берег такую тварь, то почему это не сможет сделать «настоящий» рыбак? Некоторые — чтобы предложить мне выйти за них замуж... Но папа всегда говорил, что чует их еще до того, как они появятся в Порт-Стивенсе, и сразу давал им от ворот поворот. Женщины приезжали, потому что до этого случая никогда не думали о возможности выловить большую рыбу или о том, чтобы соревноваться с мужчинами в этом деле. А семьями приезжали просто потому, что залив Сильвер с его спокойными водами и бесконечными дюнами был местом, куда стоит приехать.

Для того чтобы справиться с возросшим количеством прибывающих лодок, срочно были построены еще две пристани. Днем воздух в заливе наполняли скрип весел в уключинах и рычание подвесных моторов, а море вокруг тем временем буквально на глазах лишалось всякой жизни. По ночам воздух заполнял шум автомобилей, негромкие всплески музыки и перезвон бокалов. Это были пятидесятые, тогда не казалось странным сказать, что наш отель — это место, куда стоит приехать.

У нас и сейчас есть лодки и пристани, хотя мы пользуемся только одной, а вот рыбная ловля людей больше не интересует. Я сама уже лет двадцать не брала удочку в руки. У меня пропала всякая охота убивать живых существ. Теперь у нас тихо, даже летом. Большинство туристических маршрутов ведет в Кофс-Харбор и Бирон-Бей, с их клубами и многоэтажными отелями, где гостям могут предложить более привычные удовольствия. Сказать по правде, нас это вполне устраивает.

У меня сохранилась эта заметка. Она была напечатана в ежегодном дайджесте, которые выходят огромными тиражами и которые не покупает никто из ваших знакомых. Издатели время от времени оказывают мне честь и звонят, сообщая о том, что мое имя будет упомянуто в следующем ежегоднике. Бывает, местные школьники заскакивают к нам, чтобы сказать, что нашли мое имя в библиотеке. Я всегда изображаю удивление: детям это нравится.

Но я все еще храню ту заметку. Я рассказываю это вам не из желания похвастать и не потому, что в семьдесят шесть лет приятно сознавать, что однажды ты сделала что-то, о чем написали в газете. Нет. Но когда с твоей жизнью связано столько секретов, сколько с моей, иногда приятно рассказать о чем-то открыто.

1

Ханна

Когда вы на «Моби I» и решили по запястье засунуть руку в банку с печеньем, можете не сомневаться — вы найдете как минимум три штучки разного сорта. Йоши говорила, что на других лодках всегда пытаются сэкономить на печенье и покупают в супермаркетах самое дешевое из муки арроурута. Но она сама считала, что, если человек платит около ста пятидесяти долларов за то, чтобы посмотреть на дельфинов, он может рассчитывать на то, что ему предложат хорошее печенье. Поэтому Йоши покупала сливочное «Анзак», толстое овсяное в шоколаде, «Скотч Фингерс» и «Минт Слайсес» в фольге, а если ей втемяшивалось в голову, то и печенье домашнего приготовления. Ланс, капитан, говорил, что Йоши так делает, потому что сама только печеньем и питается. А еще он любил повторять, что, если бы босс узнал, что Йоши тратит столько на печенье, он бы взбил ее, как коктейль «Гарибальди». «Моби I» направлялся в залив Сильвер, Йоши предлагала пассажирам чай и кофе, а я несла поднос с печеньями и не могла оторвать от них глаз. Я надеялась, что пассажиры не съедят все «анзаки» и мне достанется хотя бы одна штучка. Из дома я ускользнула до завтрака и понимала, что Йоши позволит мне залезть в банку, только когда мы вернемся в кокпит.

Ланс был на связи.

— «Моби-один» вызывает «Сьюзен», ты сколько пива высосал вчера вечером? У тебя ход как у одноногого пьянчуги.

Как только мы вошли, я сразу залезла в банку с «анзаками» и выудила оттуда последнюю печенинку. Радио затрещало, ответ был неразборчивым, и Ланс предпринял еще одну попытку:

— «Моби-один» вызывает «Милую Сьюзен». Слушай, приятель, ты бы лучше выровнялся... У тебя на носу четыре пассажира перегнулись через поручни. Когда ты сворачиваешь, они, как занавески, болтаются на окнах по правому борту.

Голос Ланса Макгрегора был хриплым, как будто ему горло железной мочалкой натерли. Он отпустил штурвал, и Йоши передала ему кружку с кофе. Я пряталась за спиной Йоши. Капельки воды на ее темно-синей униформе сверкали как блестки.

— Ты видела Грэга? — спросил Ланс.

Она кивнула:

— Хорошо рассмотрела перед отплытием.

— Он так накачался, что курс держать не в состоянии, — сказал Ланс и показал через забрызганное окно в сторону небольшой яхты. — Точно тебе говорю, Йоши, его пассажиры потребуют компенсации. Вон тот в зеленой кепке не поднимал голову с тех пор, как мы прошли Брейк-Ноус. Что на него нашло?

У Йоши Такомуро были самые красивые волосы, я таких ни у кого не видела. Они как черные тучи окружали ее лицо и никогда не путались даже из-за ветра и соленой воды. Я зажала между пальцами прядь своих волос. Этот мышиный хвостик на ощупь уже был грязным, хотя мы вышли в море всего полчаса назад. Моя подружка Лара сказала мне, что в четырнадцать лет, то есть через четыре года, мама разрешит ей сделать мелирование. В момент, когда я об этом вспомнила, Ланс меня и заметил. Вообще-то, я знала, что это должно было произойти.

— А ты что здесь делаешь, малявка? Твоя мама мои кишки на подвязки пустит. Тебе что, в школу не надо или еще куда-нибудь там?

— Каникулы, — немного смущенно ответила я и вышла из-за спины Йоши.

Ланс все время говорил со мной так, как будто мне было на пять лет меньше, чем на самом деле.

— Считай, что ее здесь нет, — предложила Лансу Йоши. — Девочка просто хочет увидеть дельфинов.

Я посмотрела на Ланса и опустила вниз закатанные рукава.

Он взглянул на меня и пожал плечами:

— Ты наденешь спасательный жилет?

Я кивнула.

— И не будешь болтаться у меня под ногами?

Я вскинула голову, как будто мои глаза могли говорить.

— Не обижай девочку, — сказала Йоши. — Ее уже два раза тошнило.

— Это нервное, — объяснила я. — У меня с животом всегда так.

— Вот неприятность. Слушай, ты, главное, сделай так, чтобы твоя мама поняла, что я к этому не имею отношения. И еще, малявка, давай в следующий раз ты выберешь «Моби-два»... Или вообще какую-нибудь другую лодку.

— Ты ее даже не увидишь, — пообещала Йоши. — В любом случае ход Грэга — это еще цветочки. — Тут она улыбнулась. — Подожди, пока он повернет, тогда увидишь, что он сделал с той стороной своего носа.

Это она сказала, когда мы уже выходили из кокпита. День выдался хорошим: море немного волновалось, но ветер был слабым, а воздух — таким прозрачным, что можно было разглядеть белые барашки на бурунах в нескольких милях от нас. Я шла за Йоши на главную палубу с рестораном, катамаран поднимался и опускался на волнах, но мои ноги легко амортизировали качку. Теперь, когда капитан знал о том, что я на борту, я чувствовала себя более уверенно.

Отрезок между выходом в море и прибытием в спокойные воды, где любят собираться бутылконосы[1], — самый тяжелый для стюарда. Так сказала мне Йоши, она же и была стюардом на «Моби I». Пока пассажиры сидели на верхней палубе и, закутавшись в шерстяные шарфы, наслаждались свежим майским воздухом, Йоши раскладывала закуски для шведского стола, предлагала напитки и, если начиналась качка, заготавливала моющие средства и пакеты для рвоты.

— Они должны оставаться на нижних палубах, есть и пить следует быстро, а если тошнит, надо пользоваться пакетами, а не свешиваться за борт, да так, что потом никто к поручням подойти не сможет, — тихо ворчала Йоши, поглядывая на хорошо одетых азиатов, которые скупили бóльшую часть билетов на утро. — Но им, сколько ни говори, все без толку. А если это японцы, —

1 *Бутылконосы* — род зубатых китов семейства клюворылых.

не без некоторого злорадства добавила она, — то оставшееся время они просидят молчком с серыми лицами. Поднимут воротники, спрячут глаза за темными очками и будут упорно смотреть на море.

— Чай? Кофе? Печенье? Чай? Кофе? Печенье?

Я шла за Йоши на переднюю палубу, ветер трепал мою ветровку, холодный воздух покусывал за нос и за мочки ушей. Большинство пассажиров ничего не хотели, они смотрели на горизонт и фотографировали друг друга. Я решила, что они все равно уже поели, и таскала печенье из банки.

«Моби I» был самым большим в Сильвер-Бей катамараном — «кэтом», как называли их в команде. Обычно на катамаране работали два стюарда, но с похолоданием туристов становилось все меньше, и до следующего сезона Йоши работала одна. Мне это даже нравилось, потому что так было легче уговорить ее взять меня на борт. Я помогла Йоши расставить чайники и кофейники по держателям и вышла на узкую часть палубы. Там мы прильнули к окнам и наблюдали за тем, как «Сьюзен» продолжает идти по волнам неровным курсом. Даже на таком расстоянии мы видели, что люди у нее на борту перевесились через поручни и разглядывают намалеванную красной краской надпись прямо под ними.

— А вот сейчас мы можем сделать перерыв на десять минут. Держи. — Йоши открыла колу и протянула мне банку. — Ты когда-нибудь слышала о теории хаоса?

— Ну, мм, — протянула я загадочно, чтобы можно было подумать, что слышала.

— Те люди, — сказала Йоши и махнула рукой в сторону маленькой яхты, и в тот же момент мы почувствовали, как катамаран замедлил ход, — которые отправились в долгожданное плавание... Если бы они знали, что их надеждам увидеть дельфинов в естественной среде не суждено сбыться из-за бывшей девушки капитана и ее нового парня, того, который теперь живет с ней больше чем в двухстах пятидесяти километрах отсюда, в Сиднее, и считает, что цветастые шорты — это повседневная одежда...

Я сделала большой глоток колы, от газов у меня навернулись слезы.

— Ты хочешь сказать, что туристов на яхте Грэга тошнит из-за теории хаоса?

Я-то думала, оттого, что он опять напился накануне вечером.

Йоши улыбнулась:

— Что-то вроде.

Шум двигателя затих, и «Моби I» остановился. Стало слышно, как болтают туристы и волны плещутся о борт. Я любила эти моменты, любила смотреть, как мой дом превращается в белую точку на узкой полоске берега, а потом исчезает за бесконечной чередой маленьких бухточек. Возможно, больше всего меня пленяло то, что я нарушала правила. Я не была какой-то бунтаркой, совсем нет, но мне нравилось так думать.

У Лары был динги[1], ей разрешали самой выходить в море (но не за буйки) и помечать старые устричные отмели. Я ей завидовала. Моя мама не разрешила бы мне одной плавать на лодке по заливу, хотя мне было уже почти одиннадцать. «Всему свое время» — так бы она мне ответила. Не было смысла спорить с ней о таких вещах.

Рядом с нами появился Ланс. Он только что закончил фотографироваться с двумя хихикающими девушками. Молодые женщины часто просили его сняться

1 *Динги* — маленькая шлюпка, тузик, длиной около трех метров и вместительностью один-два человека.

с ними, и он никогда не отказывал. Йоши говорила, что поэтому Ланс и любит носить капитанскую фуражку, даже когда солнце палит так, что мозги плавятся.

Ланс, прищурившись, посмотрел в сторону яхты Грэга и спросил:

— Что он там намалевал?

Мне показалось, что он уже простил меня за то, что я без спроса пробралась к нему на борт.

— Скажу, когда вернемся на пристань, — ответила Йоши.

Я заметила косой взгляд в свою сторону и сказала:

— Между прочим, я могу это прочитать.

На лодке Грэга, которая еще день назад называлась «Милая Сьюзен», теперь красной краской было написано, что «Сьюзен» делает нечто, что, как сказала бы Йоши, биологически невозможно.

Йоши повернулась к Лансу и, понизив голос, как будто это не для моих ушей, сообщила:

— Миссис все-таки признала, что был другой мужчина.

Ланс присвистнул:

— Он то же самое говорил. А она отрицала.

— Не хотела признаваться, потому что знала, как он отреагирует. Сам-то Грэг совсем не святой... — Йоши мельком взглянула на меня. — В общем, она уехала жить в Сидней и сказала, что хочет половину яхты.

— А он что?

— Я думаю, ответ на лодке.

— Не могу поверить, что он взял пассажиров с таким размалеванным бортом.

Ланс поднес бинокль к глазам, чтобы получше разглядеть красные буквы на борту «Сьюзен».

Йоши жестом попросила передать ей бинокль.

— Он утром был таким кривым, я даже не уверена, что он помнит, что сделал.

Нас прервали возбужденные крики туристов на верхней палубе. Они столпились у носа на кокпите.

— Началось, — пробормотал Ланс, потом он расправил плечи и, улыбнувшись, обратился ко мне: — Наши карманные денежки, малявка. Пора приниматься за работу.

Йоши говорила, что иногда можно проплыть весь залив, а бутылконосы так и не появятся. В результате лодка, полная неудовлетворенных наблюдателей за дельфинами, превращается в лодку, которая во второй раз будет катать их бесплатно, плюс еще пятьдесят процентов компенсации, а эти два обстоятельства гарантированно выведут босса из себя.

Туристы столпились на носу катамарана и старались поймать в объективы своих камер серые блестящие силуэты, которые прыгали через волны. Я пыталась разглядеть, кто явился поиграть. Однажды на стене нижней палубы Йоши развесила фотографии плавников всех дельфинов в наших водах и каждому дала имя: Зигзаг, Ван Кат[1], Пайпер...[2] Сначала все члены команды смеялись над ней, но потом сами стали распознавать плавники. И теперь можно было услышать, как они говорят друг другу вполголоса, например: «Баттернайф[3] уже второй раз за неделю появляется». Я тоже все имена знала наизусть.

— Похоже, это Поло и Бролли[4].

— А это детеныш Бролли?

1 *Ван Кат* (*англ.* one cut) — зазубрина.

2 *Пайпер* (*англ.* piper) — дудочник.

3 *Баттернайф* (*англ.* butter knife) — нож для масла.

4 *Бролли* (*англ.* brolly) — зонтик.

Дельфины беззвучно кружили вокруг катамарана, как будто это они были туристами, которые осматривают местные достопримечательности. Каждый раз, когда кто-то из них выпрыгивал на поверхность, щелкали затворы фотоаппаратов. Интересно, что они думали о людях, которые таращились на них с лодки? Я знала, что дельфины неглупые животные, и часто представляла, как они после прогулки встречаются у рифов, смеются и обсуждают нас на своем дельфиньем языке. «Помнишь того, в синей шляпе? А рядом, в дурацких очках?»

Ланс по корабельному радио обратился к туристам:

— Леди и джентльмены, пожалуйста, не сбегайтесь все на один борт. Мы сделаем медленный поворот, и каждый из вас сможет отлично рассмотреть дельфинов. Если вы соберетесь на одной стороне, мы, скорее всего, перевернемся. Дельфинам не нравятся перевернутые лодки.

Я посмотрела вверх и увидела двух альбатросов: они замерли, сложили крылья, спикировали и без брызг вошли в воду. Один снова поднялся в воздух и начал кружить в поисках добычи. Потом к нему присоединился второй, они взмыли над маленькой бухтой и исчезли из виду. Я проводила альбатросов взглядом. «Моби I» медленно изменил позицию, а я перегнулась через поручни и, чтобы полюбоваться новыми кроссовками, сунула ноги под нижнюю перекладину. Йоши пообещала, что, когда станет теплее, разрешит мне посидеть на нижней сетке, тогда я смогу дотронуться до дельфинов, а может, даже и поплавать с ними. Но это только если моя мама согласится. А мы все понимали, что это значит.

Лодка вдруг дернулась, я только через секунду поняла, что заработали двигатели, и крепче схватилась за поручни. Я выросла в Сильвер-Бей и знала, как надо вести себя рядом с дельфинами. Хочешь, чтобы они поиграли, — заглуши двигатель. Если они продолжают движение — иди параллельным курсом, пусть они будут ведомыми. Дельфины все ясно объясняют своим поведением: если вы им понравитесь, они подплывут ближе или будут держаться на небольшом расстоянии, если вы им не понравитесь, они уплывут. Йоши неодобрительно на меня посмотрела, катамаран накренился, и мы обе ухватились за спасательный трос. Моя растерянность как в зеркале отразилась на лице Йоши.

От внезапного запуска двигателей катамаран прыгнул, а туристы на верхней палубе с визгом попадали на свои сиденья. Мы прямо полетели вперед.

Когда я и Йоши, цепляясь за поручни, поднялись в кокпит, Ланс был на связи. Мы встали у него за спиной. «Милая Сьюзен» неслась по волнам на некотором расстоянии от нас. Капитану было явно плевать на жалких людишек, которые теперь уже в большем количестве болтались на поручнях его лодки.

— Ланс, что ты делаешь? — громко закричала Йоши, схватившись за поручни.

— Увидимся на финише, приятель... — пробормотал Ланс и одними губами сказал Йоши: — Мне нужен переводчик.

После этого он состроил гримасу и включил корабельную радиосвязь:

— Леди и джентльмены, сегодня утром у нас есть для вас нечто особенное. Вы уже насладились созерцанием дельфинов залива Сильвер-Бей, но, если вы будете крепко держаться за поручни, мы с удовольствием покажем вам еще кое-что волшебное. В море немного впереди нас замечены киты, первые в этом сезоне. Это горбатые киты, каждый год они мигрируют через наши воды из Антарктики на север. Я вам обещаю — это зрелище вы никогда не забудете. А теперь, пожалуйста, сядьте или крепче держитесь за поручни. Впереди море не такое спокойное, так что возможна небольшая качка, но я хочу доставить вас к месту вовремя, чтобы вы смогли увидеть китов. Тем, кто желает оставаться на носу лодки, я предлагаю надеть дождевики, их у нас на корме достаточно.

Ланс повернул штурвал и кивнул Йоши. Йоши взяла микрофон и повторила все, что сказал Ланс, сначала на японском языке и, как могла, на корейском. Потом она говорила, что так разволновалась от услышанного, что, вполне возможно, просто пересказала туристам меню предыдущего дня. У нее в голове и у меня тоже звенело только одно слово: «Кит!»

— Далеко? — спросила Йоши, вглядываясь в сверкающее впереди море.

Ее тело напряглось. У меня свело желудок. От былой расслабленной атмосферы не осталось и следа.

— Четыре мили, может, пять. Не знаю. С вертолета туристов передали, что вроде видели пару в двух милях от Торн-Пойнта. Еще рановато, конечно, но...

— В прошлом году — четырнадцатого июня. Мы не так уж далеко, — сказала Йоши. — Матерь Божья! Посмотри на Грэга! Если он будет нестись на такой скорости, точно потеряет пассажиров. Его лодка не настолько большая, чтобы прыгать по волнам.

— Не хочет, чтобы мы опередили его. — Ланс тряхнул головой и посмотрел на спидометр. — Полный ход. И пусть в этом году «Моби-один» будет первым. Ну хоть раз.

Некоторые трудились на таких лодках, как «Моби I», всего лишь для того, чтобы набрать нужное количество часов, перед тем как перейти на более крупные суда и заняться более квалифицированной работой. Некоторые, такие как Йоши, самозабвенно осваивали здесь профессию и даже забывали вернуться домой. Но для всех было чудом увидеть первых китов в начале сезона миграции. Как только становилось известно об их появлении, все пять лодок, которые работали на Китовой пристани, переключались с наблюдения за дельфинами на наблюдение за китами. А для команд было важно первенство. Эта гонка была настоящей страстью и как настоящая страсть сводила их с ума. Поверьте, именно так все и обстояло.

— Ты посмотри на этого кретина. И как только он умудряется держать курс, — зло сказал Ланс.

Грэг шел по левому борту от нас, но не отставал.

— Не может смириться с тем, что мы будем первыми. — Йоши схватила дождевик и набросила его на меня. — Вот так! На случай, если выйдем на нос. Там очень сыро.

Ланс заметил на горизонте еще одну лодку.

— Дьявол, поверить не могу! — Он, наверное, окончательно забыл, что я рядом и при мне, ребенке, ругаться нельзя. — Это Митчелл! Держу пари — он весь день сидел у радио и теперь спокойненько идет к цели с полной кабиной пассажиров. Я его когда-нибудь за такие штучки повешу.

Они всегда стонали из-за Митчелла Дрэя. Его, в отличие от других, никогда особенно не волновало наблюдение за дельфинами. Иногда он просто прослушивал радиопереговоры между кораблями, узнавал, что где-то засекли китов, и сразу шел к цели.

— Я правда увижу кита? — спросила я.

Катамаран несся по воде, подскакивая на волнах так, что мои ноги отрывались от пола. Мне пришлось отойти к стене. Через окна доносились возбужденные крики туристов и смех тех, кого изредка окатывали большие волны.

— Скрестим пальцы, — сказала Йоши, вглядываясь в горизонт.

Настоящий кит. Я только один раз видела кита. Вместе с тетей Кэтлин. Вообще-то, мне не разрешали выходить так далеко в море.

— Вон там... Там! Нет, это брызги. — Йоши смотрела в бинокль. — Ты не можешь чуть сменить курс? Слишком яркий свет, блики на воде.

— Не могу, если хочешь, чтобы я пришел первым.

Но все-таки Ланс повернул лодку вправо, пытаясь избежать слишком слепящего света.

— Надо связаться с берегом. Узнаем, где точно вертолет засек китов, — предложила Йоши.

— Нет смысла, — ответил Ланс. — Они уже могли уйти мили на две. И Митчелл будет слушать. Не собираюсь подкидывать этому придурку информацию. Он все лето у нас пассажиров переманивал.

— Тогда смотри, где появится выброс.

— Ага, и маленький флажок с надписью «Кит».

— Ланс, я просто пытаюсь помочь.

— Вон там! — Мне удалось разглядеть вдалеке под водой что-то похожее на маленькую темную гальку. — Север-северо-восток. За Брейк-Ноус-Айлендом. Только нырнул.

Казалось, меня стошнит от перевозбуждения. Ланс за моей спиной начал отсчет:

— Раз... два... три... четыре... кит!

Над горизонтом появился фонтан воды, который никогда ни с чем не спутаешь. Йоши взвизгнула, Ланс посмотрел в сторону лодки Грэга, тот со своей позиции не мог увидеть выдох кита.

— Мы ее засекли, — сквозь зубы прошипел Ланс. Для него все киты были девочками, так же как все дети — малявками.

Кит. Я смаковала это слово и не отрывала глаз от воды. «Моби I» сменил курс. Огромный катамаран тяжело прыгал по волнам, а я представляла, как за мысом прыгает кит и подставляет всему миру свое белое брюхо.

— Кит... — прошептала я.

— Мы будем первыми, — возбужденно бормотал себе под нос Ланс. — Хотя бы раз мы будем первыми.

Я наблюдала за тем, как он крутит штурвал и шепотом отсчитывает секунды между выдохами кита. Интервал больше тридцати секунд — значит, занырнул глубоко, и мы можем его потерять. Меньше — у нас есть шанс пойти за ним.

— Семь... восемь... Она поднялась. Да! — Ланс хлопнул ладонью по штурвалу и схватил микрофон системы внутреннего оповещения. — Леди и джентльмены, если вы посмотрите направо, вы сможете увидеть кита, который движется вон там, за небольшим кусочком суши.

— Грэг понял, куда мы направляемся, — сказала Йоши с улыбкой. — Теперь ему нас не догнать. У него двигатель недостаточно мощный.

— «Моби-один» вызывает «Голубой горизонт». Митчелл, — заорал Ланс в свою рацию, — хочешь увидеть эту малышку, придется плестись у меня в хвосте!

— «Голубой горизонт» вызывает «Моби-один», — ответил Митчелл. — Я здесь только на случай, если у Грэга пассажиры попадают за борт. Должен же кто-то их подобрать.

— О, а большая рыба совсем не интересует? — отрывисто спросил Ланс.

— Море большое, Ланс, места всем хватит.

Я крепко схватилась за край штурманского стола, так, что даже костяшки пальцев побелели, и смотрела, как постепенно увеличивается в размерах поросший кустарником мыс. Может, кит останется там и позволит нам подойти ближе? Может, поднимет голову над водой и посмотрит на нас? Может, подплывет к нашему борту и покажет своего детеныша?

— Две минуты, — сказал Ланс. — Обойдем мыс через две минуты. Будем надеяться, получится подойти ближе.

— Давай же, девочка, устрой для нас хорошее шоу, — тихо уговаривала кита Йоши, не отрывая бинокль от глаз.

«Кит, — мысленно просила я, — подожди нас, кит».

Мне было интересно — заметит ли он меня, почувствует ли, что я одна из всех на лодке имею особую связь с обитателями моря. Я нисколько не сомневалась в том, что чувствую их.

— Вот дьявол! Глазам своим не верю. — Ланс снял фуражку и уставился в окно.

— Что? — спросила Йоши, наклонившись к нему.

— Сама посмотри.

Я проследила за взглядом Ланса. Всего в полумиле от мыса стоял на якоре «Измаил». Он мирно покачивался на зеленовато-голубых волнах, его свежевыкрашенные борта сверкали в лучах полуденного солнца.

Возле штурвала, облокотившись на поручни, стояла моя мама. Волосы хлестали ее по лицу, на ней была выгоревшая добела кепка, в которой она неизменно выходила в море. Милли, наша собака, лежала у штурвала и, судя по ее виду, спала. Можно было подумать, что мама уже давным-давно так стояла и ждала этого кита.

— Чертовщина какая-то, как она это делает? — возмутился Ланс.

Йоши так на него посмотрела, что он, как будто извиняясь, сказал мне:

— Ничего личного, но — черт побери...

— Она всегда приходит первой, — отозвалась Йоши, в ее голосе были восторг и смирение одновременно.

— Проиграть Пом. Черт, это еще хуже, чем в крикет.

Ланс прикурил сигарету и с отвращением отбросил спичку в сторону.

Я вышла на палубу.

И в этот момент появился кит. Пока мы таращились на него с открытыми ртами, он взмахом хвостового плавника окатил водой «Измаил». Туристы на верхней палубе радостно завопили. Гигантский кит резвился настолько близко, что можно было разглядеть прилипал на его туловище и гофрированное белое брюхо. Так близко, что я смогла увидеть его глаз. Кит двигался очень быстро, как-то даже несолидно для такого громадного животного.

У меня перехватило дыхание. Держась одной рукой за спасательный трос, я смотрела в бинокль, но не на кита, а на мою маму. Я почти не слышала восторженных криков о том, какой кит огромный, не чувствовала волну, которую он послал в сторону маленькой, по сравнению с ним, лодки, и совсем забыла о том, что должна оставаться незамеченной. Даже на таком расстоянии я видела, что Лиза Маккалин улыбается и смотрит куда-то вверх. Такой ее редко можно было увидеть на суше. Точнее, никогда.

Тетя Кэтлин подошла к большому столу из отбеленного дерева на краю веранды и поставила рядом с хлебницей большое блюдо с креветками и дольками лимона. Вообще-то, Кэтлин — моя двоюродная бабушка, но она говорит, что, когда я называю ее бабушкой, она чувствует себя старой развалиной, так что я называю ее тетя Кей. За спиной тети в лучах вечернего солнца мягко светился обшитый белым сайдингом фасад отеля, по окнам которого скользили желто-оранжевые блики. Немного усилившийся к вечеру ветер раскачивал вывеску.

— А это зачем? — спросил Грэг, подняв голову от бутылки с пивом, которую баюкал в руках.

Он наконец снял солнцезащитные очки, тени у него под глазами выдавали события прошлого вечера.

— Я слышу, как у тебя урчит в животе, — сказала тетя и бросила на стол перед Грэгом салфетку.

— А он тебе не сказал, что четыре пассажира потребовали компенсации, после того как увидели надпись у него на борту? — усмехнувшись, спросил Ланс. — Извини, Грэг, приятель, но, черт, это так глупо. Лучше ничего не мог придумать?

— Ты — сама доброта, Кэтлин. — Грэг проигнорировал Ланса и потянулся за хлебом.

Тетя подарила ему один из своих взглядов:

— Еще раз напишешь такие слова там, где их сможет прочитать Ханна, будет тебе доброта.

— Леди Акула все такая же опасная, — сказал Ланс и, повернувшись к Грэгу, щелкнул зубами.

Тетя Кэтлин не обратила внимания на него.

— Ханна, налетай. Держу пари — ты утром ни крошки не съела. Сейчас принесу салат.

— Она ела печенье, — сказала Йоши, сосредоточенно очищая креветку.

— Печенье, — фыркнула тетя.

Практически каждый вечер мы, команды Китовой пристани, собирались на веранде напротив кухни отеля. Обычно, перед тем как разойтись, члены команд угощали друг друга одной-двумя бутылками пива. Тетя Кэтлин говорила, что те, кто помоложе, порой так наугощаются, что до дома дойти не могут.

Я вцепилась зубами в тигровую креветку и заметила, что из отеля вынесли горелки. В июне многие туристы любили посидеть на свежем воздухе, а зимой на веранде, вне зависимости от погоды, собирались члены команд и обсуждали события дня. Состав команд каждый год менялся: кто-то находил новую работу, кто-то уезжал учиться в университет, но Ланс, Грэг, Йоши были частью моего мира, с тех пор как я живу в Сильвер-Бей. Тетя Кэтлин обычно зажигала горелки в начале месяца, и до сентября они горели все вечера.

— Много катали сегодня? — спросила тетя, вернувшись на веранду с салатом. — У меня в музее никого не было.

Ловкими и сильными пальцами она быстро перемешала салат и, я даже не успела возразить, положила порцию на мою тарелку.

— «Моби-один» загрузился под завязку. Большинство — корейцы, — ответила Йоши, пожав плечами. — А Грэг чуть половину своих не потерял.

— Они получили отличную картинку. — Грэг потянулся за очередным куском хлеба. — Никто не жаловался. Есть еще пиво, мисс М?

— Ты знаешь, где бар. Ханна, а ты его видела?

— Просто громадина! Я даже прилипал разглядела.

Почему-то я ожидала, что кит будет гладким, но все оказалось наоборот: его грубая морщинистая кожа была вся исполосована шрамами после стычек с другими обитателями моря, и он казался ожившим островом.

— Он был совсем рядом. Я ей сказала, что обычно мы не подходим так близко, — вставила Йоши.

— Если бы Ханна была на лодке с мамой, — прищурившись, сказал Грэг, — она бы зубки ему смогла почистить.

— Так, ладно, больше об этом не говорим... — Тетя Кэтлин тряхнула головой. — Ни слова. — И она беззвучно, одними губами сказала мне: — Это последний раз.

Я послушно кивнула. Это был третий последний раз за месяц.

— А Митчелл появлялся? Надо за ним понаблюдать. Я слышала, он присоединился к этим сиднейцам с их большими лодками.

Все за столом вскинули головы.

— Я думал, Национальные парки и Служба охраны дикой природы их распугали, — сказал Ланс.

— Ходила сегодня на рыбный рынок, — отозвалась тетя Кэтлин, — мне там сказали, что видели одного «перепуганного». Музыка — на полную мощность, пассажиры танцуют на палубе, как на дискотеке. Испортили всю вечернюю рыбалку. Но когда появились люди из парков и службы охраны, он уже был далеко. Ничего не докажешь.

В Сильвер-Бей очень важно сохранять баланс: слишком мало желающих понаблюдать за дельфинами и китами — бизнес может загнуться; слишком много — они спугнут тех, кого сами же хотят посмотреть.

Ланс и Грэг выступали против трехпалубных катамаранов в нашем заливе. Тут они придерживались одного мнения. На этих лодках часто громко включали музыку и было слишком много народу.

— Они нас всех до ручки доведут, — сказал Ланс. — Им на все плевать. Только деньги на уме. Надо засудить Митчелла так, чтобы мало не показалось.

Я даже не подозревала, насколько проголодалась. В рекордное время уплела шесть огромных креветок и начала гоняться по блюду за пальцами Грэга. Он улыбнулся и помахал передо мной головой креветки, я показала ему язык. Мне кажется, я немножко влюблена в Грэга, но я, конечно, никому никогда об этом не расскажу.

— О, вот и она — Принцесса Китов.

— Очень смешно. — Мама бросила ключи на стол и жестом попросила Йоши подвинуться, чтобы можно было втиснуться рядом со мной.

— Как прошел день, милая? — спросила мама и поцеловала меня в макушку.

От нее пахло морем и солнцезащитным кремом.

— Отлично, — ответила я и стрельнула глазами в сторону тети.

А потом, чтобы мама не смогла заметить, что я покраснела, нагнулась и почесала Милли за ухом. У меня все еще вспыхивала в голове картинка с китом, она была такой яркой, мне казалось, что всем ее видно.

— Чем занималась? — спросила мама и налила себе стакан воды.

— Да, Ханна, чем ты занималась? — спросил Грэг и подмигнул мне.

— Утром она помогала мне перестилать кровати. — Тетя Кэтлин сердито посмотрела на Грэга. — Я слышала, что у тебя день точно выдался хороший.

— Неплохой. — Мама сделала большой глоток воды. — Боже, я умираю от жажды. Ты достаточно пила сегодня, Ханна? Кэтлин, она достаточно пила сегодня?

Мы уже давно жили в Австралии, но у мамы даже спустя столько лет сохранился акцент.

— Да, она пила много. А как много ты видела?

— Ханна всегда мало пьет. Только одного. Большая девочка. Выплеснула мне в сумку полванны воды. Вот смотри.

Мама вытащила из сумки чековую книжку. Края страниц в книжке от влаги стали волнистыми.

— Это же ошибка новичка, — недовольно вздохнула тетя. — А ты что, никого с собой не взяла?

Мама отрицательно покачала головой:

— Хотела еще раз испытать новый руль, посмотреть, как он поведет себя на волне. В мастерской предупредили, что может заклинить.

— И ты совершенно случайно наткнулась на кита, — сказал Ланс.

Мама сделала еще один глоток воды.

— Да.

Лицо ее оставалось непроницаемым. Она сама была непроницаемой. Как будто никакой встречи с китом и не было.

Несколько минут мы ели молча. Солнце медленно клонилось к горизонту. Мимо прошли два рыбака, они помахали нам в знак приветствия. В одном я узнала папу Лары, но я не уверена, что он меня увидел.

Мама съела кусок хлеба и маленькую порцию салата, даже меньше, чем у меня, а я салат не люблю. Потом она посмотрела на Грэга:

— Я слышала о «Сьюзен».

— Половина Порт-Стивенса знает о Сьюзен.

У Грэга были усталые глаза и щетина, как будто он неделю не брился.

— Да. Ну прости, виновата.

— Виновата — достаточно, чтобы в пятницу выйти со мной в море?

— Нет.

Мама встала, посмотрела на часы, закинула чековую книжку обратно в сумку и повернулась к дверям в кухню.

— Этот новый руль все еще не отлажен. Надо позвонить в мастерскую, пока они не ушли. Ханна, надень свитер, ветер поднимается.

Я наблюдала за тем, как она уходит, а следом за ней бежит Милли.

Мы все молчали, пока не услышали, как хлопнула дверь-сетка. Тогда Ланс откинулся на спинку стула и посмотрел на темнеющий залив, где вдали на горизонте плыл едва заметный для глаза катер.

— Наш первый кит и первый отказ Грэгу в этом сезоне. Милая симметрия, ты не находишь? — сказал Ланс и пригнулся.

Кусок хлеба отскочил от спинки его стула.

2

Кэтлин

Музей китобоев располагался в здании бывшего перерабатывающего завода в нескольких сотнях ярдов от отеля «Сильвер-Бей». Завод закрылся в начале шестидесятых, когда запретили китобойный промысел. Это был не самый привлекательный объект для современных туристов: здание напоминало большой ангар, пол был подозрительного красно-коричневого цвета, а стены побелели от соли, которую использовали при обработке. За музеем находился туалет без водопровода. Для тех, кому захочется пить, всегда стоял наготове кувшин со свежевыжатым лимонным соком, а поесть, как указывала табличка, можно в отеле. Я бы сказала, что нынешние «удобства» в два раза превосходили то, что можно было получить в те времена, когда мой отец был еще жив.

Самый ценный предмет экспозиции — корпус китобойца «Мауи II». В тысяча девятьсот тридцать пятом году на «Мауи II» напал кит минке, он поднял его на хвосте, подбросил, и китобой развалился на две половины. К счастью, поблизости оказался рыболовный траулер, его команда спасла китобоев и подтвердила их историю. Местные жители годами приходили в музей, чтобы посмотреть на свидетельство того, как природа может отомстить человеку, когда тот берет больше, чем ему надо.

Я занималась музеем с тех пор, как в семидесятом умер мой отец, и всегда позволяла посетителям забираться на обломки корпуса «Мауи II» и пощупать руками расщепленные доски. Их лица оживлялись, когда они представляли, каково это — оказаться верхом на ките. Давным-давно я позировала для репортера из газеты, какой-то глазастый турист опознал во мне Девочку Акулу, так что я поместила фотографии в рамочки и развесила их на стенах между застекленными витринами с чучелами рыб.

В наше время музей уже мало кого интересует. Туристы, которые останавливаются в отеле, могут из вежливости провести минут десять в этом пыльном помещении, могут даже потратить пятнадцать центов на открытки и подписать очередную петицию против возобновления китобойного промысла. Но обычно они заскакивают в музей, потому что дожидаются такси, или поднялся ветер, или идет дождь и они не могут выйти в залив.

В тот день в музее я думала о том, что, возможно, мне не стоит их осуждать. Останки корпуса «Мауи II» все больше походили на сплавной лес, а китовый ус, эти странные пластинки из пасти горбатого кита, уже всем приелись и проигрывали в привлекательности мини-гольфу, игровым автоматам в серфинг-клубе. Годами мне рассказывали, как лучше осовременить музей, но я никого не слушала. Зачем? Половина из тех, кто забредал в музей, чувствовали себя там неловко, потому что им казалось странным прославлять то, что теперь запрещено законом. Да я и сама не понимала, почему не закрываю музей. Вот только китобойный промысел — это история Сильвер-Бей, а история, пусть и горькая, остается историей.

Я поправила на стене закрепленный на крюках гарпун, который по давно забытым мной причинам был известен как «Старый Гарри», и взяла удочку, что висела под ним. Смахнув тряпкой пыль с удочки, я крутанула катушку, чтобы убедиться в том, что она все еще работает. Конечно, это уже было неважно, но мне всегда приятно сознавать, что все вещи в полном порядке. Я постояла немного в нерешительности с удочкой в руках, но соблазн был велик, и я отклонила ее назад, как будто приготовилась закинуть.

— Ну, много здесь ты не поймаешь.

Я резко развернулась и схватилась рукой за сердце.

— Нино Гейнс! Я из-за тебя чуть свою удочку не уронила.

— Как же, дождешься от тебя.

Нино снял шляпу и прошел от порога в центр зала.

— Никогда не видел, чтобы ты уронила удочку. — Он улыбнулся, продемонстрировав свои кривые зубы. — У меня в грузовике парочка ящиков хорошего вина. Подумал, может, ты будешь не против продегустировать со мной одну за ланчем. Я ценю твое мнение.

— Если память мне не изменяет, мой заказ только на следующей неделе. — Я вернула удочку на место и вытерла руки о молескиновые брюки.

В моем возрасте глупо беспокоиться из-за внешнего вида, но мне не понравилось, что Нино застал меня в рабочих штанах, да еще растрепанной.

— Как я уже упомянул, это хорошая партия. Буду признателен, если ты выскажешь свое мнение.

Нино улыбнулся. Морщины на его лице говорили о годах работы на виноградниках, а розоватый оттенок кожи вокруг носа — о том, как он проводил вечера после работы.

— Завтра приезжает гость, я должна приготовить для него номер.

— И сколько времени у тебя уходит на то, чтобы застелить кровать, женщина?

— Зимой у нас не так уж много гостей. Дареному коню в зубы не смотрят, но... — Я заметила, что Нино расстроился, и смягчилась. — Пожалуй, смогу уделить тебе несколько минут, если только ты не рассчитываешь на закуску. Я жду заказ из бакалейного магазина. Этот дрянной мальчишка каждую неделю запаздывает.

— Я это предвидел. — Нино поднял в руке бумажный пакет. — У меня пара пирогов и тамарилло на десерт. Я знаю, какие вы — работающие девочки. Все работа, работа, работа... Должен же кто-то поддерживать в вас силы.

Я не смогла сдержаться и рассмеялась. Нино Гейнс всегда так на меня действовал, еще с войны, когда он появился в наших местах и объявил о своем намерении здесь обосноваться. Тогда весь залив заполонили австралийские и американские военные. Мой отец отметил, что Нино — аккуратный парень. В то время как другие молодые военные улюлюкали и свистели, когда я работала за стойкой, Нино вел себя как джентльмен. Он всегда снимал фуражку, пока ожидал свой заказ, и никогда не забывал обратиться к моей маме «мэм».

«Все равно не стоит ему доверять», — бурчал отец, и я в итоге склонилась к мысли, что, возможно, он и прав.

День был ясным, море спокойным — хороший день для команд с Китовой пристани. Мы сели за стол, и я наблюдала за тем, как «Моби I» и «Моби II» направляются в устье залива. Зрение у меня было уже не таким, как раньше, но казалось, что у них на борту приличное количество пассажиров. Лиза вышла в море раньше. Она взяла группу пенсионеров из Клуба Лиги вернувшихся и служащих. Бесплатно. Она поступала так каждый месяц, хоть я и говорила ей, что это глупо.

— Закрываешься на зиму?

Я покачала головой и откусила кусок пирога.

— Нет. «Моби» хотят попробовать работать со мной: ночлег, питание и наблюдение за китами по фиксированной цене. Плюс музей. Почти как я с Лизой. Они напечатали брошюры и собираются разместить что-то там на туристическом веб-сайте Нового Южного Уэльса. Говорят, так ведут большой бизнес.

Я ожидала, что Нино начнет ворчать о том, что новые технологии не для него, но он сказал:

— Отличная идея. Я теперь ящиков сорок в месяц через сеть продаю.

— Ты пользуешься интернетом? — Я посмотрела на него поверх очков.

Нино поднял бокал, он явно был доволен тем, что сумел меня удивить.

— Что бы ты там ни думала, мисс Кэтлин Виттер Мостин, но ты многого обо мне не знаешь. Я в киберпространстве уже, дай бог, полтора года. Фрэнк установил у меня интернет. Скажу тебе правду: мне порой очень даже нравится бродить по сети. Покупаю там разные товары. — Нино указал на мой бокал, он хотел, чтобы я попробовала его вино. — Чертовски полезная штука, можно посмотреть, что предлагают крупные производители из Долины Хантер.

Меня поразила легкость, с которой Нино Гейнс рассуждал о новых технологиях, и я, чтобы как-то скрыть это, постаралась сосредоточиться на вине. Я чувствовала себя не в своей тарелке, так всегда бывало, когда я разговаривала с молодыми людьми, — как будто какие-то жизненно важные знания раздали у меня за спиной. Я понюхала вино, потом пригубила немного и подержала во рту, чтобы почувствовать букет. Молодое, но это не так плохо.

— Очень хорошее вино, Нино. Легкий привкус малины.

Если не в новых технологиях, то хоть в вине я разбиралась.

Нино кивнул с довольным видом:

— Я знал, что ты почувствуешь. Кстати, тебя в сети упоминают.

— Как упоминают?

— Как Девочку Акулу. Фрэнк набрал твое имя в поисковике и сразу получил твое фото и все прочее. Из газетных архивов.

— В интернете есть моя фотография?

— В купальнике. Ты всегда была в нем такой соблазнительной. Есть еще парочка текстов. Какая-то девочка из Университета Виктории упоминает о тебе в своей диссертации о женщинах, охоте и чем-то там еще. Очень впечатляет, символизм, цитаты из классиков и бог знает что. Я попросил Фрэнка это распечатать, думал, что ты можешь повесить статью в рамочке в музее, но, кажется, забыл взять с собой.

Тут я действительно начала терять самообладание. Я поставила бокал на стол.

— В интернете есть моя фотография в купальнике?

Нино Гейнс рассмеялся:

— Успокойся, Кейт, это же не «Плейбой». Загляни ко мне завтра, покажу.

— Не уверена, что мне это нравится. Я там выставлена на всеобщее обозрение.

— Да это та же фотография, что висит у тебя. — Нино махнул в сторону музея. — Ты же не против, что люди на нее таращатся.

— Но... это другое.

На самом деле я понимала, что разницы никакой. Однако музей был моей личной территорией, я могла запретить или, наоборот, разрешить входить туда и смотреть на мою фотографию. И это успокаивало. А в интернете незнакомые люди бесконтрольно совали нос в мою жизнь, в мою историю, как будто это таблицы со ставками на ипподроме...

— Тебе следовало бы разместить в сети фотографию Лизы и ее лодки. Гостей бы точно стало больше. Забудь о рекламе отеля с «Моби»; симпатичная девушка, как Лиза, — вот кто привлечет туристов.

— Ты знаешь Лизу. Она предпочитает сама решать, с кем ей выйти в море.

— Так дела не делают. Почему бы тебе не сфокусироваться на своей лодке? Ночлег, кормежка и прогулка на «Измаиле» с Лизой — заказы посыплются со всего мира.

Я начала убирать со стола.

— Я так не думаю. Ты очень добр, Нино, но это не для нас.

— Как знать, вдруг она даже сможет найти себе парня. Пора бы ей уже завести кавалера.

Прошло целых две минуты, прежде чем Нино понял, что атмосфера за столом изменилась. Он успел съесть половину своего пирога и тут только заметил что-то в моем лице и замер. Он не мог понять, что он сказал не так.

— Я не хотел тебя обидеть, Кейт.

— Ты и не обидел.

— Но ты нервничаешь.

— Ничего я не нервничаю.

— Вот! Посмотри. — Нино показал на мою руку.

Я отбивала пальцами дробь по беленым доскам стола.

— С каких это пор стучать по столу пальцами — преступление? — спросила я и положила руку на колено.

— В чем дело?

— Нино Гейнс, мне надо подготовить номер к приезду гостя. Извини, но я уже потеряла полдня.

— Ты же не уходишь? О, брось, Кейт. Ты не доела ланч. Что случилось? Это из-за того, что я сказал про твою фотографию?

Никто, кроме Нино, не называл меня Кейт. Почему-то именно это обращение меня добило.

— У меня работа, которую надо сделать. Может, ты прекратишь уже?

— Я пошлю им сообщение по электронной почте. Попрошу убрать фотографию. Может, получится доказать, что у нас на нее авторские права.

— О господи, хватит болтать об этой фотографии. Я ухожу. Мне действительно надо подготовить номер. До свидания. — Я стряхнула несуществующие крошки с брюк. — Спасибо за ланч.

Нино смотрел, как я — женщина, которую он любил и не мог понять уже больше пятидесяти лет, — встала с несвойственной для моего возраста легкостью и быстро пошла в сторону кухни, а он остался с двумя наполовину съеденными пирогами и практически нетронутым бокалом его лучшего вина. Всю дорогу к дому я чувствовала на себе его взгляд.

На секунду я представила, как в нем закипает злость оттого, что с ним в который раз обошлись явно несправедливо. Я слышала, как он встал из-за стола, а потом ветер донес до меня его голос. В этот раз Нино Гейнс не смог сдержаться.

— Кэтлин Виттер Мостин, ты самая упрямая женщина из всех, кого я знал, — крикнул он мне в спину.

— Никто не просил тебя приезжать, — крикнула я в ответ.

К своему стыду, должна признаться, я даже не обернулась.

Давным-давно, когда только умерли родители и я стала хозяйкой «Сильвер-Бей», многие предлагали мне модернизировать отель. Говорили, что было бы хорошо сделать в номерах ванные комнаты и подключить спутниковое телевидение, как в Порт-Стивенсе и Бирон-Бей. Говорили, что мне следует всерьез заняться рекламой, чтобы все узнали о том, как красив наш кусочек побережья. Я всегда слушала советчиков две минуты, не больше. Меня и, я подозреваю, других в Сильвер-Бей уже давно не волновало количество туристов. Мы наблюдали за тем, как наши соседи выше и ниже по побережью богатели, но потом были вынуждены жить с побочным эффектом своего успеха — потерей покоя: много машин на дорогах, пьяные отпускники и бесконечная цепь усовершенствований и нововведений.

Мне нравилось думать, что у нас в Сильвер-Бей сохраняется баланс, гостей было достаточно, чтобы хватало на жизнь, и не так много, чтобы кому-то пришло в голову менять порядок вещей. У нас был стабильный бизнес, хотя доход от наблюдения за морскими животными то падал, то поднимался, никто из нас никогда не расстраивался. Это была наша жизнь — только мы, дельфины и киты. И большинство это вполне устраивало.

Сильвер-Бей не был приветливым местом для чужестранцев. Когда в конце восемнадцатого века сюда прибыли первые европейцы, они сначала решили, что залив непригоден для жизни. Обнаженные горные породы, непроходимые заросли кустарника и движущиеся дюны — слишком бесплодная земля для поддержания жизни человека. (Думаю, в те времена аборигенов не считали людьми.) Прибрежные мелководья и песчаные отмели наказывали любопытных мореплавателей, корабли терпели крушения или садились на мель, пока наконец люди не построили первый маяк. А потом, как всегда, жадность сделала свое дело. На склонах вулканических холмов обнаружили строевой лес, а внизу — устричные отмели, и залив сразу стал обитаемым.

Лес вырубали безжалостно, холмы почти облысели. Устриц собирали на известь, затем как пищевой продукт, но этот промысел успели запретить до их полного исчезновения. Буду честной: когда мой отец высадился на эту землю, он был не лучше остальных. Он увидел залив, в котором плещутся марлины и тунец, акулы и меч-рыбы, и понял, какую прибыль сулит здешняя природа. Призы бесконечным строем маршировали прямо к нему в руки. Вот так на этом последнем каменистом холме залива Сильвер-Бей мой отец и мистер Ньюхейвен, потратив все свои сбережения до последнего пенни, построили наш отель.

В те времена между комнатами, которые занимала наша семья, и комнатами гостей была проведена четкая нерушимая граница. Маме нравилось, что никто из постояльцев не может увидеть ее, как она это называла, «в домашнем». Я думаю, это означало, что ее никогда не видели непричесанной. А моему отцу нравилось, что у нас с сестрой ограничен контакт с внешним миром. (Правда, это не остановило Ханну — она уехала в Англию до того, как ей исполнился двадцать один год.) Но я всегда знала, что родители просто хотели быть уверенными в том, что посторонние не услышат, как они ругаются.

После того как сгорело западное крыло, мы — или, вернее, большую часть времени я — жили в том, что осталось от отеля, как будто это был частный дом, а гости — квартиранты. Комнаты гостей располагались вдоль главного коридора, а наши — по другую сторону лестницы. Гостиная была открыта для всех. Только кухня была сакральным местом. Это правило мы установили несколько лет назад, когда девочки приехали жить ко мне. Они были полными противоположностями друг другу. Лиза не сидела на веранде с гостями, все свое свободное время она проводила на кухне. Ей не нравились праздные разговоры, и она старалась не заходить в гостиную или в столовую. Во избежание неожиданностей Лиза предпочитала держать дверь закрытой. Ханна, как и полагается в ее возрасте, была общительной девочкой, бóльшую часть времени она проводила в гостиной — лежала на диване с Милли в ногах, смотрела телевизор, читала или (теперь это случалось гораздо чаще) болтала по телефону с друзьями. Один бог знает, о чем они могли говорить, после того как вместе провели в школе целых шесть часов.

— Мам? Ты когда-нибудь была в Новой Зеландии?

Ханна вошла в кухню, и я заметила у нее на щеке след от подушки.

Лиза рассеянно протянула руку к дочери, чтобы стереть этот след.

— Нет, милая.

— Я бывала, — сказала я.

Я была занята штопкой носков, Лиза считала, что это пустая трата энергии, так как в супермаркете можно купить упаковку за пару долларов. Но я не из тех, кто может сидеть без дела.

— Несколько лет назад я ездила на озеро Туапо рыбачить.

— Чего-то я не помню, — сказала Ханна.

Я прикинула в уме, когда именно это было.

— Ну, думаю, лет двадцать назад, значит за четырнадцать лет до вашего приезда.

Ханна удивленно посмотрела на меня. Ей, как любому ребенку, было трудно представить что-то, что существовало до ее рождения, не говоря уже о том, что произошло так давно. Сама помню этот возраст, когда вечер без друзей, кажется, растягивается до срока тюремного заключения. Теперь не вечера, годы летят.

— А ты была в Веллингтоне? — спросила Хана, усаживаясь за стол.

— Была. Они там много домов понастроили на холмах вокруг залива. В последний раз, когда я там была, все удивлялась: на чем эти дома держатся?

— На сваях?

— Что-то вроде. Хотя это неумно. Я слышала, весь город был построен на разломе. Не хотела бы я оказаться в доме на сваях во время землетрясения.

Ханна какое-то время обдумывала полученную информацию.

— А почему ты спрашиваешь, милая? — Лиза похлопала по колену, приглашая Милли запрыгнуть.

Эту собаку никогда не надо было приглашать дважды.

Ханна намотала на палец прядь волос.

— В школе организовывают тур. После Рождества. Я и подумала: может, я тоже смогу поехать? — Она смотрела то на меня, то на Лизу, как будто гадала, что мы ей ответим. — Это не очень дорого. Мы остановимся в хостеле, и вы же знаете, какие у нас учителя, — они нас одних никуда не отпустят. — Ханна начала тараторить: — И это очень полезно для учебы, расширяет кругозор, мы познакомимся с культурой маори, про вулканы много узнаем...

Больно смотреть на ребенка, который знает, что просит о невозможном.

— Если это очень дорого, я отдам все деньги, что накопила.

— Я не думаю, что это возможно. — Лиза протянула руку к Ханне. — Мне действительно очень жаль, милая.

— Все остальные поедут.

Ханна не разозлилась, она была слишком хорошей девочкой, чтобы злиться. В ее голосе была скорее просьба, чем протест. Мне порой даже хотелось, чтобы она разозлилась.

— Пожалуйста.

— У нас нет денег.

— Но я скопила почти триста долларов, и до поездки еще сто лет. Мы сможем накопить.

Лиза взглянула на меня и пожала плечами.

— Посмотрим, — сказала она таким тоном, что даже мне стало ясно, что вопрос решен.

— Ханна, у меня к тебе предложение. — Я отложила работу в сторону, штопка все равно вышла никудышная. — Я сделала кое-какие вложения. На следующий год, ближе к весне, они вернутся. Давай тогда все втроем поедем в Северную территорию, я смогу оплатить наше путешествие. Мне всегда хотелось побывать в нашем Парке Какаду[1]. Может, померимся силой с крокодилами? Как ты на это смотришь?

Я по лицу Ханны видела, что она об этом думает. Она не хотела путешествовать по Австралии с мамой и какой-то старушенцией, она хотела полететь на самолете с друзьями в другую страну, веселиться, не спать допоздна и слать домой открытки с приветами. Но именно это ее желание мы не могли исполнить.

Но я пыталась, Господь свидетель, я пыталась как-то все сгладить.

— Мы можем взять с собой Милли, — продолжала я. — А если получится скопить побольше денег, можем попросить маму Лары, чтобы она отпустила ее с нами.

Ханна молча смотрела на стол.

— Да, это было бы хорошо, — наконец сказала она, а потом с вымученной улыбкой добавила: — Я пойду, сейчас моя программа начнется.

Лиза посмотрела на меня. В ее глазах я прочитала то, что мы обе прекрасно знали: Сильвер-Бей — чудесный маленький город, но даже кусочек рая может опротиветь, если тебе запрещают его покидать.

— Не стоит винить себя, — сказала я, после того как убедилась, что Ханна не может нас услышать. — Ты ничего не можешь сделать. Не сейчас.

За последние несколько лет я столько раз видела, как на лице Лизы мелькает тень сомнения.

— Она справится, — сказала я и накрыла ладонь Лизы своей.

Лиза с благодарностью сжала мою руку.

Я не уверена, что мы тогда в это верили.

1 *Парк Какаду* — Национальный парк Какаду, Австралия.

3

Майк

На Тине Кеннеди был фиолетовый бюстгальтер с кружевами и четырьмя, может, пятью лиловыми бутончиками роз над каждой чашечкой. Обычно я не замечаю такие детали в течение рабочего дня. У меня не было желания засорять голову мыслями о белье Тины Кеннеди, тем более в такой важный момент. Но Тина, когда остановилась возле босса, чтобы передать ему папку с документами, низко наклонилась и посмотрела прямо на меня. Этот взгляд позже я бы мог охарактеризовать как вызывающий.

Фиолетовый бюстгальтер посылал мне сообщение. Бюстгальтер и увлажненная кремом, чуть загорелая плоть в его чашечках были подарком на память о вечеринке в честь моего продвижения по службе две с половиной недели назад.

Меня не так-то легко напугать, но это была самая пугающая картина из всех, что я видел в своей жизни.

Я непроизвольно нащупал телефон в кармане брюк. Ванесса, моя девушка, за последние полчаса прислала мне три сообщения, хотя я говорил ей, что эта встреча очень важная и мешать не надо. Первое сообщение я прочитал сразу, остальные — когда смог, не привлекая внимания:

Не забудь заказать костюм из «Мэнс Вог» стр. 46. В черном ты будешь великолепен. XXX[1].

Милый пжлст позвони надо обсудить места за столом.

Вжн пзвн до 2 надо дать ответ о туфлях. Жду XXX.

Уже второй час я сидел в зале заседаний совета директоров в компании мужчин в деловых костюмах. Неотступающая тревога и духота дарили специфические ощущения.

— Практический результат в такого рода предприятиях зависит от общего потенциала. Мы считаем, что следует объединить генеральный план долгосрочного рынка лакшери с преимуществами более гибкого, краткосрочного рынка. Оба рынка максимизируют потоки доходов не только в летние месяцы, но и в течение всего года.

Телефон снова зажужжал у меня на бедре прямо во время доклада Денниса Бикера, я рассеянно подумал: не слышно ли это жужжание остальным присутствующим. Надо было оставить его Нессе. Она никогда не отступает. Кажется, она совсем не слушала меня утром, когда я говорил ей, что не смогу уйти днем с работы, да и позвонить тоже будет затруднительно. Но вообще-то, в эти дни она ничего не слышала, за исключением слова «свадьба». Ну и, может, «ребенок».

Внизу в сторону Сити тянулась свинцово-серая Ливерпуль-стрит. Если бы я чуть наклонил голову, я бы смог увидеть пешеходов на тротуаре: мужчины и женщины в синем, черном или сером энергично шагали вдоль

1 *XXX* — поцелуй в конце эсэмэски.

закопченных кирпичных стен за пластиковыми коробками с ланчем, который они проглотят на своем рабочем месте. Некоторые считают, что эта картинка похожа на крысиные бега, но мне так не кажется. Дресс-код, согласованность в действиях и общие цели всегда дарили мне ощущение комфорта. Даже если целью были деньги.

В спокойные дни Деннис мог показать за окно и спросить: «Как думаешь, сколько он зарабатывает? Или вот она?» И мы оценивали прохожих, отталкиваясь от таких переменных, как покрой пиджака, модель туфель и походка. Дважды Деннис посылал вниз младшего офисного сотрудника, чтобы проверить, прав он или нет. К моему удивлению, оба раза он был прав.

Деннис Бикер говорит, что все на земле имеет свою цену в денежном эквиваленте. После четырех лет работы с ним я склонен согласиться с этим утверждением.

Прямо передо мной на полированном столе лежал план в переплете. Его глянцевые страницы — свидетельство нескольких недель трудов Денниса, других партнеров и моих, которые мы положили на то, чтобы спасти сделку от гибели. Накануне вечером, когда я в очередной раз просматривал его на предмет возможных ошибок, Несса жаловалась, что я отдаю этому одному-единственному документу больше энергии, чем всем нашим насущным проблемам. Я протестовал, но слабо. С этими глянцевыми страницами я чувствовал себя уверенно. Мне было гораздо комфортнее иметь дело с денежными потоками и прогнозами доходов, чем с постоянно меняющимися планами по поводу выбора цветочной композиции или цветовой гаммы костюмов. Я так и не смог сказать Нессе, что предпочел бы, чтобы она единолично принимала все решения, связанные со свадьбой. Хотя в нескольких случаях я по ее требованию был вовлечен в подготовку и своими неправильными действиями довел ее до истерики. Тут мы словно говорили на разных языках.

— Итак, сейчас мой коллега сделает небольшую презентацию. Только для того, чтобы вы ощутили волнующий аромат очень и очень интересных перспектив.

Тина прошла к противоположной стене зала заседаний и встала возле кофейного столика. Поза у нее была театрально расслабленная. Я не мог не заметить кусочек фиолетовой бретельки. Я закрыл глаза и постарался отогнать внезапно нахлынувшие воспоминания о ее груди, о том, как она прижалась ко мне в мужском туалете бара «Бразилия», и о том, с какой легкостью она избавилась от блузки.

— Майк?

Тина снова смотрела на меня. Я посмотрел выше, а потом, чтобы ее не поощрять, отвел взгляд в сторону.

— Майк? Ты с нами? — В голосе Денниса слышалось легкое раздражение.

Я встал и поправил свои записи.

— Да, — сказал я и повторил более твердо: — Да. — Я улыбнулся сидящим за столом мужчинам с глазами как будто из кремня, этим венчурным предпринимателям из «Вэлланс», пытаясь изображать уверенность и доброжелательность Денниса. — Просто обдумывал пару моментов, о которых ты упомянул. — Затем жестом показал на противоположную стену. — Тина! Свет!

Когда я взял пульт дистанционного управления, снова завибрировал телефон. Тогда я решил отключить его и сунул руку в карман. Глядя в полумраке зала заседаний на Тину, я понял, что она думает, будто мой жест вызван ее присутствием. Губы Тины растянулись в улыбке, она смотрела на мои брюки ниже пояса.

— Итак, — выдохнул я и твердо решил не смотреть на Тину, — джентльмены, вы счастливчики, сейчас я продемонстрирую вам то, что мы считаем инвестиционной перспективой десятилетия.

В зале одобрительно загудели. Я им нравился. Деннис уже подзарядил их своим энтузиазмом, и теперь они были готовы услышать от меня список фактов и цифр. Восприимчивые, внимательные, эти люди хотели, чтобы их убедили. Мой отец часто говорил, что я создан для бизнеса. Но он скорее имел в виду бизнес серых костюмов, а не гиперсексуальный бизнес мегасделок. И хотя я оказался в мире крупного бизнеса, должен признаться, рисковать не любил. Я был мистер Осмотрительность, одним из тех, кто все планирует, взвешивает и анализирует не просто тщательно, а сверхтщательно.

В детстве, прежде чем потратить накопленные карманные деньги, я расходовал уйму времени, взвешивая все плюсы и минусы Экшн-мэна[1] и его братьев, настолько боялся разочарования, которое следует за неправильным решением. Когда мне предлагали десерт на выбор, я сопоставлял торт, украшенный редким лимонным безе, с основательно покрытым шоколадом бисквитом и перепроверял: нет ли все-таки в меню малинового желе.

Но это не означало, что у меня не было амбиций. Я точно знал, где хочу оказаться, и рано усвоил истинность поговорки «Тише едешь — дальше будешь». Пока рушились и сгорали более скоростные карьеры моих коллег, я упрямо мониторил инвестиции и процентные ставки, в результате чего обрел стабильное финансовое положение. Так что после шести лет работы в «Бикер

1 *Экшн-мэн* — английские игрушки для детей.

холдингс» мое продвижение на должность младшего партнера никак не было связано с моей помолвкой с дочкой босса. Меня ценили как специалиста, который, прежде чем принять решение, всегда безошибочно определит преимущества того или иного объекта по географическим, социальным или экономическим параметрам. Еще две крупные сделки, и я бы стал старшим партнером. Еще семь лет, и Деннис ушел бы в отставку, а я бы занял его место. Я все спланировал.

Именно поэтому мое поведение в тот вечер было таким нехарактерным для меня.

— Я думаю, ты переживаешь запоздалый подростковый бунт, — заметила моя сестра Моника за два дня до совещания.

В качестве подарка на день рождения я повел ее в самый модный ресторан. Моника работала в столичной газете, но в месяц зарабатывала меньше, чем я тратил на чаевые.

— Она мне даже не нравится, — сказал я.

— А с каких это пор секс и симпатия стали синонимами? — фыркнула Моника. — Думаю, я закажу два десерта — крем-брюле и шоколадный. Не могу выбрать. — Я многозначительно посмотрел на сестру, но она проигнорировала мой взгляд. — Это твоя отрицательная реакция на брак. Ты бессознательно хочешь оплодотворить кого-то еще.

— Не говори глупости. — Меня даже передернуло. — Господи! Я как подумаю...

— Ладно. Но ты определенно брыкаешься. Брыкаешься, — повторила Моника, ей это нравилось. — Тебе лучше сказать Ванессе, что ты еще не готов.

— Но она права: я никогда не буду готов. Я не так скроен.

— Так ты предпочитаешь, чтобы она принимала решения?

— В нашей личной жизни — да. Так лучше.

— Настолько лучше, что у тебя возникает желание поиметь кого-то еще?

— Говори тише, ладно?

— А знаешь что? Я, пожалуй, закажу шоколадный. Но если ты закажешь крем-брюле, я возьму у тебя немножко.

— Что, если она расскажет Деннису?

— Тогда у тебя будут большие проблемы, но ты должен был это предвидеть, когда резвился с его секретаршей. Брось, Майк, тебе тридцать четыре года, ты же не мальчик.

Я обхватил голову руками:

— Черт, о чем я только думал.

Моника вдруг развеселилась:

— Боже, так здорово это слышать. Ты не представляешь, как я рада, что ты, как и все мы, способен испортить себе жизнь. Можно я расскажу родителям?

Это воспоминание о триумфе сестры на секунду вырвало меня из реальности, и мне пришлось свериться со своими записями. Я медленно выдохнул и снова посмотрел на сидящих за столом мужчин, которые ждали, что я скажу дальше. Мне показалось, что температура в зале заседаний поднялась до некомфортного уровня. Я оглядел команду предпринимателей: все бледные, ни малейшего намека на то, что кому-то душно. Деннис всегда говорил, что у венчурных предпринимателей, которые занимаются рискованными вложениями капитала, лед в крови. Вероятно, он был прав.

— Как Деннис уже объяснил, — продолжил я, — сильная сторона этого проекта — качество конечного рынка. Потребители, на которых рассчитан наш проект, жаждут новых ощущений. У них есть собственность, но мало времени, и они ищут способы потратить свои деньги. Наш проект предложит таким людям не только номера, качество которых не оставит сомнений в принадлежности к лучшему сегменту рынка, но и самые разные варианты досуга в непосредственно окружающей их среде.

Я нажал на кнопку пульта, на экране появились картинки, которые только утром переслал художник. Они сработали как турбонаддув.

— Здесь будет построен самый современный спа-курорт: шесть бассейнов разного типа; медицинский персонал, работающий на постоянной основе; полный спектр услуг. Если вы откроете страницу тринадцать, то сможете рассмотреть это место более подробно, равно как и полный перечень предлагаемых услуг. Для тех же, кто предпочитает получить ощущение собственного процветания иным способом, главной достопримечательностью всего комплекса является центр, посвященный исключительно водному спорту. Там будут водные мотоциклы, вейкбординг, быстроходные катера и водные лыжи. А также спортивная рыбалка. Кроме этого, будут организованы индивидуальные выходы в море с инструкторами из ПАДИ[1]. Мы убеждены, что оборудование топ-класса в сочетании с высококвалифицированным персоналом подарят нашим клиентам незабываемые впечатления о путешествии.

— Не говоря уже о жилом комплексе, который станет символом роскоши, — вставил Деннис. — Майк, покажи картинки архитектора. Как вы можете видеть,

1 *ПАДИ* — Профессиональная ассоциация дайвинг-инструкторов.

здесь три уровня номеров: для состоятельных одиночек, для семей и пентхаус для ВИПов. Вы заметите, что мы обходим вопрос бюджета. У нас уже имеется...

— Я слышал, вы потеряли участок под строительство, — сказал кто-то в конце зала.

Наступила тишина.

«О боже», — подумал я.

— Тина, включи свет. — Это был голос Денниса.

Я подумал, что он собирается ответить, но он вместо этого смотрел на меня.

Я сделал безучастное лицо. Это у меня всегда хорошо получалось.

— Извини, Невиль, я не расслышал. У тебя какой-то вопрос?

— Я слышал, что этот курорт планировалось построить в Южной Африке, но вы потеряли участок. Здесь, в этом документе, ни слова о том, где все это планируется строить теперь. Вряд ли вы можете рассчитывать, что мы инвестируем в строительство, под которое еще не найдено место.

Невиль застал нас врасплох. Как, черт возьми, они узнали о провале в Южной Африке?

Сначала я услышал свой голос, прежде чем успел понять, что говорю:

— Не знаю, откуда у вас информация, но Южная Африка никогда не была для нас единственным вариантом. После детального анализа мы пришли к выводу, что это место не подходит для отдыха, на который рассчитывают наши клиенты. Мы занимаемся специализированным рынком[1] и...

1 *Специализированный рынок* — сегмент рынка, где представлен товар, отличающийся по своим характеристикам от товара, предлагаемого на массовом рынке.

— Почему?

— Что — почему?

— Почему не подходит Южная Африка? Насколько я понимаю, это одно из самых быстроразвивающихся и привлекательных мест для туристов.

Моя сорочка от «Турнбул энд Асер» прилипла к пояснице. Я колебался, так как не знал, известно ли Невилю о нашей последней несостоявшейся сделке.

— Политика, — вмешался Деннис.

— Политика?

— От аэропорта до курорта трансфер занял бы полтора часа. И какой бы маршрут мы ни выбрали, он бы проходил через... назовем это... менее богатые районы. Наши исследования говорят о том, что клиенты, заплатившие высокую цену за отдых класса лакшери, не желают сталкиваться с нищетой. Они из-за этого...

«Пожалуйста, только не смотри с сочувствием на их секретаря», — мысленно умолял я Денниса. Слишком поздно. Деннис лучезарно улыбнулся, его улыбка была приторной и неоднозначной одновременно.

— ...чувствуют дискомфорт, а мы совсем не хотим, чтобы наши клиенты испытывали подобные эмоции на отдыхе. Радость — да. Возбуждение — да. Удовлетворение — конечно. Но чувство вины и дискомфорт при виде их... цветных собратьев — нет.

Я закрыл глаза. И чернокожая секретарша — я это скорее почувствовал, чем увидел, — тоже.

— Нет, Невиль, политика и отдых класса лакшери не сочетаются. — Деннис глубокомысленно покачал головой, словно изрекал непреложную истину. — А это детальный анализ, который провели, прежде чем приступить к проекту. И мы в «Бикер холдингс» гордимся проделанной работой.

— Так, значит, у вас в запасе альтернативный вариант?

— Не в запасе, а уже подписан и скреплен печатью, — подхватил я. — Это место несколько в стороне, но зато там нам не грозят потенциальные опасности Южной Африки и стран третьего мира. Население в большинстве своем англоязычное, великолепный климат, и это, уверяю вас, одно из самых красивых мест на свете. И ты, Невиль, по роду своей деятельности знаешь, что в мире существуют действительно прекрасные места.

«Эр-Джи-Ви лэнд» увели место для застройки у нас из-под носа. Кто-то выдал конфиденциальную информацию «Вэлланс».

«Если „Эр-Джи-Ви лэнд" начинают проект, подобный нашему, обратятся ли они в „Вэлланс" за финансированием? — лихорадочно думал я. — Они решили сорвать нашу сделку?»

— Не могу посвятить вас во все детали, — спокойно продолжал я, — но на доверительной основе сообщаю, что мы обнаружили некоторые неблагоприятные моменты, касающиеся строительства в Южной Африке, которые предполагают понижение доходов в будущем. А мы, как вы знаете, работаем для того, чтобы их максимизировать.

Честно говоря, я почти ничего не знал о новом месте под строительство курорта. От безысходности мы воспользовались услугами агента по продаже земельных участков, старого товарища Денниса, и сделка была заключена всего два дня назад. Я терпеть не мог «летать по приборам».

— Тим, — я улыбнулся, — ты знаешь, что, когда дело доходит до анализа, я становлюсь жутко занудным и что для меня нет лучшего чтения перед сном, чем наши исследования. Поверь, если бы я считал, что проект в Южной Африке со временем станет прибыльным, я бы не расстался с ним с такой радостью. Но я бы хотел пойти дальше...

— Майк, всем, конечно, интересно, что ты читаешь перед сном, но было бы полезно, если бы...

— ...и в действительности все дело в прибыли. Это определяющий фактор.

— Никто не думает о прибыли больше, чем мы, но...

Деннис поднял свою пухлую ладонь:

— Тим, остановись. Больше ни слова, потому что, перед тем как мы пойдем дальше, я хочу показать вам кое-что еще. Джентльмены, если вы не против, давайте пройдем в соседний зал, немного развлечемся, а потом мы расскажем вам, где именно будет строиться наш комплекс.

Когда я шел за венчурными предпринимателями в соседний зал, мне совсем не казалось, что развлечение стоит первым пунктом в их повестке дня. Некоторые были явно недовольны тем, что их выдернули из удобных кожаных кресел вокруг стола в зале заседаний, и что-то тревожно бормотали друг другу. Но с другой стороны, я появился на полчаса позже и не был в курсе того, что задумал Деннис.

«Господи, пожалуйста, только не позволяй ему выставлять перед ними Тину в бикини», — мысленно умолял я. Меня все еще преследовали видения с гавайской хулой[1].

Но Деннис придумал нечто иное. Из зала заседаний номер два убрали стол, кресла и опускающийся экран, избавились от двухсторонней видеосвязи и сервировочного столика в углу. Вместо всего этого в центре зала

1 *Хула* — гавайский танец.

был установлен какой-то низкий и широкий аппарат, окруженный синим надувным тюбингом. Центром композиции была ярко-желтая доска для серфинга. У меня появилось дурное предчувствие.

Все буквально остолбенели, настолько неуместной была эта инсталляция в зале заседаний.

— Джентльмены, снимайте ваши туфли и готовьтесь к хэнг тэн![1] — Деннис указал на устройство в центре зала. — Это имитатор серфинга, — объявил он, так как на его первый призыв никто не отреагировал.

Тишину в зале нарушало только приглушенное гудение компрессора. Имитатор, как инопланетное существо в сером море, бодро подмигивал лампочками, предлагая сопроводить эксперимент любой песней из репертуара «Бич бойс».

Я видел выражение лиц инвесторов и решил, что лучший способ спасти ситуацию — отвлечь их внимание на себя.

— Леди и джентльмены, не желаете ли для начала перекусить? Может, выпить что-нибудь? Тина, ты не возражаешь?

— Все, что пожелаешь, Майк, — ответила Тина, лениво смерив меня взглядом.

Я готов был поклясться, что она покачивала бедрами, когда выходила из зала, но Деннис этого не заметил.

— Джентльмены, я всего лишь хочу продемонстрировать вам, насколько трудно отказаться от нашего предложения. Я уже успел попробовать, — признался Деннис и скинул туфли. — Это действительно очень весело. Если у вас не хватает смелости, я сам покажу, как это работает. Надо встать вот сюда...

1 *Хэнг тэн* — катание на серфе, когда с носа доски свешиваются пальцы обеих ног.

Деннис снял пиджак, и его живот свесился через пояс, а я уже не в первый раз поблагодарил Бога за то, что Ванесса пошла в мать.

— Начну с маленькой волны. Видите? Это легко.

Под песню «I Get Around» мой босс, который в последние три года держал под контролем инвестиции в недвижимость на семьдесят миллионов фунтов и у которого на столе стояли фото, где он пожимал руку Генри Киссинджеру[1] и Алану Гринспену[2], встал на доску для серфинга. Он поднял руки, пародируя бодибилдера, и мы все увидели темные пятна от пота у него под мышками. Всем было известно, что за шутовским поведением Деннис скрывает острый, как лезвие, ум дельца... Но в такие моменты у меня возникали сомнения на этот счет.

— Включай, Майк.

Я оглянулся на стоящих за спиной и попытался улыбнуться. Я не был уверен, что это хорошая идея. Мне казалось, что мы должны продемонстрировать инвесторам нечто иное.

— Вставь вилку в розетку, Майк, а я сделаю все остальное. Ну же, Тим, Невиль, не притворяйтесь, будто вам не хочется попробовать.

Доска для серфинга вздрогнула и начала медленно двигаться. Деннис согнул колени, выставил руку вперед и пошевелил пальцами.

— Джентльмены... я... еще... не сказал вам... что такие имитаторы... будут... упс! — Деннис пошатнулся, но

1 *Генри Киссинджер* — американский дипломат, государственный секретарь США (1973–1977), лауреат Нобелевской премии мира.

2 *Алан Гринспен* — американский экономист, председатель Совета управляющих Федеральной резервной системой США (1987–2006).

удержал равновесие. — Вот так... Такие имитаторы будут предложены нашим клиентам, чтобы они могли подучиться, прежде чем выйти на воду. Так сказать, полный пакет.

Деннис, постоянно прерываясь, сказал, что даже те, кто ни разу в жизни не вставал на доску, будут иметь возможность попрактиковаться в приватной обстановке, прежде чем их увидят другие отдыхающие. Не знаю, что явилось причиной — то, что частью нашего предложения был этот нелепый имитатор, или заразительная веселость Денниса, — но спустя несколько минут даже я вынужден был признать, что он перетянул их на свою сторону. Я наблюдал за тем, как Тим и Невиль, потягивая предложенное Тиной шампанское, медленно подбираются к имитатору.

Их финансист, румяный здоровяк Симонс, успел снять туфли (я с удивлением заметил, что у него заношенные носки), а два младших члена их команды зачитывали друг другу словечки из словаря сленга серфингистов, который заблаговременно приготовила Тина.

У Денниса было воображение, надо отдать ему должное.

— А что будет, если мы повысим уровень, Деннис? — с улыбкой поинтересовался Невиль.

Я подумал, что это, наверное, хороший знак.

— Тина даст вам... каталог, — задыхаясь, отвечал Деннис. — Думаю... я... упс!.. Поймаю паундер[1].

Невиль подошел еще ближе. Он снял пиджак и передал свой бокал секретарю.

— Какой уровень выбираешь, Деннис?

Я понял, что у Невиля конкуренция в крови.

1 *Паундер* (*англ.* pounder) — круто ломающаяся волна.

Но и Деннис был таким же азартным.

— Выбирай какой хочешь, Нев. Давай, повышай уровень! — кричал он, на его лице выступили капельки пота. — Посмотрим, кто сможет поймать самую большую волну?

— Давай, Майк, — скомандовал Невиль.

Я улыбался. Эти двое явно получали удовольствие от происходящего. Деннис все правильно предугадал: имитатор отвлек их внимание от слухов по поводу Южной Африки.

— Мне всегда было любопытно, что это за игрушка такая, — сказал Тим и тоже скинул пиджак.

Имитатор взвыл и начал вибрировать под весом Денниса.

— Дружище, ты какой уровень включил?

— Третий, — ответил я и мельком взглянул на дисплей. — Вообще-то, я не думаю, что...

— Брось, мы еще не на такое способны. Поднимай волну, Майк. Давай посмотрим, кто простоит дольше.

— Да, повышай уровень, — хором поддержали серые пиджаки из «Вэлланс», от их напускной сдержанности не осталось и следа.

Я посмотрел на Денниса, он кивнул и показал на дисплей:

— Да, старик, подними волну.

— Ты стокед[1], Деннис! Волны гнарли[2], но ты — стокед!

Несмотря на видимую веселость, Деннис начал потеть еще сильнее. Он старался улыбаться, но я заметил, что в его глазах мелькнуло отчаяние. Доска раска-

1 *Стокед* (*англ.* stoked) — обалдевший (в позитивном смысле). Самое часто употребляемое слово в лексиконе любого серфера.

2 *Гнарли* (*англ.* gnarly) — волны, опасные для занятий серфингом.

чивалась все быстрее, Деннис с трудом удерживал равновесие.

— Не хочешь, чтобы я немного снизил уровень? — предложил я.

— Нет! Нет! Я стокед! Сколько я продержался на четвертом, ребята?

— Переведи его на пятый! — крикнул Невиль. Он шагнул вперед и схватился за дисплей. — Посмотрим, как он оседлает... э-э... кранчер![1]

— Я не стану... — начал я.

Уже потом никто не мог сказать, как именно это произошло. Деннис был одним из немногих в зале, кто не прикасался к шампанскому. По какой-то непонятной причине имитатор перескочил на верхний уровень как раз в тот момент, когда Деннис не очень устойчиво стоял на ногах. В результате его отбросило на надувные подушки, после чего он с диким криком и фантастической для человека его веса скоростью пролетел через зал и приземлился на бедро.

Бедро, естественно, сломалось. Те, кто не предполагал, что за таким приземлением может последовать перелом, услышали тошнотворный хруст. Не думаю, что когда-нибудь смогу забыть этот звук. После того как я его услышал, у меня пропало всякое желание опробовать имитатор серфинга. Как я уже говорил, я по природе своей не любитель рисковать.

В зале заседаний номер два воцарился хаос. Все пришли в движение. Тревожные восклицания и крики «Вызовите скорую!» смешивались с воем вращающейся вокруг своей оси доски для серфинга.

1 *Кранчер* (*англ.* cruncher) — сложная, полностью закрывающая волна, на такой практически невозможно кататься.

— Австралия, да? — сказал Невиль, когда Денниса понесли на носилках к лифту. — Незабываемая презентация. Мы определенно заинтересованы. Когда выйдешь из больницы, поговорим об этом проекте подробнее.

— Майк пришлет тебе копию отчета о месте строительства. Пришлешь, Майк? — Деннис говорил сквозь сжатые зубы, лицо у него посерело от боли.

— Конечно. — Я постарался отвечать так же уверенно, как говорил Деннис.

Когда Денниса загружали в «скорую», он жестом подозвал меня ближе к себе.

— Я знаю, о чем ты думаешь, — шепотом сказал он. — Тебе придется его сделать.

— Но время... Свадьба...

— Это я утрясу с Ванессой. В любом случае тебе лучше не мешаться под ногами, пока она планирует церемонию. Забронируй рейс на сегодня. И ради бога, Майк, возвращайся с планом — таким, чтобы это место заработало.

— Но мы даже не...

— Я придержу их, пока у тебя все не сложится. Но ты помни — это наш самый крупный проект застройки. Докажи, что я не зря тебя повысил, сделай это, Майк.

Ему даже в голову не пришло, что я могу отказаться. Что я могу поставить свою личную жизнь выше интересов компании. Но с другой стороны, он был прав. Я человек компании. Надежная пара рук. Я забронировал рейс в тот же день. Бизнес-класс в одной из азиатских компаний был дешевле, чем экономкласс в первых двух вариантах перелета.

4

Грэг

В какое время дня нормально начать пить пиво? Если ориентироваться на моего старика — в любое время после полудня. Он поглощал пиво, как мама чашечки чая, открывал «Тухес»[1] примерно каждые два часа, когда устраивал перекур на стройке очередного дома.

Отец был здоровым парнем, никогда нельзя было понять, сколько он выпил. Мама считала, что это потому, что отец постоянно находился под градусом. Днем — веселый; за чаем — полный энтузиазма; утром — немного смурной после вчерашнего. Нам не посчастливилось увидеть его трезвым как стеклышко.

Я считаю, нормальное время — около двух дня. Это если я не работаю, если работаю, пить начинаю только после того, как приведу «Милую Сьюзен» к берегу. За штурвалом вы меня не поймаете пьяным, я небезгрешен, но не стану рисковать моей лодкой и моими пассажирами. Конечно, холодное пиво у Кэтлин после трудово-

1 *«Тухес»* — сорт австралийского пива.

го дня, солнце в зените и чипсы на столе — этому я не могу противостоять. Не знаю, кто может от такого отказаться. Ну если не считать мою бывшую.

Сьюзен послушать, так мне ни в какое время суток пить нельзя. Она говорила, что пьяный я злой и мерзкий, и к тому же пьян слишком часто, чтобы как-то это загладить. Говорила, что поэтому больше не может меня видеть. И еще говорила, что из-за выпивки я стал фигово выглядеть. Говорила, что поэтому у нас нет детей, хотя сама наотрез отказалась, когда я предложил поехать к доктору, чтобы он нас обследовал и как-то все прояснил. Я сказал ей (я не ангел и первый признаю, что со мной нелегко в браке), что в Австралии не так-то много парней, которые согласятся, чтобы кто-то посторонний теребил их причиндалы, тем более другой парень.

Вот так сильно я хотел детей. И вот почему я, когда выходил из офиса своего адвоката в одиннадцать двадцать пять (удивительно, как внимательно начинаешь следить за временем, когда платишь за час, а расценки субботние), решил, что это подходящее время открыть банку холодного «VB». Погода была не очень, пришлось даже свитер надеть, а ветер поднялся такой, что, сидя на лавочке, можно было и околеть.

Думаю, это пиво было из-за нее, да и всего остального тоже. Из-за нее, из-за ее чертового инструктора по фитнесу, из-за ее тупых требований. Потому что, честно говоря, вкус у него был не лучший. Я собирался выпить одну банку в пабе, но, поразмыслив, решил, что сидеть в пабе одному в одиннадцать двадцать пять утра как-то... грустно.

Поэтому я сел в кабину своего грузовичка и немного медленнее, чем мог бы, потягивал пиво и ждал, когда внутри спадет напряжение и часы потекут легко и быстро. В тот день у меня не было клиентов. Должен признать, что, после того как я расписал свою лодку, их количество заметно уменьшилось. В уик-энд Лиза помогла мне закрасить каракули на борту и между делом сказала, что, если я буду держать рот на замке, через неделю или две все об этом забудут. Я и помалкивал. Я настроился работать, как чертов вол, чтобы оплатить требования, которые предъявила моя бывшая.

«Чистый разрыв» — так они это называют.

Так же говорят доктора, когда речь заходит о порванных связках. Могу вам сказать, что именно так я это и чувствовал. Было настолько мучительно, когда я думал об этом слишком долго, что становилось больно физически.

Но в тот момент я сидел в кабине своего грузовичка на автостоянке и наблюдал за туристками, которые спускались на высоких каблуках к Китовой пристани. Они крепко держали в руках видеокамеры и плееры с компакт-дисками китовых песен и с тревогой поглядывали на «Сьюзен», как будто она могла выпрыгнуть из воды и обнажить на своем борту еще какую-нибудь греховную надпись.

Если бы у меня не было других планов на день, я бы сам вышел на ней в море. Даже после пива. Я обнаружил, что иногда достаточно просто посидеть на лодке в заливе, понаблюдать за бутылконосами, и тебе станет легче. Дельфины высовывают из воды свои морды с глупыми улыбками, как будто бы шутят с тобой, и порой ты просто не можешь сдержаться и смеешься, даже если только что хотел перерезать себе вены. Я думаю, мы все, все команды, чувствуем что-то такое. Мы знаем, что это самые лучшие моменты в нашей жизни — тихое море, ты и дельфины.

— Ну, у вас хоть детей нет, — заметила адвокат, когда рассматривал наш совместный счет.

Она сама не поняла, что ляпнула.

Я заметил его, когда прикончил вторую банку пива, смял ее в кулаке и собрался бросить под пассажирское сиденье. Вы бы тоже его сразу заметили. Он стоял в своем темно-синем костюме конторской крысы — два чемодана в цвет по бокам — и смотрел в сторону главной улицы. Я смотрел на него, пока он тоже меня не засек, и только потом высунул голову в окно.

— Приятель, у тебя все в порядке?

Он поколебался немного, затем поднял свои чемоданы и пошел в мою сторону. Его зашнурованные ботинки блестели так, будто их начистили до конца оставшейся жизни. Обычно я не вступаю в разговоры с такими типами, но у него был измотанный вид, и я пожалел его. Как один измотанный другого.

Он подошел к моему окну, поставил чемоданы на землю и достал из кармана листок бумаги.

— Кажется, таксист высадил меня не в том месте. Вы не могли бы подсказать, где здесь поблизости отель?

Англичанин. Можно было сразу догадаться. Я, прищурившись, посмотрел на него и сказал:

— Тут их несколько. Тебе в каком конце Сильвер-Бей отель нужен?

Он снова сверился со своей бумажкой:

— Здесь написано... э-э... просто — Сильвер-Бей-отель.

— У Кэтлин? Это не совсем отель. То есть больше не отель.

— Далеко туда идти?

Тут, наверное, мое любопытство взяло верх. В наших краях нечасто встретишь парня, разодетого как франт.

— Это дальше по дороге. Запрыгивай. У меня там тоже дела. Можешь закинуть свои сумки в кузов.

Я увидел по его лицу, что он колеблется, как будто в предложении подвезти может быть что-то подозрительное. А может, он не хотел, чтобы его модные чемоданы испачкались об мои воняющие водорослями инструменты. Это меня немного разозлило, и я чуть не передумал подвозить его. Но он все-таки оттащил свой багаж назад и закинул в кузов. После этого забрался ко мне в кабину и напрягся, наткнувшись на кучу пустых банок из-под пива.

— Можешь ставить ноги прямо на банки, пива там давно нет, но я ничего не гарантирую.

Название «Сильвер-Бей» не совсем точное. Это не один залив, а два, с Китовой пристанью посередине. Пристань торчит из небольшого куска суши, который их и разделяет. Я, бывало, говорил, что сверху море в этом месте похоже на гигантскую синюю задницу. (Сьюзен, услышав такое, подняла бы удивленно брови, но, с другой стороны, что бы я ни говорил, она всегда их поднимала.)

Участок Кэтлин был в самом конце одного из заливов, того, который дальше от города, возле мыса, что выходит прямо в открытое море. Вообще-то, там остался только старый дом Буллена, музей и песчаные дюны. По другую сторону Китовой пристани были гриль-бар Макивера, рыбный рынок, а уже дальше тянулся разрастающийся с каждым годом город.

Парень сказал, что его зовут Майк, фамилию я забыл. Он был не очень-то разговорчив. Я спросил его, мол, по делам приехал или как? Он ответил: «В основном отдыхать». Помню, я тогда подумал: какой парень так вырядится в свой отпуск? Он сказал, что только утром сошел с самолета и хотел взять заказанную машину, но в прокатной компании что-то напортачили и в результате пообещали, что завтра перегонят его машину из Ньюкасла.

— Долгий перелет, — заметил я.

Он кивнул.

— Бывал здесь раньше?

— В Сиднее. Один раз. Но недолго.

На вид ему было слегка за тридцать. Для парня в отпуске он слишком уж часто поглядывал на часы. Я спросил, как получилось, что он забронировал номер у Кэтлин.

— Там не очень-то оживленно, — заметил я и многозначительно посмотрел на его дорогой костюм. — Я думал, такие, как ты, предпочитают места... ну, ты понимаешь... пошикарнее.

Он смотрел прямо перед собой, как будто обдумывал ответ.

— Я слышал, что место красивое. Смог найти только этот отель.

— На самом деле тебе больше подошел бы «Блу Шоалс» выше по побережью, — сказал я. — Очень милое местечко. Ванные комнаты в номерах, бассейн прямо олимпийский и все такое прочее. Еще у них там с понедельника по четверг шведский стол — ешь сколько влезет. Пятнадцать долларов с человека, кажется, да, пятнадцать. В пятницу цена немного поднимается. — Я крутанул руль, чтобы объехать выбежавшую на дорогу собаку. — Есть еще «Адмирал», это в Нельсон-Бей. Спутниковое телевидение в каждом номере, достойные каналы, не фигня какая-нибудь. В это время года можешь выгодно заселиться — я слышал, у них там сейчас никого.

— Спасибо, — в результате сказал он. — Если решу переехать, это может пригодиться.

После этого мы практически и не разговаривали. Я вел машину и чувствовал некоторое раздражение из-за того, что этот парень даже не пытается завязать разговор. Я его подобрал, вез всю дорогу до нужного места — такси обошлось бы ему в добрых десять долларов, — выдал полную информацию о местности, а он даже не пытался со мной поговорить.

Я уже почти придумал, что сказать, — видимо, это меня пиво расслабило — и тут заметил, что он заснул. То есть не задремал, а вообще вырубился. Даже бизнесмен в дорогом костюме выглядит беспомощным, когда клюет носом. Почему-то от этой картинки мне стало легче на душе, и я обнаружил, что насвистываю всю дорогу до Сильвер-Бей.

Кэтлин отлично украсила стол. Свежий ветер раздувал белую камчатную скатерть, синие воздушные шары трепетали, пытаясь сорваться в небо.

Ниже, под самодельным транспарантом «С днем рождения, Ханна!», виновница торжества с компанией своих друзей визжала и прыгала перед каким-то парнем со змеей вокруг руки.

На минуту я забыл о госте у себя в кабине. Я выбрался из грузовичка и, пока шел по подъездной дорожке, вспомнил, что праздник начался уже час назад.

— Грэг. — Когда Кэтлин вот так окидывала тебя взглядом с головы до ног, сразу становилось ясно: она точно знает, откуда ты пришел. — Хорошо, что ты сделал это.

— А кто это там? — Я кивнул в сторону парня со змеей.

— Учитель существ, кажется, так он себя называет. Всех ползучих гадов, какие только можешь себе представить. У него и гигантские тараканы, и змеи, и тарантулы... Он позволяет детям брать их в руки, гладить и все такое. Это Ханна попросила его пригласить. — Кэтлин передернуло. — Надо же такую мерзость придумать.

— Да, в моем детстве мы давили их «Бладстоунами»[1], — согласился я.

Ребятишек было восемь и еще несколько взрослых, большинство из других команд. В этом не было ничего удивительного: Ханна — забавная девочка, она рано повзрослела, и мы все привыкли, что она постоянно крутится рядом. Так повелось еще с той поры, когда она даже в школу не ходила.

А вот наблюдать Ханну в компании ее ровесников было непривычно. Я, если не считать девочку по имени Лара, ее, в общем-то, никогда и не видел со сверстниками и часто забывал, что она на самом деле ребенок. Лиза говорила, что Ханна такая по натуре — сама по себе. Я иногда думал: о дочке она говорит или о себе?

Кэтлин предложила мне чашку чая, я взял и понадеялся, что она не почувствовала, что от меня пахнет пивом. Это как-то неправильно на детском дне рождения, а я очень любил детей.

— Твоя лодка теперь выглядит лучше. — Кэтлин улыбнулась.

— Я думаю, ты знаешь, что Лиза помогла мне заново написать имя.

— Твой характер не доведет тебя до добра, — буркнула Кэтлин. — Большой уже мальчик, сам должен понимать.

1 *«Бладстоун»* — марка прочной, долговечной обуви в деревенском стиле.

— Это ты мне мораль читаешь?

— Ну, значит, ты не такой пьяный.

— Одна банка, — запротестовал я. — Только одна. Может, две.

Кэтлин посмотрела на часы:

— А сейчас всего лишь начало первого. Ладно, ничего страшного, тебе на пользу.

Тут Леди Акуле надо отдать должное. Она так говорит, будто все про тебя понимает. Лиза не такая. Она смотрит на тебя отстраненно, будто у нее в голове идет совсем другой разговор. А когда спрашиваешь ее, о чем она думает (видеть в ней женщину — вот что она не разрешает вам!), она пожимает плечами, словно ничего и не происходит.

— Привет, Грэг! — на бегу крикнула сияющая от счастья Ханна.

Я помню это состояние, когда ты маленький, у тебя день рождения и в этот единственный день в году все вокруг ведут себя так, как будто ты самый особенный ребенок на земле. Ханне хватило одной секунды, чтобы заметить коробочку у меня под мышкой. Эта девочка — ангел и совсем неглупая.

— Ах это, это для твоей тети Кэтлин, — сказал я.

Ханна остановилась прямо передо мной и с недоверием на меня посмотрела.

— А почему в детской обертке? — спросила она.

— Неужели в детской?

— Это мне, — рискнула Ханна.

— Ты хочешь сказать, что твоя тетя Кэтлин слишком старая для такой обертки? — спросил я и сделал невинное лицо.

Со Сьюзен это тоже никогда не срабатывало. Ханна смотрела на пакет и гадала — что бы там могло быть.

Эта девочка не как все дети, она сначала думает, потом действует. Я больше не мог заставлять ее ждать и отдал ей пакет.

Ханна разорвала обертку и открыла коробочку. Ее окружили подружки. Я заметил, как они все подросли. Куда делись ножки-палочки и пухлые щечки? Еще года два, и в них можно будет угадать будущих женщин. Я постарался отогнать грустные мысли о том, что кто-то из них может стать такой же, как Сьюзен, — вечно недовольной, придирчивой... и неверной.

— Это ключ, — сказала Ханна и подняла его над головой. — Я не поняла.

— Ключ? — переспросил я и притворился, будто сам удивлен. — Ты уверена?

— Грэг...

— Ты уверена, что не узнаешь его?

Ханна покачала головой:

— Это ключ от моего сарайчика.

Ханна нахмурилась, она все еще не понимала.

— От того, что возле пристани. Вот я болван, наверное, оставил там твой подарок. Можешь сбегать туда с друзьями и проверить...

Они побежали, я даже не успел закончить предложение. Поскакали к пристани с криками и визгами. Кэтлин вопросительно на меня посмотрела, но я промолчал. Иногда просто хочется посмаковать момент, а у меня в то время такие моменты были на вес золота.

Спустя несколько минут вся компания примчалась обратно.

— Это лодка? Это та маленькая лодка? — Ханна раскраснелась, ее волосы спутались от бега.

У меня перехватило дыхание: она была так похожа на свою мать.

— Ты видела, как я ее назвал?

— «Гордость Ханны», — задыхаясь, сообщила Кэтлин Ханна. — Это синий динги, и его зовут «Гордость Ханны». Это правда мне?

— Конечно тебе, принцесса, — сказал я.

Улыбка Ханны осветила мое паршивое утро. Она обняла меня, я прижал ее к себе и улыбался, как счастливый идиот.

— Мы можем на ней поплавать? Я могу на ней поплавать, тетя Кей?

— Только не сейчас, милая. Сейчас тебе надо разрезать торт. Но я уверена, что ты сможешь посидеть в ней в сарайчике Грэга.

Дети побежали по тропинке, и я слышал, как Ханна радостно щебечет что-то на бегу.

— Лодка? — спросила Кэтлин, когда Ханна уже не могла нас услышать, и подняла одну бровь. — Ты с Лизой об этом говорил?

— Э-э... нет еще. — Я смотрел, как дети бегут вниз к моему сарайчику. — Но, кажется, у меня сейчас будет такая возможность.

Лиза шагала в нашу сторону с праздничным тортом на блюде, следом за ней бежала ее маленькая собачонка. Лиза была прекрасна. И как всегда, у нее был такой вид, будто она идет куда-то еще, но в последний момент решает иначе и останавливается рядом с тобой, ну, вы понимаете, как будто делает тебе одолжение.

— Привет. Я повесила тот кусок китового уса у нее в комнате. Над кроватью, как она хотела. — Лиза кивнула мне в знак приветствия. — Вонь стоит до небес. Теперь у нее четыре книжки про дельфинов, две про китов и еще видео. Такими темпами она скоро откроет свой музей. В жизни не видела комнаты, где собрано столько безделушек с дельфинами. — Она распрямила плечи и вытянула шею. — Куда это дети побежали?

— Ты, наверное, захочешь поговорить об этом с Грэгом, — сказала Кэтлин и пошла от нас, при этом подняла руку так, словно давала знать, что не хочет присутствовать при разговоре.

— Они... э-э... побежали смотреть мой подарок.

Лиза поставила блюдо на стол.

— Да? И что же ты ей подарил? — поинтересовалась она и начала снимать пленку с сэндвичей.

— Купил у старика Картера. Маленькая гребная лодка. Я ее надраил и подкрасил. Она в отличном состоянии.

Лизе потребовалась целая минута, чтобы усвоить то, что я сказал. Она молча смотрела на стол, потом подняла голову и уставилась на меня.

— Повтори, что ты ей подарил?

— Маленькую лодку. Теперь у нее будет своя. Я думаю, после нескольких уроков она сможет выйти в залив с друзьями и посмотреть на бутылконосов. — Признаюсь, меня немного напугало выражение лица Лизы, поэтому я добавил: — Когда-нибудь же у нее должна появиться своя лодка.

Лиза поднесла сложенные ладони ко рту, как будто молилась. Но она явно не собиралась меня благодарить.

— Грэг?

— Что?

— У тебя последние мозги отказали?

— Чего?

— Ты купил моей дочери лодку? Моей девочке, которой запрещено выходить в море? О чем ты, черт тебя возьми, думал? — Лиза не на шутку разозлилась.

Я тупо смотрел на нее и не мог поверить, что она это всерьез.

— Я всего лишь побаловал девочку в ее день рождения.

— Не твое дело баловать мою дочь в ее день рождения.

— Она живет на море. У всех ее друзей есть маленькие лодки. Почему ей нельзя?

— Потому что я сказала ей, что нельзя.

— Но почему? Какой вред от лодки? Она ведь может научиться, разве нет?

— Она будет учиться, когда я буду готова к тому, чтобы она училась.

— Ей одиннадцать лет! Чего ты так злишься? В чем дело-то?

Лиза не отвечала, и тогда я показал на Ханну, которая стояла у дверей моего сарайчика.

— Посмотри на нее — она же чуть не прыгает от радости. Она сказала своим друзьям, что это самый лучший подарок на день рождения в ее жизни.

Лиза не желала ничего слышать, она просто стояла напротив меня и кричала:

— Да! А теперь я должна превратиться в злую ведьму, которая запрещает ей принять этот подарок! Спасибо тебе огромное, Грэг!

— Так не запрещай. Пусть у нее будет лодка. Мы ее всему научим.

— Мы?

Вот тогда-то и возник Майк. Я успел забыть, что он спит в моей машине. И вот он появился: лицо еще помято после сна, в руках чемоданы, стоит и не знает, куда себя девать. Я бы с радостью послал его подальше.

Но Лиза его не заметила, она продолжала бушевать:

— Ты, Грэг, должен был сначала спросить меня, а потом уже пытаться завоевать любовь маленькой девочки с помощью этой проклятой лодки. Потому что это единственное, что ей запрещено иметь последние пять лет.

— Это всего лишь маленькая гребная лодка. Не какой-нибудь быстроходный катер с двигателем в двести лошадиных сил.

Теперь уже и я разозлился на Лизу. Получалось, что она обвиняет меня в том, что я пытался навредить ее ребенку.

— Простите... Не могли бы вы...

Лиза стояла спиной к англичанину, она, не оглядываясь, подняла руку и продолжила:

— Просто не лезь в мою жизнь, ладно? Я сто раз тебе говорила, что не хочу с тобой никаких отношений, и то, что ты подлизываешься к моей дочери, это не изменит.

Наступила пауза. Видит бог, она знала, что мне будет больно.

— Подлизываюсь? — Мне даже повторять это было противно. — Я подлизываюсь? Да за кого ты меня принимаешь?

— Просто уйди, Грэг.

— Простите, что я вас перебиваю...

— Мам?

Ханна стояла рядом с этим англичанином, от счастливой улыбки именинницы не осталось и следа. Она переводила взгляд с меня на Лизу и обратно.

— Почему ты ругаешь Грэга? — тихо спросила Ханна, зрачки у нее стали широкими, как будто бы Лиза ее напугала.

Лиза сделала глубокий вдох.

— Я бы... э-э... мне кто-нибудь может показать, где найти администратора?

Лиза вдруг поняла, что мы не одни. Раскрасневшаяся от собственного крика, она повернулась к англичанину и переспросила:

— Администратора? Вам надо поговорить с Кэтлин, она вон там. Леди в синей блузке.

Он попытался улыбнуться, пробормотал что-то про английский акцент и, чуть помешкав, исчез из поля зрения.

Ханна все еще стояла рядом со мной. Когда она заговорила, у нее был такой тихий печальный голос, что мне захотелось отвесить ее маме оплеуху.

— Я правильно понимаю? Это значит, что мне нельзя оставить себе лодку?

Лиза резко повернулась в мою сторону, и я как физический удар ощутил все, что она обо мне думала. Это было не очень приятно.

— Мы поговорим об этом позже, милая.

— Лиза, — ради Ханны я старался говорить доброжелательно, — я и в мыслях не держал...

— Мне это неинтересно, — оборвала меня Лиза. — Ханна, скажи своим друзьям, что пришло время торта. — Ханна не двинулась с места, и Лиза махнула рукой. — Иди же, а я посмотрю, сможем ли мы зажечь свечи. С таким ветром это будет непросто.

Я положил руку на плечо Ханны:

— Твоя лодка всегда будет ждать тебя в моем сарайчике. Как только будешь готова — забирай. — Я не собирался сдавать позиции.

После этого я развернулся и зашагал прочь. Я не горжусь тем, что тогда бормотал себе под нос.

Йоши перехватила меня у грузовика.

— Грэг, не уходи, — попросила она. — Ты же знаешь, как она из-за всего этого волнуется. Не надо портить день рождения Ханны.

Она примчалась из кухни, чтобы остановить меня, и у нее в руке все еще был подарочный пакет.

Я хотел сказать, что это не я могу испортить день рождения. Это не я, как одержимый, запрещал маленькой девочке получить в подарок то, что она хотела больше всего на свете. Не я вел себя так, будто у моего ребенка нормальное детство, но сам при этом никогда не говорил о ее родных, за исключением Кэтлин. Я бы не стал три или четыре раза в год кидаться к ней с объятиями, а на следующий день вести себя так, будто вообще ее не замечаю. Я знаю, когда и в чем виноват, а еще я знаю, что иногда вообще ни в чем не виноват.

— Скажи ей, что мне надо вывести лодку в море. — Прозвучало грубо, мне даже самому стало неприятно, — в конце концов, Йоши была здесь ни при чем.

Но я не собирался выходить в море. Я собирался пойти в ближайший бар и пить там, пока не найдется кто-то достаточно хороший, чтобы сказать мне, что мы сделаем это и на следующий день.

5

Кэтлин

Сейчас, учитывая размеры нашей страны, в это трудно поверить, но когда-то китобойный промысел был главной добывающей промышленностью в Австралии. В девятнадцатом веке китобойные суда прибывали из Британии, выгружали нам каторжников, загружали к себе выловленных нами китов, а потом продавали их нам же в наших портах. Как говорил Нино, такой вот бартер. Потом оззи[1] поумнели и стали думать о собственной выгоде. В конце концов, кита можно использовать для самых разных вещей: жир — для лампового масла, свечей и мыла; китовый ус — для корсетов, мебели, зонтиков и хлыстов. Не сложно догадаться, что в то время больше всего заказывали хлысты. Китобои главным образом охотились на южных правильных китов. Этих китов называли «правильными», потому что поймать их было легче легкого. Бедные твари были, наверное, самыми медлительными в Южном полушарии

1 *Оззи* (*англ.* Aussies) — так сами себя называют в неформальных разговорах австралийцы.

и мертвые не тонули, так что их просто буксировали на сушу. Легче охота могла бы стать, только если бы киты своим ходом плыли на перерабатывающий завод.

Теперь они, конечно, под защитой, то есть то, что от них осталось. Но я до сих пор помню печальную картинку из детства, когда две шлюпки отбуксировали кита в наш залив. Даже тогда мне это показалось неправильным. Я наблюдала, как его, огромного, неповоротливого, с раздувшимся брюхом, вытащили на берег, он лежал и злобно смотрел пустым глазом в небо, как будто проклинал человека за жестокость. Мой отец хвастал, что его девочка способна поймать любую рыбину. Я действительно умела подсекать, вытаскивать на сушу и потрошить и делала это четко и эффективно, кто-то мог бы сказать — хладнокровно. Но когда я увидела того южного кита, я заплакала.

На Восточном побережье не было такого безумного истребления, как на Западном. Перед концом войны китов здесь добывали мало, если не считать наше укромное место. Возможно, из-за того, что они подходили слишком близко и можно было увидеть их с берега, Сильвер-Бей стал базой охотников на китов. (Команды преследователей считали себя своего рода наследниками охотников.) Когда я была девочкой, на китов охотились с маленьких шлюпок. Это казалось справедливым, и добыча держалась на низком уровне. Но потом людей одолела жадность.

В период между тысяча девятьсот пятидесятым и шестьдесят вторым убили и переработали на заводах Норфолка и Моретона[1] примерно двенадцать с половиной тысяч горбатых китов. Китовый жир и мясо делали

1 *Норфолк* и *Моретон* — острова в Тихом океане.

людей богаче, и китобои, чтобы повысить уровень добычи, использовали современное оружие. Их суда стали больше и быстрее, объемы перевозок возросли. К тому времени, когда в водах Австралии запретили охоту на горбачей, китобои уже пользовались сонарами и гарпунными пушками. Мой отец с презрением говорил, что они были вооружены как на войне.

И естественно, они перебили слишком много китов. Китобойцы утюжили океан, пока горбачей почти не осталось, а потом постепенно вышли из этого бизнеса. Перерабатывающие заводы закрывались или переключались на морепродукты. Побережье залива медленно вернулось к своей прежней небогатой и нешумной жизни. И большинство из нас испытало облегчение. Мой отец любил вспоминать романтику китобоев девятнадцатого века, когда человек против кита выходил с гарпуном, а не с гранатами с пентритом, поэтому он купил перерабатывающий завод в Сильвер-Бей и превратил его в музей. Сейчас ученые считают, что мимо нас каждый год мигрирует тысячи две горбачей, а некоторые говорят, что их популяция никогда уже не восстановится.

Порой я рассказываю эту историю нашим ребятам, когда они начинают заводить разговоры о том, чтобы увеличить количество лодок, или строят планы, как привлечь больше желающих понаблюдать за китами, так сказать, вернуть молодость Сильвер-Бей.

Эта история — урок для нас всех. Но будь я проклята, если кто-то ко мне прислушивается.

— Добрый день.

— День?

Майкл Дормер топтался в дверях, у него был немного ошалевший вид, впрочем, как у всякого, кому биологические часы настойчиво напоминают о том, что он очутился не в своем полушарии.

— Я постучалась к вам утром и оставила на пороге номера чашечку кофе. Но через час обнаружила ее там же, кофе остыл, и я поняла, что вы спите.

Майкл Дормер смотрел на меня так, словно не понимал, о чем я говорю. Я дала ему минуту, а потом жестом пригласила сесть за стол. Не в моих правилах позволять гостям сидеть на кухне, но здесь я сделала исключение.

— Говорят, обычно нормальный сон возвращается через неделю, — сказала я и поставила перед ним тарелку с ножом. — Вы часто просыпались?

Дормер пригладил волосы. Он еще не побрился, на нем были рубашка и повседневные брюки. Брюки, конечно, слишком строгие против тех, что носят у нас в Сильвер-Бей, но все равно это был шаг вперед в сравнении с тем парадным костюмом, в котором он к нам прибыл.

— Всего один раз, — ответил Дормер и немного грустно улыбнулся. — Но этот один раз растянулся на три часа.

Я рассмеялась и налила ему кофе. У него было хорошее лицо, у этого мистера Дормера, лицо человека, который хорошо себя знает, а это качество я не часто встречала у своих гостей.

— Хотите позавтракать? Я с радостью вам что-нибудь приготовлю.

— В четверть первого? — спросил он и посмотрел на часы.

— Назовем это ланчем. Мы никому об этом не скажем.

У меня в холодильнике еще было тесто для блинов. Блины я подавала с черникой, а на гарнир — яйца с беконом.

Дормер пару секунд тупо смотрел на свой кофе, потом подавил зевок. Я хорошо понимала, что после чашки или двух кофе он сориентируется во времени, и поэтому просто молча пододвинула к нему газету. Я тихо делала свои дела, вполуха слушала радио и одновременно прикидывала, какие продукты купить на ужин. Ханна после школы пошла к подружке, а Лиза ела меньше воробышка, так что в тот момент Дормер был единственным человеком, о котором мне надо было позаботиться.

Когда я поставила перед мистером Дормером тарелку с блинами, он заметно оживился.

— Ух ты, — сказал он, оценив порцию, — большое спасибо.

Я могла бы поспорить, что он не привык к домашней кухне, такие всегда очень благодарны.

Дормер, конечно, был чужаком, но ел он как все мужчины — с удовольствием и, я бы сказала, целеустремленно. Женщины редко так едят. Моя мама всегда говорила, что я ем как мужчина, но я не думаю, что это было похвалой с ее стороны. Пока Дормер поглощал завтрак, у меня было время его разглядеть. Среди наших гостей редко попадаются одинокие мужчины его возраста, обычно они путешествуют с женами или подружками. Одиночки предпочитают отдыхать в более оживленных местах. Мне неловко это признавать, но я рассматривала его, как всегда рассматриваю мужчин, которые могут подойти Лизе. И не важно, что она отбрыкивается изо всех сил, я не теряла надежду выдать ее замуж.

«Киты не держатся друг за друга всю жизнь, — отшучивалась она, — а ты, Кэтлин, всегда говоришь, что мы должны учиться у животных, которые нас окружают».

У этой девчонки на все найдется ответ. Однажды я заметила, что для Ханны было бы хорошо, если бы в ее жизни появился мужчина, который относился бы к ней по-отечески. Лиза тогда посмотрела на меня с укором, и я увидела в ее глазах столько боли, что мне стало стыдно. Больше я на эту тему с ней не заговаривала.

Но это не значит, что в моем сердце не теплится надежда.

— Было очень вкусно. Правда.

— Я рада, мистер Дормер.

Он улыбнулся:

— Зовите меня Майк. Пожалуйста.

«Не такой уж он сухарь, каким кажется на первый взгляд», — подумала я.

Я решила сделать небольшой перерыв, села за стол напротив Майка и налила ему вторую чашку кофе.

— Есть какие-нибудь планы на сегодня?

Я собиралась предложить ему полистать брошюры, разложенные для гостей в главном холле, но не была уверена, что он относится к тому типу туристов, которые катаются по разным местам и заканчивают день в ресторане на открытом воздухе.

Майк посмотрел на свой кофе:

— Вообще-то, я планировал ознакомиться с окрестностями, но машина из проката придет позже, так что пока мне нечем заняться.

— О, на колесах у нас есть что посмотреть. Выше по дороге останавливается автобус на Порт-Стивенс, иначе вам отсюда не выбраться. Так вы в отпуск приехали?

Странное дело, он слегка покраснел.

— Что-то вроде.

Я решила не продолжать. Не стоит настаивать, если кто-то не хочет говорить. У Майка могли быть свои причины приехать в наши края: разрыв отношений, личные амбиции; решение, для принятия которого необходимо побыть в одиночестве. Терпеть не могу людей, пристающих с расспросами. Майк Дормер заплатил мне за неделю вперед, вежливо поблагодарил за завтрак и только из-за этих двух моментов я должна была проявить к нему профессиональную тактичность.

— Я... э-э... пожалуй, пойду. — Майк аккуратно положил вилку с ножом на тарелку и встал из-за стола. — Большое спасибо, мисс Мостин.

— Кэтлин.

— Кэтлин.

И я с легкой душой убрала за ним посуду.

На той неделе у меня были еще гости. Пара средних лет приехала к нам отметить двадцать пятую годовщину супружества. Они первыми откликнулись на нашу рекламу в интернете, а на «Моби», кроме них, заказов почти не было, так что пришлось передать их Лизе. Одного этого хватило, чтобы испортить ей настроение — она категорически не желала связываться с интернет-бизнесом, — так еще супруг постоянно был недоволен. И номер оказался для него недостаточно просторный, и мебель старая, и в душе пахло плесенью. За первые два утра он съел коробку хлопьев, а когда я на следующий день выставила новую, он заявил, что я лишаю его выбора. В довершение всего он пожаловался, что Лиза позже, чем было назначено, вышла в море, хотя они сами явились на пристань с опозданием, потому что он хотел посмотреть Музей китобоев и я была вынуждена открыть музей специально для него.

Его жена, элегантная, очень ухоженная женщина (когда я вижу подобных дам, всегда думаю о времени и усилиях, которые они тратят на то, чтобы так выглядеть), повсюду ходила за ним следом и тихо извинялась перед каждым, на кого он спускал собак. Глядя на то, с какой легкостью она умудрялась делать это незаметно от мужа, можно было предположить, что это для нее не в новинку. Она извиняющимся тоном сообщила мне, что эта поездка — его «подарок» ей на годовщину, а сама в это время оглядывалась на мужа, который, набычившись, шагал к отелю. Мне стало интересно, через сколько лет у нее на лбу появятся глубокие морщины.

— Эта поездка ему нравится намного больше, чем прошлогодняя, — сказала она, и я с сочувствием положила руку ей на плечо.

— Он хам, — заявила Лиза, вернувшись в отель. — Если бы не она, я бы их не взяла.

Мы переглянулись.

— Держу пари, ты подарила ей прекрасный день.

— Вообще-то, нет. Китов нигде не было. Я покатала их лишний час, но море словно опустело.

— Может, они знали.

— Да, я врубила сонар, чтобы они на сегодня разбежались, — отшутилась Лиза.

Иногда я вижу в ней свою младшую сестру. Она так же наклоняла голову, когда о чем-то задумывалась, у нее были такие же тонкие сильные пальцы, и она так же улыбалась, когда смотрела на свою дочь. В такие моменты я понимала: то, что Лиза и Ханна живут со мной, — благословение свыше. Это такое естественное счастье — видеть продолжение своего рода. Мы, бездетные, и не можем иначе испытать эту радость. А порой я вдруг вижу в Лизе не только ее маму, но и своего двоюродного деда Эвана, свою бабушку, даже себя. Последние пять лет я благодарила Бога за этот дар. В какую-то секунду я вдруг видела знакомое выражение лица, слышала знакомый смех, и это, пусть совсем чуть-чуть, компенсировало мне потерю сестры.

Но у Лизы были свои отличительные черты: настороженность, никогда не покидающая грусть, бледный шрам на скуле возле левого уха — все это принадлежало исключительно ей.

Для меня, конечно, не стало сюрпризом то, что Нино Гейнс не звонил мне несколько дней, после того как я выпроводила его в последний раз. Я бы не сказала, что соскучилась по нему, но мне не хотелось, чтобы он сидел где-нибудь на Барра-Крик и плохо обо мне думал. Кому, как не мне, было знать, что жизнь слишком коротка, чтобы тратить ее на обиды.

После ланча я обернула лимонный пирог в вощеную бумагу, положила его на пассажирское сиденье и поехала к Нино. День был чудесный, воздух такой чистый, что можно было разглядеть все иголочки на соснах вдоль дороги. Однако лето в том году выдалось особенно сухим. Удаляясь вглубь материка, я видела бурую землю, тощих лошадей, травы для них не было, и они убивали время, отгоняя хвостами надоедливых мух. Дышалось здесь иначе — в воздухе неподвижно висела пыль, — атмосфера была гнетущая. Не понимаю, как люди живут в глубине материка. Лично меня удручают бесконечные пейзажи в одной коричневой палитре и всегда неизменные холмы и долины. А море — живое. Я привыкла к его настроениям и переменчивости, как муж привыкает к жене или жена к мужу. С годами вам может и не всегда нравится поведение супруга, но вы его знаете, вы хорошо изучили его.

Когда я подъехала, Нино как раз собирался войти в дом. Он услышал мою машину и, поняв, кто приехал, вытер ладони о задние карманы штанов и прикоснулся к краям своей шляпы. Могу поклясться, что на нем был тот самый стеганый жилет, который он носил еще в семидесятые, когда у него родились два мальчика.

Я не сразу вышла из машины: мы редко ссорились, и я не была так уж уверена по поводу приема, который он мне окажет. Мы стояли и, прищурившись, смотрели друг на друга. Помню, тогда я подумала, какие мы с Нино все-таки дураки: два старых скелета смотрят друг на друга, как тинейджеры.

— День добрый, — поздоровалась я.

— Приехала за своим заказом? — сухо спросил Нино, но я увидела в его глазах огонек и расслабилась.

Честно вам признаюсь, этот огонек я не заслужила.

— Привезла тебе пирог, — сказала я и потянулась в кабину за гостинцем.

— Надеюсь, с лимоном.

— А что? Если не с лимоном, отошлешь обратно?

— Могу.

— Не помню, чтобы ты, Нино Гейнс, когда-нибудь был разборчивым. Упрямый, прожорливый и грубый — да. Разборчивый — нет.

— Ты губы накрасила.

— И еще нахальный.

Нино улыбнулся, и я тоже не смогла сдержать улыбку. Вот чего вам никогда не скажут о старухах — с возрастом не перестаешь вести себя как молодая дура.

— Давай, Кэтлин, заходи. Посмотрим, смогу ли я заставить моего Упрямого, Прожорливого и Нахального Марка Второго приготовить нам по чашечке чая. Кстати, очень хорошо выглядишь.

В первый раз Нино Гейнс попросил моей руки, когда мне было девятнадцать. Во второй раз мне было девятнадцать лет и две недели. Третий раз случился спустя сорок два года после второго. И тут дело было не в провалах в памяти и не в том, что Нино перестал меня замечать, просто в этот промежуток времени он был женат на Джин. Нино повстречал ее спустя два месяца после моего второго отказа. Джин сошла с корабля невест в Вулумулу и уже передумала насчет солдата, за которого собиралась замуж. Нино ждал в доках своего друга, его взгляд упал на ее осиную талию и перекрученные нейлоновые чулки. Это подействовало, как зов природы. Джин его подсекла, притянула, и не успело пройти еще два месяца, на ее пальце появилось обручальное кольцо. Сначала многие думали, что Нино и Джин не подходят друг другу. Ругались они как черти! Но он отвез ее на свой только что купленный виноградник в Барра-Крик, и они прожили там долгие годы, пока она не умерла от рака в пятьдесят семь лет. Несмотря на все их ссоры, они были хорошей парой.

Я не виню Джин за то, что она так быстро взяла его в оборот. В ту пору любой бы вам сказал, что Нино Гейнс — самый красивый мужчина в Сильвер-Бей... даже в купальнике. Он надевал женский купальник раз в год, когда военные устраивали представление для местных детишек. Мне было неловко, потому что в первый год он попросил купальник именно у меня. Во время войны я была жилистой высокой девчонкой с широкими плечами. Да я и сейчас не намного меньше ростом. Другие женщины с годами усыхают, горбятся от остеопороза, как вопросительный знак, или у них распухают суставы от артрита, а я еще держусь прямо, и руки-ноги у меня вполне крепкие. Думаю, что это из-за того, что я практически без посторонней помощи управляю старым отелем на восемь номеров. (Члены команд говорят, что нынче всем уже известно, как укрепляют организм акульи хрящи. Ну, это они так шутят.)

Впервые я увидела Нино, когда работала в баре отеля. Он уверенно прошагал к стойке в этой своей форме военного летчика, посмотрел на меня оценивающе, так что я покраснела, увидел фотографию в рамочке рядом с полками и спросил:

— А ты кусаешься?

Сам вопрос не задел моего отца, но Нино в конце подмигнул. Я была такой наивной, что все это пролетело мимо меня, как военные самолеты над мысом Томари.

— Она — нет, — пояснил отец, который читал газету за кассой. — А вот ее отец — да.

— За этим типом надо присматривать, — сказал он позже маме. — Ему палец в рот не клади. — А потом уже мне: — Держись от него подальше, поняла?

В те времена все, что говорил отец, было для меня как Священное Писание. Я односложно отвечала Нино, пыталась не заливаться краской, когда он хвалил мое платье, и сдерживала смех, когда он тихо, только для меня шутил через стойку бара. И еще старалась не замечать, что он приходит каждый вечер в свои увольнительные. Все знали, что лучше всего можно провести ночь минутах в двадцати по дороге выше от нашего места. Моей младшей сестре Норе тогда было четыре года (честно сказать, ее появление на свет оказалось сюрпризом для моих родителей), она смотрела на Нино, как на бога, в основном потому, что он засыпал ее шоколадками и жевательной резинкой.

А потом Нино сделал мне предложение. Я знала, как строго относился отец к военным, и мне пришлось отказаться. Иногда я думаю, что не стоило Нино во второй раз делать мне предложение при отце, и тогда, возможно, у нас все бы сложилось хорошо.

Когда Джин умерла, теперь уже пятнадцать лет назад, я думала, что Нино сломается и похоронит свою жизнь. Мне приходилось видеть, как это происходит с мужчинами его возраста — они перестают следить за одеждой, забывают бриться и начинают питаться полуфабрикатами. Понимаете, так росло это поколение мужчин. Их не учили делать что-то для себя. Но Фрэнк и Джон Джон не давали Нино закиснуть, они не оставляли отца одного, придумывали новые идеи для его виноградника. Фрэнк оставался дома, а жена Джо Джо приходила и готовила для всех. Через год по Нино уже было не так заметно, что он пережил страшный удар. А потом, как-то вечером за бутылкой отличного «Шираз-мерло», Нино признался мне, что у них с Джин за две недели до ее кончины был разговор. Джин сказала ему, что, если он после ее смерти будет болтаться один, она дотянется до него с небес и хорошенько надерет уши.

После этого признания последовала долгая пауза. Я разглядывала свой бокал с вином, а когда подняла голову, увидела, что Нино пристально смотрит на меня. Эта тишина, если я долго думаю об этом, и сейчас обжигает меня.

— И она была права, — сказала я тогда, избегая встречаться с Нино взглядом. — Глупо оставаться одному. Не стоит тебе хандрить. Съезди, повидайся с друзьями на севере. Для тебя сейчас развеяться лучше всего.

Нино потом еще что-то сказал, но больше мы об этом не говорили.

Прошло много лет, он смирился с тем, что мы с ним только хорошие друзья, и ничего больше. Я дорожила его дружбой — возможно, он даже не знал, как сильно, — и нас почти всегда приглашали в гости вдвоем. Мы, можно сказать, заключили договор, что вроде как пара. А если мы порой пикировались, так это потому, что нам это нравилось, а еще потому, что никто из нас не знал, как скрыть неловкость, которая так и осталась между нами. Но на то, чтобы Нино смог легко болтать со мной по-дружески, потребовалось еще несколько лет.

— Фрэнк вчера был в городе и столкнулся с Черри Даусон, — сказал Нино.

Я разглядывала коврики с карандашными и акварельными видами Лондона, которые Нино по-прежнему раскладывал на столе, когда садился есть. Как будто бы Джин просила его об этом. Даже после стольких лет в этом доме везде чувствовалось ее присутствие. Джин любила тяжелую инкрустированную мебель, которая совсем не сочеталась с натурой Нино. Меня всегда удивляло, что его не угнетает обстановка, очень подходящая для похоронного бюро. Всякий раз, когда я заходила в гостиную с этими салфетками и подушечками на диванах, меня обуревало желание выкинуть все это старье и закрасить стены белой краской.

— Она все еще работает в муниципалитете?

— Естественно. Она сказала, что Буллены продали старую устричную отмель. Теперь в муниципалитете все гадают, что будет на этом месте.

Я отпила глоток чая. Тоненькие чашечки с цветочками я тоже терпеть не могла. Мне всегда хотелось сказать Нино, что с бóльшим удовольствием пила бы чай из кружки, но тогда было бы похоже, будто я критикую Джин.

— И землю тоже продали?

— Добрую полосу побережья плюс рыбоводный завод. Но меня интересует устричная отмель.

— Что можно делать с таким куском мелководья?

— Вот и мне любопытно.

Когда Нино еще не увлекся виноделием, он подумывал открыть собственную устричную отмель. Буллены тогда боролись с японским импортом, и он примеривался купить их участок. Нино спрашивал совета у моего отца, но он над ним лишь посмеялся и сказал, что такой человек, как Нино Гейнс, должен забыть о бизнесе навсегда. Возможно, впоследствии отец изменил свое мнение о способностях Нино вести дела, когда он, став виноделом, выиграл награду от «Австралийских вин» и еще когда оборот в первый раз поднялся до шестизначной цифры, но мой отец был не из тех, кто признает свои ошибки.

— А ты все еще строишь планы?

— Нет.

Нино допил чай и посмотрел на часы. Каждый вечер он забирался на квадроцикл и объезжал свои владения: проверял, как работает оросительная система, высматривал на лозе следы ботритиса[1] и милдью[2]. Он все еще получал удовольствие от осознания того, что, куда ни погляди, вся земля его.

— Залив ни для чего особенно не пригоден. Разве что устроить там еще одну устричную отмель.

— Я так не думаю. — Нино покачал головой.

Мне показалось, что он что-то недоговаривает.

— Ну и ладно, — сказала я, когда поняла, что Нино не собирается вдаваться в подробности. — Им все равно

1 *Ботритис* — плесневый гриб, возбудитель серой гнили многих растений, используется в виноделии.

2 *Милдью* — ложная мучнистая роса.

придется держать открытым глубоководный канал для входа и выхода лодок, так что не вижу, как это повлияет на команды. Пусть делают там, что хотят. Кстати, я не сказала тебе, что Ханна видела своего первого кита?

— Лиза наконец-то вышла с ней в море?

Я поморщилась:

— Нет. Так что держи язык за зубами. Ханна вышла на «Моби-один» с Йоши и Грэгом. Она была так счастлива в тот вечер, даже удивительно, что Лиза ничего не заметила. Я, когда проходила мимо ее двери, слышала, как она подпевает китовым песням на кассете.

— Лизе в конце концов придется ослабить хватку, — сказал Нино. — Ханна скоро станет подростком. Если Лиза будет стараться держать ее при себе, девочку потянет в другую сторону. — Нино изобразил, будто с трудом вытягивает рыбину. — Но не мне тебе об этом говорить.

Я посмотрела на часы на каминной полке и встала. Уже много времени прошло — я даже не заметила, а ведь просто собиралась привезти Нино пирог.

— Рад был тебя повидать, Кейт. — Нино потянулся ко мне, чтобы поцеловать в щеку, а я взяла его за руку — это можно трактовать и как знак симпатии, и как способ сохранить дистанцию.

Понимаете, мой отец думал, что Нино такой же, как все остальные мужчины. Он готов был поклясться, что их интересует исключительно моя слава и наш отель. Только сейчас я начала задумываться о том, что же им двигало, почему он не разрешал своей дочери поверить в бескорыстную любовь.

Когда я вернулась, все уже удобно устроились за столом. Ребята сидели на длинной лавке с пивом и пакетиками чипсов в руках — это, наверное, Лиза их обслужила. Йоши с Лансом играли в карты. Ветер дул с севера, так что все были в свитерах и шапках, да еще в шарфы закутались. Никто и не подумал зажечь горелки.

Лиза читала местную газету, она подняла руку и сообщила:

— Пришел заказ от мясника. Я не знала, что ты захочешь приготовить, так что все в холодильнике.

— Надо бы проверить, что он там привез. В прошлый раз все перепутал, — отозвалась я и поздоровалась: — Всем привет. Рано вы вернулись.

— Одна стая, слишком далеко, чтобы клиенты смогли что-то рассмотреть. Ездили к своему кавалеру, мисс М.?

Грэг, когда говорил, поглядывал на Лизу, но она упорно не обращала на него внимания. Я поняла, что Лиза все еще с ним не разговаривает, и мне даже стало жаль его. Грэг хотел как лучше, но порой он сам себе был злейшим врагом.

В холле Майк Дормер пролистывал газеты, которые я оставила для гостей. Когда я вошла, он поднял голову и кивнул.

— Пригнали вашу машину? — Я собралась снять пальто, но потом сообразила, что все равно вернусь к ребятам, и передумала.

— Да. Э-э... — Майк вытащил из кармана ключи от машины. — «Холден».

Он выглядел очень усталым, я вспомнила, что последствия от прыжков через часовые пояса накатывают волнами.

— «Холден» вам подойдет. Вам уже лучше?

— Скоро станет. Я тут подумал... а не мог бы я сегодня поужинать у вас?

— Если хотите. Я как раз собираюсь подать ребятам суп. Хватайте куртку и присоединяйтесь к нам.

Я видела, что он колеблется. Сама не знаю, почему его подталкивала. Может, потому что вдруг почувствовала, что устала и не хотела даже думать о том, что придется накрывать на стол для одного человека. А может, хотела, чтобы Лиза увидела мужчину, не похожего на Грэга...

— Это Майк. Сегодня он поест с нами.

Все пробормотали приветствия. Грэг внимательнее других посмотрел на гостя.

Я помешивала суп, стоя у окна в кухне, и слышала, что, когда Майк сел за стол, Грэг стал говорить громче, а шутить веселее. Меня это рассмешило: он никогда не умел скрывать свои чувства.

Еду я вынесла на двух подносах. Каждый по очереди тянулся за миской и куском хлеба. Все говорили мне спасибо, но вскользь, почти не глядя. А вот Майк встал и выбрался из-за стола.

— Позвольте, я помогу вам, — предложил он и взял второй поднос.

— Ого! — с улыбкой отреагировал Ланс. — Сразу видно, ты не местный.

— Большое спасибо, мистер Дормер, — сказал я и села рядом с ним.

— Зовите меня Майк. Вы очень добры.

— О, ты только не избалуй нам Кэтлин, — попросил Грэг.

Тут Лиза подняла голову и посмотрела на него.

Мне показалось, что Майка смутило всеобщее внимание. В своей наглаженной рубашке он выглядел чужаком за нашим столом. Майк вряд ли был старше Грэга, но лицо у него было удивительно гладким, без морщин. Я подумала, что это от офисной работы.

— Вам не холодно в одной рубашке? — спросила Йоши и подалась вперед. — Уже почти август.

— По-моему, тут довольно тепло, — ответил Майк и огляделся.

Ланс показал пальцем на Лизу:

— И ты такой же была, когда только здесь появилась.

— Теперь она даже загорает в термиках.

— А откуда вы родом? — поинтересовался Майк, но Лиза его как будто не услышала.

— Чем вы занимаетесь, Майк? — спросила я.

— Финансовыми операциями.

— Финансовыми операциями, — громче повторила я, потому что хотела, чтобы Лиза это услышала.

Я интуитивно чувствовала, что Майка опасаться не стоит.

— Джакеро[1] подъехал к бару, — подал голос Грэг. — Он слез с лошади, обошел ее, потом поднял хвост и поцеловал в зад.

— Грэг, — предостерегающе сказала я.

— Другой ковбой остановил его, когда он собирался войти в бар. Он сказал: «Извини, приятель, я только что видел, как ты поцеловал в зад свою кобылу». — «Точно, — ответил джакеро, — у меня губы обветрились».

Грэг огляделся, чтобы удостовериться в том, что завоевал всеобщее внимание.

— «И от поцелуя в зад они перестанут трескаться?» — спросил ковбой. «Нет, — ответил джакеро, — но зато я точно перестану их облизывать».

Грэг с довольным видом хлопнул ладонью по столу. Ханна рассмеялась, а я закатила глаза к небу.

— Жуткий анекдот, — сказала Йоши. — И ты рассказывал его две недели назад.

1 *Джакеро* (*англ.* jackeroo) — новичок-колонист.

— И тогда он не был смешнее, — добавил Ланс.

Я заметила, что они с Йоши касаются друг друга коленками под столом — все еще думали, что про них никто не знает.

— Тебе известно, кто такой джакеро, приятель? — Ланс наклонился над столом.

— Нетрудно догадаться, — ответил Майк и повернулся ко мне. — Суп превосходный. Вы сами готовили?

— Может, даже поймала сама, — вставил Грэг.

— Как вам Сильвер-Бей? — с улыбкой спросила Йоши. — Вы ходили сегодня куда-нибудь?

Майк дожевал хлеб и только потом ответил:

— Дальше кухни мисс Мостин... Кэтлин... практически не ходил. Но то, что я видел, очень... симпатично. А вы... э-э... вы все работаете на круизных судах?

— Мы преследователи китов, — сказал Грэг. — В это время года мы гоняемся за плавучим жиром. Не человеческого сорта.

— Но Грэг непривередлив.

— Вы охотитесь на китов? — Майк не донес ложку до рта. — Я думал, это незаконно.

— Это наблюдение за китами, а не охота, — пояснила я. — Они берут туристов в море, чтобы те посмотрели на китов. С этого месяца до сентября горбачи мигрируют на север, в теплые воды, они проплывают недалеко отсюда. А потом, месяца через два, возвращаются тем же путем.

— Мы современные преследователи китов, — сказал Ланс.

Майк, казалось, удивился.

— Ненавижу это определение, — с чувством возразила Йоши. — Звучит так, будто мы какие-то... бессердечные. Мы не преследуем китов, мы наблюдаем за ними с безопасной дистанции. Слово «преследователи» неправильно отражает суть того, чем мы занимаемся.

— Дать тебе волю, Йош, так ты бы выбрала «лицензированные морские наблюдатели за китообразными», или как там еще.

— Вообще-то, точное определение — водные млекопитающие семейства полосатиковых китов подотряда усатых.

— Никогда так об этом не думал, — сказал Ланс. — Нас всегда называли преследователями.

— А мне показалось, что вы из-за этого здесь остановились, — обратилась я к Майку. — Большинство людей сюда приезжают, чтобы посмотреть на китов.

— Что ж... звучит заманчиво... — Майк уставился в свою тарелку. — Я с удовольствием.

— Если выйдете в море с Грэгом, соблюдайте осторожность, — посоветовала Йоши, подбирая хлебом остатки супа на дне миски. — Он имеет склонность терять непарных пассажиров. Естественно, неумышленно.

— Та девчонка сама прыгнула. Просто сумасшедшая какая-то, — запротестовал Грэг. — Пришлось спасательный пояс за борт кидать.

— Ага, а почему она прыгнула? — спросил Ланс. — Боялась, что ее подцепит на свой крючок Грэг.

Йоши рассмеялась.

Грэг глянул на Лизу.

— Это неправда.

— Тогда почему ты, уже потом, просил у нее номер телефона? Я видел.

— Это она у меня номер попросила, — с неохотой ответил Грэг. — Сказала, что, может, захочет, чтобы я организовал для нее частную прогулку.

Все ребята расхохотались. Лиза не подняла голову.

— Ух ты, — сказал Ланс. — На частную прогулку? На такую же, как ты устроил двум стюардессам тогда, в апреле?

Майк смотрел на мою племянницу. Лиза говорила мало, впрочем, как и всегда. Она не хотела выделяться, но ее безучастность, наоборот, привлекала к ней внимание. Я попыталась увидеть ее глазами Майка: все еще красивая женщина, выглядит одновременно старше и моложе своих тридцати двух лет, волосы небрежно зачесаны назад, как будто ее уже давно не волнует, как она выглядит.

— А вы? — тихо спросил Майк, обратившись к ней через стол. — Вы тоже преследуете китов?

— Я никого не преследую, — ответила Лиза с непроницаемым лицом. — Я иду туда, где они могут появиться, и сохраняю дистанцию. По-моему, это самая разумная тактика.

Их взгляды встретились. Я видела, что Грэг за ними наблюдает. Он не спускал с нее глаз, когда она встала из-за стола и сказала, что пора ехать за Ханной. Потом он повернулся к Майку. Мне оставалось только надеяться, что я одна заметила угрозу в его улыбке.

— Да. Когда дело касается Лизы, это самая лучшая тактика, — сказал Грэг, его улыбка была широкой и дружелюбной, как у акулы. — Сохраняй дистанцию.

6

Майк

Залив тянется примерно четыре мили от Тар-Пойнта до Брейк-Ноус-Айленда. Рядом на севере — Порт-Стивенс, крупный портовый город с местами отдыха и развлечений. Залив чистый, защищенный, идеально подходит для водного спорта и для купания (в теплые месяцы). Приливная система слабая, для пловцов не представляет опасности. Присутствуют малоэтажные коттеджи и бизнес по наблюдению за китообразными. Сильвер-Бей расположен в трех-четырех часах езды от Сиднея, и практически вся его территория доступна с главной магистрали. Береговая линия представляет собой две полубухты. Одна, с северного конца залива, фактически не развита. Во второй, в десяти минутах ходьбы от первой, расположена практически вся недвижимость Сильвер-Бей: дома на одну семью и розничные торговые точки, хозяевами которых по большей части являются резиденты Сиднея и Ньюкасла. Это...

Тут перестал набирать текст и на минуту задумался.

...отличное место для преобразований, здесь множество домов малой стоимости. Велика вероятность того, что покупка домов по справедливой цене будет выгодна и для их владельцев, и для местной экономики.

Что касается конкуренции, местные отели не представляют угрозы. Единственный отель, расположенный на берегу залива, несколько десятков лет назад в результате пожара потерял половину площадей. Функционирует в режиме «ночлег-завтрак». Развлечения не предусмотрены.

Маловероятно, что владелец, на определенных условиях, откажется его продать.

Я подумал, что вряд ли порадую кого-то таким отчетом. Не имело значения, сколько фактов и цифр я выудил из местного отдела планирования и торговой палаты, меня все равно не покидало ощущение, будто я пишу о чем-то, что совершенно не знаю. Сразу по приезде я понял, что это непростое место.

В Сити я обсчитывал метраж площадей, представительские апартаменты, офисные здания семидесятых, которые должны были уступить место сетям «Здоровье и фитнес» и новым престижным кварталам. Выполняя эту работу, я играл на своем поле и мне легко удавалось оставаться незамеченным. Я сопоставлял местные цены на недвижимость, предполагаемый доход среди резидентов и в конце дня исчезал.

Но как только я залез в кабину грузовичка Грэга, с валяющимися под ногами банками из-под пива, я сразу понял, что здесь все будет по-другому.

Тут я был словно выставлен напоказ. Даже в свитере и джинсах меня не покидало ощущение, что я недостаточно «просолен» и местные легко могут меня раскусить. К тому же здесь проживало так мало народу, что каждый человек имел значение. Это был новый для меня опыт, но я почему-то не мог трезво смотреть на вещи.

Вздохнув, я открыл новый документ и начал набирать заголовки: география, экономический климат, местная промышленность, конкуренция. Потом с некоторой неприязнью вспомнил о новой двухместной спортивной машине, которую купил себе в награду за эту работу. Оплаченная и полностью готовая, она ждала меня во внешнем дворе дилера. Посмотрел на часы. Почти за два часа я написал всего три абзаца. Пришло время сделать перерыв на чай.

Кэтлин Мостин выделила мне номер, который охарактеризовала как «хорошая комната». Другие гости недавно уехали. Накануне вечером Кэтлин принесла поднос с чайными и кофейными принадлежностями. Последним гостям она бы их не предложила, потому как они, цитирую, «постоянно бы жаловались, что вода закипает недостаточно быстро». Кэтлин Мостин была из породы женщин, которые в Англии держат гостиницы или следят за помещичьими домами, представляющими исторический интерес. Глядя на таких, вспоминаешь выражение: «Годы ее не берут». Ясный ум, острый глаз, никогда не сидит без дела. Мне она нравилась. Полагаю, мне нравятся сильные женщины — не надо думать за двоих. Не сомневаюсь, что у моей сестры другая теория на этот счет.

Я вскипятил чайник и встал возле окна, приготовившись сделать чашку чая. Номер не был роскошным, но я чувствовал себя в нем на удивление комфортно, совсем не так, как в номерах представительского класса, где обычно останавливался. Стены беленые, двуспальная кровать с деревянной рамой, белые простыни и одеяло в сине-белую полоску. И еще старое кожаное кресло, и персидский ковер, который в свое время наверняка стоил немалых денег. Работал я, сидя на табурете за небольшим столом из сосны. Когда я осмотрелся в отеле «Сильвер-Бей», мне пришло в голову, что Кэтлин Мостин давно решила в отношении дизайна не затрачиваться ради гостей — проще просто побелить стены. Так и слышу, как она говорит: «Легко смывать грязь и белить поверху».

Я быстро понял, что являюсь ее единственным постояльцем на долгий срок. Атмосфера отеля подсказывала, что это место когда-то было очень модным, но потом встало на прагматичные рельсы. Мебель по большей части подобрали также из практических, а не эстетических соображений. На стенах в рамках висели пожелтевшие фото отеля времен его былой славы или безликие акварели с морскими пейзажами. Я обратил внимание, что на каминах и полках разложены разные коллекции морских камешков и выброшенных на берег коряг. В других отелях это было бы стилистически фальшиво, но здесь казалось, что все эти камешки и коряги на своем месте, в своем доме.

Окно моего номера выходило прямо на залив, даже дороги не было между домом и береговой линией. Прошлой ночью я спал с открытым окном. Шорох волн убаюкал меня и подарил первый полноценный сон за последние несколько месяцев. На рассвете я смутно слышал, как подъезжали грузовики преследователей китов — колеса шуршали по влажному песку, — слышал, как рыбаки ходят по гальке к пристани и обратно.

Когда я описал Нессе здешнюю обстановку, она назвала меня «везунчиком» и сказала, что «устроила отцу разнос» за то, что он отослал меня из Англии.

— Ты не представляешь, сколько мне здесь всего нужно организовать, — сказала она с такой интонацией, будто мое присутствие в Лондоне могло бы как-то помочь все решить.

— Знаешь, мы можем устроить все по-другому, — возразил я, когда у Нессы закончились жалобы. — Можем полететь куда-нибудь и устроить свадьбу на берегу океана.

Последовало молчание, продолжительность которого заставила меня задуматься о его стоимости.

— После всего? — Судя по голосу Нессы, она не могла поверить своим ушам. — Я выложилась по полной, чтобы все организовать, и теперь ты предлагаешь мне просто куда-нибудь слетать и сыграть свадьбу? С каких это пор у тебя появились задатки организатора?

— Забудь, это я так...

— Ты хоть понимаешь, каково это? Я стараюсь и делаю гору дел, а половина этих чертовых гостей даже не ответили на приглашение. Это так невежливо. Теперь придется лично за каждым охотиться.

— Послушай, мне жаль. Ты же знаешь, я не просил меня сюда отправлять. Я работаю очень напряженно и вернусь как можно быстрее.

Несса смягчилась. В конечном счете. Кажется, она повеселела, когда я напомнил, что здесь, вообще-то, зима. Кроме того, Несса знала, что я не любитель отдыха. Мне пока не удавалось лежать на пляже дольше недели. Несколько дней, и я начинаю исследовать удаленные от берега территории, просматриваю газеты в поисках бизнес-возможностей.

— Люблю тебя, — сказала Несса, перед тем как повесить трубку. — Работай там так, чтобы скорее вернуться.

Вот только тяжело работать в обстановке, которая располагает к обратному. Как нарочно, связь с интернетом через телефон была медленной и, скажем так, с настроением. Газеты с информацией Сити приходили только к полудню. К тому же изящный изгиб залива и белый песок манили, звали пройтись по пляжу. Деревянная пристань приглашала посидеть и поболтать ногами в воде. Длинный выбеленный стол, за которым команды преследователей китов отдыхали, вернувшись из залива, болтали и пили холодное пиво с горячими чипсами... А в то утро даже моя рабочая рубашка не создавала мне трудового настроения.

Я открыл электронную почту и начал писать:

Деннис, надеюсь, вы поправляетесь. Вчера, как вы посоветовали, посетил плановый отдел и встретился с мистером Райли. Похоже, ему нравится план, по его мнению — единственное препятствие…

Кто-то постучал в дверь, я подскочил на месте и захлопнул лэптоп.

— Можно войти?

На пороге стояла Ханна, дочь Лизы Маккалин. Она протянула мне тарелку с сэндвичем.

— Тетя Кей подумала, что вы, наверное, проголодались. Она не уверена, захотите ли вы спуститься вниз.

Я взял у девочки тарелку. Мне даже не верилось, что уже время ланча.

— Это очень мило. Скажи тете спасибо.

Ханна заглянула в комнату и увидела мой компьютер.

— А чем вы занимаетесь?

— Надо послать пару писем.

— У вас есть выход в интернет?

— В общем, да.

— Я очень хочу компьютер. Почти у всех моих друзей в школе есть компьютер. — Ханна переступила с ноги на ногу. — А вы знаете, что моя тетя есть в интернете? Я слышала, как она говорила про это маме.

— Я думаю, во многих отелях есть выход в интернет, — сказал я.

— Нет, — сказала Ханна, — тетя есть в интернете. Она сама. Тетя не любит об этом говорить, но когда-то она тут прославилась, потому что поймала акулу.

Я попробовал представить, как старая леди борется с чудищем из фильма «Челюсти». Странное дело, это оказалось не так трудно.

Ханна стояла в дверях и явно не хотела уходить. Она была, как все девочки ее возраста, в преддверии созревания. Невозможно сказать, станет она красавицей или из-за гормонов и генов этот носик будет чуть длиннее, чем нужно, а подбородок чуточку тяжелее. Я склонялся к мысли, что в случае с Ханной осуществится первый сценарий.

Мне пришлось опустить голову, чтобы она не подумала, будто я ее разглядываю. Ханна была так похожа на свою маму.

— Мистер Дормер.

— Майк. Давай на «ты».

— Хорошо, Майк. А когда ты будешь не очень занят, я могу попользоваться твоим компьютером? Я правда очень хочу посмотреть фотографию с моей тетей.

Весь залив засверкал в лучах солнца, тени стали короче, песок и дорожки посылали солнечных зайчиков. С того момента, как я вышел из самолета в сиднейском аэропорту имени Кингсфорда Смита, я чувствовал себя как рыба, выброшенная из воды. Приятно было, что кто-то попросил меня сделать что-то привычное.

— Знаешь что, — сказал я, — мы можем посмотреть прямо сейчас.

Мы просидели в моей комнате почти час, и этого времени мне хватило, чтобы убедиться в том, что Ханна — милый ребенок. С одной стороны, она казалась младше своих ровесников в Лондоне. Например, ее не очень интересовало то, как она выглядит, поп-культура, музыка и все такое прочее. Но с другой стороны, она была очень сообразительной девочкой, и в ней чувствовалась какая-то несвойственная ее возрасту цельность. Я даже немного терялся, разговаривая с ней. Обычно я не очень хорошо лажу с детьми — мне трудно понять, о чем с ними надо разговаривать, — но в компании с Ханной Маккалин мне было здорово.

Ханна расспрашивала меня о Лондоне, о моем доме, ей было интересно, есть ли у меня домашние животные. Очень быстро она узнала, что я собираюсь жениться.

— Ты уверен, что она тебе подходит? — серьезно спросила Ханна, внимательно глядя на меня темными глазами.

Этот вопрос застал меня врасплох, но я чувствовал, что отвечать тоже надо серьезно.

— Ты ей никогда не грубишь?

Я задумался на секунду и ответил:

— Надеюсь, я со всеми вежлив.

Ханна улыбнулась. Теперь уже как обычный ребенок.

— Да, ты кажешься очень милым, — призналась она.

А потом мы занялись более важными делами: нашли и распечатали две разные фотографии молодой женщины в купальнике с акулой и пару текстов о ней, которые написали люди, вряд ли ее знавшие; зашли на сайт известной бой-банды и на туристический сайт Новой Зеландии. Дальше — цепочка фактов и цифр о горбатых китах. Ханна сказала, что она всех их наизусть знает. Я узнал, что легкие у китов размером с небольшой автомобиль, что новорожденный детеныш кита весит полторы тонны и что у молока кита консистенция деревенского сыра. Должен признаться, что без знания о молоке я мог бы и обойтись.

— Ты выходишь с мамой в море посмотреть на китов? — спросил я.

— Мне нельзя, — ответила Ханна.

Я заметил, что она говорит с австралийским акцентом, то есть к концу предложения повышает голос.

— Мама не хочет, чтобы я выходила в море.

Тут я вспомнил словесную стычку между Лизой Маккалин и Грэгом, ту, что произошла, когда я только приехал. Я всегда стараюсь держаться подальше, когда люди выясняют отношения, но я смутно помнил, что дело каким-то образом касалось Ханны и лодки.

Ханна пожала плечами, будто хотела сама себя убедить в том, что ей это безразлично.

— Мама старается уберечь меня от всяких опасных вещей. Мы... — Ханна подняла голову и посмотрела на меня, словно бы решая, сказать мне что-то или нет, в результате решила не говорить и спросила: — А мы можем найти фотографии Англии на твоем компьютере? Я вроде бы помню, но не очень много.

— Конечно можем. А что ты хочешь посмотреть?

Я начал набирать запрос в поисковике, и тут появилась Лиза Маккалин.

— А я-то думаю, где тебя искать, — сказала она, стоя в дверях моего номера.

Лиза переводила взгляд с меня на Ханну и обратно. В глазах ее было что-то, что заставило меня на секунду почувствовать себя виноватым, словно меня поймали за каким-то предосудительным занятием. Но уже в следующую секунду я не на шутку разозлился.

— Ханна принесла мне сэндвич, — сказал я с некоторым напором. — А потом она попросила разрешения заглянуть в мой компьютер.

— В интернете двадцать три тысячи сто веб-страниц про горбатых китов, — с гордостью сообщила Ханна.

Лиза расслабилась.

— И я полагаю, что она захотела просмотреть каждую. — Я услышал извиняющиеся нотки в ее голосе. — Ханна, милая, идем, оставь мистера Дормера в покое.

Лиза была в той же одежде, что и в две наши последние встречи назад: темно-зеленые джинсы, флисовая кофта и желтая ветровка. Волосы у нее, как и раньше, были убраны в хвост на затылке, кончики волос светлые, хотя ее натуральный цвет гораздо темнее.

Я вспомнил о том, что Несса в первый год наших отношений всегда вставала на полчаса раньше меня: она делала прическу и накладывала макияж прежде, чем я проснусь. У меня почти полгода ушло на то, чтобы понять, как ей удается проспать всю ночь и не перепачкать подушки блеском для губ.

— Извините, если она вам помешала, — сказала Лиза, не глядя мне в глаза.

— Она вовсе мне не мешала. Я только рад. Ханна, если хочешь, я перед уходом буду оставлять компьютер внизу, и ты сможешь им пользоваться.

У Ханны загорелись глаза.

— Правда? Сама? Мам! Я в интернете все найду для моего проекта!

Я не смотрел на ее маму, потому что догадывался, каким будет ответ, но, не встречаясь с ней взглядом, я не мог в этом удостовериться. В конце концов, ничего такого в этом не было. Я закрыл все защищенные паролем файлы и отключил компьютер.

— Ты прямо сейчас уходишь? — удивилась Ханна.

И тут мне пришла в голову идея. Я вспомнил коечто, о чем утром говорила Кэтлин.

— Да, — ответил я и вручил компьютер Ханне. — Если твоя мама меня возьмет.

Учитывая тот факт, что слабая экономика Сильвер-Бей практически целиком зависела от туризма, а также то, что, судя по цифрам местного самоуправления, средний заработок здешних жителей составлял не больше одной тысячи фунтов в месяц, можно было предположить, что Лиза Маккалин обрадуется моему предложению. Было бы странно, если женщина, чья лодка во владении стоит около двухсот фунтов, у которой до ближайшего понедельника в расписании нет клиентов и тетя которой неоднократно говорила, что в море она гораздо счастливее, чем на суше, не ухватится за возможность коммерческой прогулки одинокого туриста. Тем более после того, как я предложу оплату фрахта за четырех пассажиров, а это, судя по всем данным, достаточная сумма, чтобы экономически оправдать выход в море.

— Я не собираюсь сегодня выходить в море, — сказала Лиза, а руки при этом, как будто сдерживая себя, держала в карманах джинсов.

— Почему нет? Я предлагаю вам почти сто восемьдесят долларов. Это стоит времени, которое вы потратите.

— Сегодня я в море не выйду.

— Плохой прогноз? Шторм надвигается?

— Тетя Кей сказала, что будет ясно, — вставила Ханна.

— Или вы располагаете какой-то особой информацией по поводу китов? Они сегодня отправятся поплавать в другое место? Мисс Маккалин, я не потребую вернуть деньги, если киты не объявятся. Я просто хочу выйти на прогулку в море.

— Соглашайся, мам. А я тогда смогу попользоваться компьютером Майка.

Я с трудом удержался, чтобы не улыбнуться.

Лиза по-прежнему не смотрела на меня.

— Я вас не возьму. Найдите кого-нибудь другого.

— Вы имеете в виду кого-нибудь с больших лодок? У них на борту полно туристов. Мне это не подходит.

— Я созвонюсь с Грэгом. Расскажу ему о вас. Посмотрим, может, он сегодня собирается выйти.

— Грэг — это тот, у которого пассажиры вываливаются за борт?

В этот момент появилась Кэтлин. Она стояла возле лестницы и молча наблюдала за происходящим в моем номере.

— Хорошо, запишу вас на понедельник, — в итоге согласилась Лиза. — На понедельник у меня есть еще три человека. С ними вам будет веселее.

Я почему-то почувствовал азарт.

— Нет, мне это не подходит. Я асоциальный тип. И я хочу выйти в море сегодня.

Наконец она посмотрела мне в глаза и с некоторым вызовом тряхнула головой:

— Нет.

Я чувствовал, что что-то в происходящем заинтересовало Кэтлин. Она стояла у Лизы за спиной, не вмешивалась, но очень внимательно наблюдала.

— Хорошо... триста долларов, — сказал я и вытащил деньги из бумажника. — Это стоимость полной лодки, верно? Я плачу вам три сотни долларов, а вы рассказываете мне все, что вам известно, о китах.

Я услышал, как Ханна сделала резкий вдох и затаила дыхание.

Лиза посмотрела на свою тетю. Кэтлин удивленно подняла брови. Мне показалось, что в номере образовался вакуум.

— Триста пятьдесят, — сказал я.

Ханна хихикнула.

Я не собирался отступать. Не знаю, что меня тогда подталкивало. Может быть, скука. Может, эта ее закрытость. А может, это из-за того, что Грэг пытался намекнуть мне, чтобы я держался подальше от Лизы, и мне стало любопытно. В общем, я даже под страхом смерти решил выйти в море на ее лодке.

— Пятьсот долларов. Вот, пятьсот долларов. — Я вытащил из бумажника еще пару банкнот.

Я не размахивал деньгами, просто держал их в кулаке.

Лиза не отводила взгляд.

— И я рассчитываю получить за эти деньги кофе и печенье.

Кэтлин хмыкнула.

— Деньги ваши, — в итоге сказала Лиза. — Вам придется забыть о ваших городских нарядах. Обувь на мягкой подошве и теплый джемпер. Отходим через пятнадцать минут. — Она взяла у меня деньги и затолкала их в карман джинсов.

Судя по тому, как она потом мельком на меня глянула, можно было подумать, что она сомневается в моей адекватности.

Но я знал, что делаю. Как любит повторять Деннис: все и всё имеют свою цену.

К пристани была пришвартована только лодка Лизы. Она шла в паре шагов впереди меня, говорить не собиралась, лишь бросила пару слов своей маленькой собачке, так что у меня появилась возможность осмотреться. Хотя смотреть особенно было не на что — кафе, сувенирная лавка с явно маленьким оборотом (это демонстрировала пыльная витрина) и рынок морепродуктов, который был обращен фасадом к городу и находился в самом современном здании в заливе. При рынке располагалась парковка, то есть у покупателей, которые приехали купить свежую рыбу, уже не будет мотивации вернуться, чтобы воспользоваться другими услугами. Плохо продуманное решение. Я бы настаивал на том, чтобы парковка располагалась ближе к пристани.

Несмотря на субботу, людей вокруг было мало. Мотели, которые я заметил вдоль главного шоссе, рекламировали свои номера (завтрак включен), но атмосфера в заливе не обещала никаких экономических перспектив в это время года. В то же время здесь не чувствовалось угрюмости, характерной для городков на побережье Англии зимой. Яркое солнце делилось своим оптимизмом с воздухом, и местные жители были на редкость жизнерадостными.

Но только не Лиза.

Она «дала команду» подняться на борт, потом «приказала» стоять и внимательно слушать, как она монотонно зачитывает перечень мер по безопасности. После этого равнодушно спросила, не приготовить ли мне кофе.

— Задайте курс, и я все сделаю сам, — ответил я.

— Когда ходите, держите колени полусогнутыми, и когда поднимаетесь по трапу, тоже. — Лиза повернулась ко мне спиной. — Чаек не кормите. Это их вдохновляет — они пикируют на пассажиров и везде гадят. — Сказав это, она исчезла на верхней палубе.

Обстановка на нижней палубе: два стола и стулья, пластиковые скамейки, застекленная витрина с шоколадками, видео с китами и таблетки от укачивания. Листок с написанным от руки предупреждением не делать кофе или чай слишком горячими, так как напитки часто разбрызгиваются. Я нашел место для заваривания чая и кофе, сделал два кофе. Заметил специальные бортики и держатели на стойке буфета, видимо, для того, чтобы чайники и кофейники не опрокидывались при сильной качке. Думать о волнах, которые отправляют кофейники в воздух и из-за которых, возможно, Ханне запрещалось выходить в море, мне совсем не хотелось. Но и не пришлось — заработал двигатель, и я, чтобы устоять на ногах, схватился за край буфета. Мы выходили в море, и не на малых оборотах.

Не очень-то твердым шагом я поднялся на корму. Лиза стояла за штурвалом, ее маленькая собачка свернулась кольцом вокруг руля (это явно был ее любимый пост). Я передал Лизе кружку с кофе. Ветер дул в лицо, я сразу почувствовал на губах соленый привкус.

«Это часть работы», — подумал я, чтобы как-то оправдать свои действия.

К тому же мне еще предстояло провести эту прогулку отдельным пунктом в статье расходов.

Лиза не отрываясь смотрела на море. Мне было любопытно, почему она так сильно не хотела вывезти меня на прогулку. Вряд ли я успел как-то ее обидеть. К тому же Лиза была из тех женщин, которые инстинктивно восстают против любого покушения на их независимость. Но я был настроен решительно.

— Давно вы этим занимаетесь? — Чтобы заглушить шум двигателя, приходилось кричать.

— Пять лет. Шестой пошел.

— Хороший бизнес?

— Для нас — да.

— А лодка принадлежит вам?

— Когда-то была Кэтлин, но она отдала мне.

— Щедрый жест с ее стороны.

Можно было сосчитать на пальцах одной руки, сколько раз я выходил в море в лодке, так что мне все было интересно. Я спрашивал Лизу о том, как называются разные части судна (например, я всегда путал, где корма, где бак).

— А сколько может стоить лодка такого размера?

— Зависит от лодки.

— Ну а вот эта?

— У вас все вертится вокруг денег?

В ответе Лизы не было враждебности, но интонация заставила меня взять паузу. Я сделал глоток кофе и предпринял еще одну попытку:

— Вы сюда приехали из Англии?

— Это Ханна вам сказала?

— Нет... Я это понял из того, что говорили днем за столом. И... ну, вы понимаете... я могу это слышать.

Лиза на секунду задумалась.

— Да. Когда-то мы жили в Англии.

— Скучаете?

— Нет.

— Вы специально выходите в море?

— Специально?

— Чтобы наблюдать китов.

— Вообще-то, нет.

Я не мог понять, всегда ли она так общается со своими пассажирами. Возможно, это следствие тяжелого развода или она просто не любит мужчин.

— Вы много китов видели?

— Если окажешься в правильном месте, увидишь.

— Вам нравится такой образ жизни?

Лиза убрала руку со штурвала и с подозрением посмотрела на меня:

— Вы задаете много вопросов.

Я твердо решил не парировать резко любые ответы. У меня вообще было ощущение, что Лиза неконфликтна по натуре.

— Ну, вы, можно сказать, раритет. Вряд ли здесь много женщин-капитанов.

— Вы-то откуда знаете? Нас, может быть, тысячи. — Тут она позволила себе улыбнуться. — Вообще-то, Порт-Стивенс славится женщинами-капитанами. — Это уже было близко к попытке пошутить. — Хорошо. Один вопрос: почему вы выложили столько денег за прогулку в море?

«Потому что только так я мог добиться того, чтобы ты взяла меня с собой». Но я не сказал это вслух, просто решил сменить тактику.

— А вы бы взяли меня за меньшую сумму?

Лиза улыбнулась:

— Конечно.

И после этого что-то изменилось. Лиза Маккалин расслабилась. Холодная, сдержанная атмосфера, которая окружала нас в начале прогулки, исчезла.

Я сидел на деревянной лавке за спиной Лизы и смотрел то на море, то на нее. Мне всегда доставляло удовольствие наблюдать за человеком, работающим в незнакомой для меня области. Лиза крутила штурвал, сверялась с приборами, переговаривалась по радио с другими лодками, временами баловала Милли печеньем. Иногда она показывала на полоску суши или на какое-нибудь существо, которое вызывало у нее интерес, и давала мне краткие пояснения. Но сейчас я не скажу вам точно, о чем она рассказывала. Дело в том, что, хоть Лиза и не была самой красивой женщиной из всех, кого я встречал в своей жизни, и, кажется, не особенно заботилась о своей внешности, к тому же бо́льшую часть времени она не смотрела на меня, а когда смотрела, чаще хмурилась, я все равно нашел ее очень привлекательной. Если бы я вовремя не понял, что Лиза очень болезненно реагирует, когда ее разглядывают, я бы только на нее и смотрел. А это совсем на меня не похоже.

Несса скажет вам, что я плохой психолог. Меня не очень заботит, что движет людьми, если это знание не нужно мне для дела, но я еще не встречал никого, кто был бы настолько замкнут в себе. Все наши разговоры ей стоили заметных усилий. Казалось, что ответы о себе особенно для нее мучительны. Когда я спросил, какой кофе она предпочитает, она нахмурилась, будто я задал вопрос о ее нижнем белье. А когда она ответила: «Без сахара», это прозвучало как признание в грехе на исповеди. И в ее интонациях постоянно присутствовала нотка... печали?

— Ланс говорит, примерно в трех милях отсюда заметили самку кита, — сказала Лиза после того, как мы пробыли в море около получаса. — Вы хотите пойти туда?

— Конечно.

На самом деле я успел забыть, что мы должны искать китов.

Если раньше не бывал в океане, первое, что тебя поражает, — это неправдоподобный простор. Океан словно бы есть пейзаж. Когда уходишь от берега на такое расстояние, что три четверти видимой территории составляют бесконечные водные пространства, просто теряешься. Не могу похвастать тем, что был абсолютно спокоен, — я все-таки привык к твердой почве под ногами. Но как только я приноровился к качке, к ударам волн и скрежету, я начал получать удовольствие от того, что на лодке, кроме меня, нет пассажиров. Мне нравилось, что Лиза перестала вести себя настороженно и наслаждалась морской стихией.

— Вон туда мы идем, — сказала она, поворачивая одной рукой штурвал, а второй прикрывая глаза от солнца.

Я смог разглядеть только птиц, которые пикировали в воду, больше ничего.

— Это значит — там рыба. А где рыба, там часто и киты.

К этому моменту в зоне видимости появились другие лодки. Лиза показала мне лодку Грэга, она была примерно такого же размера, как наша, но совсем не похожа на ту, которую Лиза описала как «Моби II».

— Вон там! Выдох!

— Какой выдох? — не понял я, и Лиза рассмеялась.

— Смотрите!

Я ничего не видел и прищурился. Возможно, бессознательно Лиза взяла меня за руку и притянула к себе.

— Вон там! — Она указала куда-то моей рукой. — Мы подойдем чуть-чуть ближе.

Я по-прежнему не мог ничего разглядеть. Это могло бы меня расстроить, но все компенсировало выражение детской радости на ее лице. Такой Лизу Маккалин я ни разу не видел за все шесть дней проживания в отеле: широкая, открытая улыбка и возбужденный радостный голос.

— О, она просто красавица. Могу поспорить, там с ней и детеныш. Я чувствую...

Лиза словно забыла о том, что сначала решила держать со мной дистанцию.

Я слышал, как она передает по радио:

— «Измаил» вызывает «Моби-два». Наша девочка от вас по левому борту, полторы мили впереди. У меня предчувствие, что с ней детеныш, так что идите тихо, хорошо?

— «Моби-два» вызывает «Измаил». Видим ее, Лиза. Оставим ей широкий проход.

— Мы остаемся минимум в ста метрах, — объяснила мне Лиза. — Но когда с китом детеныш, держимся в трех сотнях. Все зависит от матери. Некоторые — любопытные, они сами подводят детенышей ближе, чтобы показать им нас. Это совсем другое дело. Я всегда думала, что... Я не думаю, что правильно их провоцировать. — Лиза посмотрела прямо на меня. — Нельзя гарантировать, что следующая лодка, которая им встретится, будет дружелюбно настроена. Отлично! Вот и мы!

Я наблюдал за тем, как три лодки, словно по строго выверенному плану, шли на сближение, пока не оказались на таком расстоянии, что пассажиры смогли видеть друг друга. Потом на лодках вырубили двигатели, и наступила тишина. Я стоял рядом с Лизой, мы ждали, когда кит появится снова.

— Она точно вернется?

В этот момент из воды, не дальше чем в тридцати футах от нас, появилась огромная голова. Я непроизвольно закричал:

— Ух ты!

Конечно же, я видел китов на фотографиях и знал, как они выглядят, просто, встретив это неправдоподобно громадное существо в естественной среде обитания, я испытал такое потрясение, что не в силах его описать.

— Смотрите! — кричала мне Лиза. — Вон он! Смотрите вниз!

И я увидел, увидел наполовину скрытую тушей кита серо-голубую тень. Это был детеныш. Они дважды проплыли мимо нашей лодки, а потом по крикам с других лодок мы поняли, что кит-мама повела своего детеныша посмотреть и на них тоже.

Я улыбался как идиот. Лиза улыбнулась мне, это была торжествующая улыбка. Она словно говорила: «Теперь ты понимаешь?» Как будто бы она обладала особым знанием. Из воды появился длинный плавник, и Лиза рассмеялась.

— Она машет нам, — сказала она.

Я поймал себя на том, что неуверенно машу киту в ответ, и Лиза рассмеялась еще громче.

— Она перевернулась на спину — это значит, что ей с нами хорошо. Вы знаете, что они с малышом гладят друг друга грудными плавниками?

Когда мы сели, Лиза заметила вдалеке еще двух китов. Я смутно слышал переговоры по радио и крики радости от такой неожиданной удачи. Лиза повернулась ко мне, лицо ее сияло.

— Хотите услышать волшебные звуки? — вдруг предложила она.

Лиза нырнула в камбуз и появилась обратно с каким-то странным предметом, болтающимся на кабеле. Она подсоединила кабель к прикрепленной к борту коробке, а потом забросила его в воду.

— Слушайте. — Лиза переключила несколько тумблеров. — Это гидрофон. Здесь рядом может быть эскорт.

Какое-то время ничего не было слышно. Я смотрел в море и пытался разглядеть китов. Никаких сигналов, кроме бьющихся о борт лодки волн и криков кружащих над головой птиц. Временами слабый ветер доносил голоса пассажиров с других лодок. А потом я услышал стон, низкий, протяжный, даже жутковатый. Я никогда ничего подобного не слышал. От этого звука у меня мурашки по спине побежали.

— Прекрасно, не правда ли?

Я удивленно посмотрел на Лизу:

— Это кит?

— Самец. Знаете, они все поют одну песню. Исследования показали, что песня длится восемнадцать минут, и каждый год киты в стае поют одну и ту же песню. А если появляется кит с новой песней, они начинают петь ее. Можете вообразить, как они там вместе разучивают новую песню?

Я вдруг увидел в Лизе Ханну. У Ханны так же сияло лицо, когда она узнала, что сможет пользоваться моим компьютером. Я ошибся, когда сказал, что Лиза не была красавицей. Когда Лиза улыбалась, она была потрясающе красивой.

Улыбка слетела с губ Лизы.

— Что за...

Я услышал глухой ритмичный стук. На секунду мне показалось, что это двигатель одной из лодок, но потом звук стал громче, и я понял, что он не имеет отношения к микрофону. Из-за мыса появились две лодки. Они были украшены гирляндами флажков и под завязку заполнены пассажирами. Из большущих динамиков на верхней палубе звучала громкая музыка, и даже с такого расстояния до нас доносились звон бокалов и взрывы истерического смеха.

— Только не это, — сказала Лиза. — Шум. Шум их убивает. Он сбивает их с толку... особенно малышей. И лодок здесь слишком много. Она испугается. — Лиза включила радиосвязь и покрутила настройку. — «Измаил» вызывает «Диско-лодку», или как вас там. Выключите музыку. Убавьте звук. Вы слышите меня?

В ответ — радиопомехи. Я смотрел на воду, но на поверхности больше ничего не появлялось. По мере приближения лодок непрекращающийся грохот музыки все усиливался и заглушал все остальные звуки.

Лиза нахмурилась, — видимо, она поняла, на какой скорости идут эти лодки.

— «Измаил» вызывает неопознанный большой катамаран к востоку-северо-востоку от Брейк-Ноус-Айленда. Вырубите двигатели и музыку. Вы находитесь рядом с китом и ее детенышем, возможно, поблизости самец. Сбавьте ход, вы идете слишком быстро, есть риск столкновения. Ваш шум причиняет китам боль. Прием, слышите меня?

Я стоял и ничем не мог помочь, а Лиза еще дважды пыталась выйти на контакт с новыми лодками. Вряд ли они там могли что-то расслышать.

— «Измаил» вызывает «Сьюзен». Грэг, ты можешь вызвать береговую охрану? Полицию? Узнай, могут они прислать быстроходный катер? Эти подошли слишком близко.

— Понял тебя, Лиза. «Моби-два» пройдет по кругу, посмотрит, можно ли заставить сменить курс.

— «Моби-два» вызывает «Измаил». Не вижу наших китов, Лиза. Молю Бога, чтобы они ушли в другую сторону.

— Что я могу сделать? — спросил я.

Я не понимал, о чем она говорила, но мне было ясно, что атмосфера тревожная.

— Вот, держите. — Лиза передала мне штурвал и завела двигатель. — Курс на этого «Диско-Билли», скажу, когда надо будет поворачивать. А я пока сделаю все, чтобы никто ни с кем не столкнулся.

Лиза не дала мне шанса сказать «нет», она бегом спустилась вниз, а потом вернулась с какими-то предметами под курткой. Для новичка удерживать штурвал — дело не самое простое, так что я успел разглядеть только мегафон. Лодка на большой скорости подпрыгивала на волнах, собачка Лизы почувствовала напряженность, встала и начала поскуливать.

Когда до чужой лодки оставалось сто футов, Лиза дала мне команду идти параллельным курсом. После этого она пробежала на нос, а мне крикнула, чтобы я оставался на месте.

Лиза перегнулась через поручни и поднесла мегафон ко рту:

— «Ночная звезда — два», вы идете на слишком большой скорости. От вас слишком много шума. Пожалуйста, сделайте музыку тише. Вы находитесь в районе миграции китов.

Бог знает, как они умудрились так напиться средь бела дня. Танцующие на верхней палубе фигуры напомнили мне о каникулах. Для некоторых молодых людей цель таких однодневных поездок — напиться до беспамятства. Неужели и австралийцы такие же?

— «Ночная звезда — два», мы вызвали береговую полицию и службу безопасности Национальных парков. Немедленно выключите музыку и покиньте этот район.

Если на «Ночной звезде» и был капитан, он не услышал. Один из стюардов — парень в красной футболке поло — показал Лизе средний палец, а еще через пару секунд музыка стала громче. На борту раздались радостные крики, и число танцующих увеличилось. Лиза пристально смотрела на лодку, а потом наклонилась. С моего места не было видно, что она там делает. Я взглянул на название большой лодки, и тут меня осенило.

Я достал из кармана телефон, но в этот момент затрещало радио.

— Лиза? Лиза? Это Грэг. Люди из парков уже в пути. Давай возвращайся. Чем меньше нас здесь будет, тем лучше для китов.

Я убрал телефон обратно в карман и посмотрел на радиоприемник. Подумав секунду, я с осторожностью взял трубку.

— Алло?

— Алло?

— «Сьюзен» вызывает «Измаил», слышите меня?

— Это... это Майк Дормер.

После короткой паузы Грэг спросил:

— Что она делает на носу?

— Не знаю, — признался я.

Грэг что-то пробормотал, возможно какие-то проклятия, а потом я услышал взрыв. Я отскочил к борту и успел увидеть, как большая сигнальная ракета прошла не больше чем в двадцати футах над диско-лодкой.

Лиза стояла на носу, она вставляла какой-то длинный и тонкий предмет во что-то вроде пусковой установки.

— Вы же не собираетесь стрелять в них? — закричал я, но Лиза меня не слышала.

Сердце бешено заколотилось. Я видел, как люди на другой лодке в спешке покидают верхнюю палубу, слышал испуганные вопли, какой-то мужчина выкрикивал ругательства в адрес Лизы. Собака начала лаять как сумасшедшая. Потом я увидел, что Лиза заряжает следующую сигнальную ракету. Она направила пусковую установку вверх и нажала на пуск. Раздался громкий треск, Лиза отшатнулась от пусковой установки, а ракета пролетела не так уж высоко над лодками. У меня зазвенело в ушах.

Диско-лодка наконец-то развернулась и пошла другим курсом, я услышал по радио еще один мужской голос. Этот был сиплым. В нем было удивление и восхищение одновременно.

— «Моби-два» вызывает «Измаил». «Моби-два» вызывает «Измаил». Господи Исусе, Лиза, ну ты наделала дел.

7

Лиза

Когда мы подошли к пристани, Кэтлин уже кричала на меня, ее прямая, несгибаемая фигура искрилась от гнева. Я пришвартовала «Измаил», помогла Милли сойти на берег и быстро зашагала к тете.

— Знаю, — сказала я.

Кэтлин взмахнула руками:

— Ты понимаешь, что ты наделала? Ты совсем с ума сошла, девочка?

Я остановилась и откинула волосы со лба.

— В тот момент я не думала.

По лицу Кэтлин я видела, что она напугана не меньше меня. Вообще-то, я бы сама на себя наорала, если бы могла. Все двадцать минут, которые мы мчались обратно, я только об этом и думала.

— Лиза, они сразу обратились в морскую полицию. Насколько нам известно, полицейские уже на пути сюда.

— Но что они могут доказать?

— Хорошо, скажешь, что запустила вторую, пока они переговаривались по радио.

Я поступила как полная дура и сама это знала. Выпустила две сигнальные ракеты, причем специально направила их по низкой траектории, так, чтобы напугать пассажиров. Это было против всех правил безопасности на воде и против здравого смысла. Сигнальные ракеты известны своей непредсказуемостью. Если бы хоть одна изменила траекторию... если бы спасатели заметили вторую... Да, я понимала, что поступила глупо, но как еще мне было отогнать эти лодки? Не могла же я сказать тете, что, если бы у меня было ружье, а не сигнальные ракеты, я бы все равно выстрелила?

Я закрыла глаза и, только когда открыла их, вспомнила, что не подождала на пристани Майка Дормера. Услышав рядом хруст гальки, я поняла, что он к нам присоединился. Обратно мы возвращались на большой скорости, и теперь волосы Майка были мокрыми и взъерошенными. Судя по его виду, он был в некотором потрясении. Лицо Кэтлин стало мягче.

— Почему бы тебе не пройти в дом, Майк? Я приготовлю чай.

Майк начал возражать.

— Вообще-то, — перебила его Кэтлин, и в ее голосе появились стальные нотки, — нам надо пару минут переговорить наедине.

Я чувствовала на себе его взгляд. Потом он неохотно отошел на несколько шагов и наклонился, чтобы погладить Милли. Ему явно не хотелось уходить.

— Что мне теперь делать? — шепотом спросила я.

— Давай будем держать себя в руках, — сказала Кэтлин. — Они могут просто вынести тебе предупреждение.

— Но они захотят узнать, кто я и что я. Наверняка есть какая-то база данных...

По лицу Кэтлин я поняла, что она уже об этом думала. И еще не смогла найти ответ. Внутри меня нарастала паника. Оглянувшись, я увидела, как пришвартовываются «Сьюзен» и «Моби II».

— Я могу просто уехать.

Мне вдруг захотелось загрузить вещи в фургон и уехать. Вместе с Ханной. Посторонний звук отвлек меня: с противоположного конца залива по прибрежной дороге к нам ехал белый пикап с мигалками и логотипом полиции Нового Южного Уэльса.

— О боже, — выдохнула я.

— Улыбайся, — скомандовала Кэтлин. — Ради бога, улыбайся и скажи, что это произошло случайно.

Из машины выбрались два офицера. На солнце сверкнули полицейские значки. Двигались полицейские расслабленно, но это только выдавало серьезность их намерений. Я всегда вела себя осторожно, делала все, чтобы не нарушать австралийские законы, у меня даже не было ни одного талона за превышение времени на платной парковке. И я знала, что стрелять из ракетницы в другую лодку противозаконно.

— Здравствуйте, леди, — сказал тот, кто повыше, приблизившись к нам, и прикоснулся к козырьку фуражки.

Он задержал взгляд на моей штормовке и на ключах у меня в руке.

— Здравствуй, Грэг, — добавил он.

— Офицер Трент, — произнесла тетя, улыбаясь. — Добрый день.

— Да, добрый, — согласился офицер Трент.

Отутюженные стрелки на рукавах его голубой рубашки были острыми как бритва. Он указал на «Измаил» и спросил:

— Ваша?

— Конечно моя, — ответила тетя, прежде чем я успела открыть рот. — «Измаил». Зарегистрирована на меня. Уже семнадцать лет.

Трент посмотрел на Кэтлин, потом снова на меня.

— Мы получили жалобы с двух лодок. Они сообщили, что сегодня днем по ним выпустили сигнальные ракеты с лодки, которая по описанию похожа на вашу. Можете сказать что-нибудь по этому поводу?

Я хотела заговорить, но из-за их голубой формы язык присох к нёбу. Я смутно сознавала, что неподалеку присутствует Майк Дормер и наблюдает за нами, а прямо передо мной стоит полицейский и ждет ответа.

— Я...

Рядом со мной находился Грэг.

— Да, приятель, — уверенно сказал он и сдвинул фуражку на затылок. — Это я виноват.

Полицейский повернулся к Грэгу.

— Выходил сегодня в море с группой наблюдателей. Я понимал, что из-за этих детишек могут быть проблемы, но не очень-то внимательно за ними приглядывал. Пока я высматривал китов, мелкие негодники выпустили две ракеты.

— Детишки? — скептически переспросил полицейский.

— Я знал, что не стоит брать их на борт, — сказал Грэг и сделал паузу, чтобы прикурить сигарету. — Вот и Лиза предупреждала меня. Но мы любим показывать детям дельфинов и китов. Ну, знаете, полезно для общего развития.

Грэг на секунду встретился со мной взглядом, и то, что я увидела в его глазах, заставило меня почувствовать благодарность, а еще мне стало немного стыдно.

— Почему вы не сообщили о произошедшем в спасательную службу? Вы понимаете, что бы произошло, если бы мы начали расследование?

— Извини, приятель. Я просто торопился вернуться, чтобы они еще что-нибудь не натворили. Понимаете, у меня ведь на борту и другие пассажиры были...

— Покажи-ка, Грэг, какая лодка твоя?

Грэг показал. Обе наши лодки были сорокафутовыми, а после того, как я помогла ему закрасить «самодеятельность» на борту, стали еще и одного цвета.

— Ладно, как звали тех детишек? — Полицейский вытащил из кармана блокнот.

— Мы не ведем записи, — вмешалась Кэтлин. — Если записывать данные каждого пассажира, в море никогда не выйдешь. — Она взяла Трента за локоть. — Послушайте, офицер, вы знаете, что мы не какие-то перелетные птички и серьезно относимся к работе. Моя семья живет здесь уже больше семидесяти лет. Не станете же вы наказывать нас из-за парочки каких-то балбесов?

Грэг тряхнул головой:

— Маленькие паршивцы утащили ключи у меня из кармана. Я всегда ношу запасные, понимаешь? На всякий пожарный случай.

Я не сомневалась в том, что полицейский не верит ни одному слову Грэга. Офицер хмуро оглядел нас троих. Мне было страшно, но я изо всех сил старалась притвориться, будто просто очень расстроена. Полицейский снова заглянул в свой блокнот, а потом посмотрел на меня:

— Звонивший сказал, что в них стреляла женщина.

— Длинные волосы, — без запинки отреагировал Грэг. — В наше время их друг от дружки не отличишь.

Чертовы хиппи. Послушайте, офицер, это моя вина. Я стоял за штурвалом, и я за все отвечаю. Наверное, зазевался. Но ведь никто не пострадал, а?

Я старалась дышать ровно и, чтобы чем-то заняться, начала разглядывать маленький шрам на руке.

— Вы понимаете, что использование сигнальных ракет — нарушение закона об оружии. Согласно Уголовному кодексу Нового Южного Уэльса, это может привести к обвинению в нападении.

— Я им так и сказал, — ответил Грэг. — Сказал им, что это большая ошибка, вот они и сделали ноги, как только мы причалили.

— За это полагается две тысячи штрафа или двенадцать месяцев тюремного заключения. А если мы всерьез начнем разбираться, вас будут судить по законам морского права.

Грэг изобразил раскаяние. Я еще ни разу не видела, чтобы он так смиренно вел себя с офицерами полиции.

— Хорошо бы, чтобы здесь обошлось без алкоголя. Я не забыл о твоем предупреждении в июне, — продолжил Трент.

— Офицер, если хотите, я могу в трубку подышать. Когда я работаю, я ни капли не употребляю.

У меня даже сердце сжалось. Грэг никогда бы не стал так унижаться, и теперь он делал это из-за меня.

Полицейские глянули на свою машину. Тот, который пониже, отвернулся, чтобы что-то передать по рации.

— Знаете что, — сказала Кэтлин, — давайте я приготовлю чай, а пока вода закипает, вы решите, что с этим делать. Офицер Трент, вам, как обычно, с сахаром?

И вот в этот момент появился Майк Дормер. У меня аж сердце к горлу подпрыгнуло. «Уходи отсюда», — мысленно попросила его я. Майк ведь даже не знал, что мы сказали полицейским, он мог просто сболтнуть им лишнее, то есть рассказать правду и потопить нас всех.

— Простите, вы позволите?

— Майк, не сейчас, — отрывисто сказала Кэтлин. — Мы здесь заняты.

— Давайте, офицер. — Грэг шагнул вперед и встал между Майком и полицейским. — Я готов пройти любые тесты. В трубку подышу, кровь сдам, все, что захотите.

— Я только хотел передать полиции некоторую информацию, — сказал Майк.

Я с ужасом поняла, что не знаю, как он относится к моему поступку. На обратном пути у меня мозги просто кипели от того, что я натворила. Все, чего мне тогда хотелось, — это как можно быстрее оказаться на берегу, и я ничего ему не объяснила.

Я видела, что Кэтлин подумала о том же. Но было уже поздно. Майк достал из кармана телефон.

— Майк, я не думаю, что ты можешь как-то помочь в этой ситуации, — четко проговорила Кэтлин, но он, кажется, ее не слышал.

— Майк... — Мне стало дурно.

— Пока мы были в море, — начал он, — на близком расстоянии появилась некая лодка с веселящимися людьми на борту. Они производили шум, которого было достаточно, чтобы напугать китов. Насколько я понимаю, для подобных ситуаций существуют определенные правила.

Первый полицейский скрестил руки на груди.

— Да, так и есть, — сказал он.

Майк позволил себе улыбнуться и поднял телефон выше. Английский акцент придавал тому, что он говорит, некоторую официальность.

— Что ж, я подумал, возможно, вам понадобятся свидетельства. Я все снял на телефон. При прослушивании вы сможете понять, каков был уровень шума.

Пока мы все стояли с раскрытыми ртами, Майк продемонстрировал клип, на котором можно было увидеть все: и скорость «Ночной звезды», и танцующую толпу на палубе. Можно было даже услышать, как грохотала музыка. Я никогда ничего подобного не видела.

— Это могло причинить вред китам. Я, конечно, не эксперт, но все же, — сказал Майк.

— Посмотрите, — сказала я, — здесь видно, как они огибают мыс. Мы действительно пытались вызвать береговую охрану, но они не появились там вовремя, — от облегчения у меня в голосе появились писклявые нотки.

— Я могу переслать вам копию, — предложил Майк, — если вы захотите использовать запись для привлечения к суду виновных.

Полицейские переглянулись.

— Мы не уверены, куда именно ее послать, — сказал один из них. — Но вы дайте ваш номер, и мы отзвонимся. Вы кто?

— О, я просто гость, — сказал Майк. — Майкл Дормер. Приехал в отпуск из Англии. Если хотите, могу показать паспорт.

Майк протянул полицейскому руку. Мне казалось, что в этих краях не принято, представляясь, пожимать полицейскому руку. Судя по лицам всех присутствующих, мое предположение было верным.

— Сейчас он нам не понадобится. Что ж, мы поехали дальше. Но вы, ребята, запирайте свои сигнальные ракеты на замок, или мы снова заедем к вам с визитом. И он будет уже не таким дружеским.

— На два замка, — сказал Грэг и помахал в воздухе ключами.

— Спасибо вам, офицеры, — поблагодарила Кэтлин и шагнула следом за полицейскими. — Берегите себя.

Я не смогла произнести ни слова. Когда полицейские сели в машину и дали задний ход, я сделала долгий выдох и вдруг осознала, что у меня дрожат ноги.

— Спасибо, — одними губами сказала я Грэгу и, кивнув Майку, побежала за дом, потому что у меня просто не было слов.

Есть много вещей, которые я люблю в Австралии. Но главное для меня — это то, что в таком тихом уголке, как Сильвер-Бей, можно прожить жизнь и никто особенно не будет тобой интересоваться.

Я быстро поняла, что, несмотря на наши общие корни, австралийцы во многом отличаются от англичан. Они воспринимают человека таким, каким его видят, возможно, потому, что здесь нет разделения на классы, то есть нельзя определить точно, на какой ступени ты находишься по отношению к новичку. Если вы в общем и целом искренни с местными жителями, они будут искренни с вами. Когда я заявилась к Кэтлин с измученной дочкой на руках, она в тот же день просто представила меня как свою племянницу. Я сказала «привет», мне ответили «привет», и без каких-нибудь объяснений мы были приняты в общину Сильвер-Бей.

Так я стала членом морского сообщества. Половина команд — «транзитники», они привыкли на время входить в чью-то жизнь. Другие были здесь по каким-то своим причинам. В любом случае никто не задавал лишних вопросов. А если ты предпочитаешь не отвечать на те, что задают, это тоже посчитают нормальной реакцией. Я знала, что не всегда умею скрывать свои чувства, а ребята из команд, со свойственным охотникам чутьем, понимали, что некоторые вещи лучше не трогать. И я это очень ценила. За пять лет только Грэг расспрашивал меня о том, почему я уехала из Англии. Когда у нас случались хоть сколько-нибудь интимные разговоры, я бывала настолько пьяной, что, к своему стыду, не могу вспомнить, что ему отвечала.

Инстинктивно я чувствовала, что Майк Дормер все это изменит. Я запаниковала, когда услышала, как он задает Кэтлин разные вопросы о том, кто работает в заливе, на сколько здесь обычно задерживаются люди и давно ли мы сами здесь живем. Майк сказал, что приехал в отпуск, только я еще не встречала отдыхающего, который бы задавал столько конкретных вопросов.

Я поделилась этими мыслями с Кэтлин, а она ответила, что я слишком все драматизирую. За эти годы тетя привыкла, что мы с ней, и начала верить, что так будет всегда и никто никогда не нарушит уклад нашей жизни. Кэтлин сказала, что я все напридумывала, а по ее глазам было видно, что она понимает почему.

Но я подозревала, что Майк все-таки нарушит установленные мной границы. Когда я вывожу на «Измаиле» группу туристов, они разговаривают между собой. Когда пассажир один, для него собеседник — я. Одиночки задают вопросы и увозят домой вместе с впечатлениями о морской прогулке какую-то часть меня. Вот почему я обычно не беру туристов-одиночек.

И Грэг об этом отлично знал.

— Ну, так чего ради ты отправилась на эту милую прогулку только для двоих?

Солнце клонилось к закату. Мы сидели на лавке и наблюдали за тем, как Ханна гоняет Милли туда-сюда по берегу за обрывками фукуса[1]. Майк Дормер был в своем номере, а Кэтлин ушла за новой порцией пива. Грэг говорил тихо, чтобы Ланс и Йоши не услышали.

— В основном из-за денег, — ответила я.

Грэг, очевидно, решил, что раз он меня спас, то теперь имеет право задавать вопросы. Он был такой простодушный. Я достала из кармана джинсов банкноты.

— Пять сотен. За одну поездку.

Грэг уставился на деньги. Думать, перед тем как что-то сказать, — это не его стиль.

— А почему он столько заплатил за то, чтобы выйти с тобой в море?

На этот вопрос я отвечать не стала. Я знала, что и Грэг бы не стал.

— Ну и о чем вы разговаривали? — спросил он.

— О, ради бога, Грэг.

— Мне просто интересно. Он появляется тут у нас, выглядит как торгаш какой-то, швыряется деньгами... Что за дела такие?

Я пожала плечами:

— Не знаю, и меня это не волнует. Оставь человека в покое. Он скоро уедет.

— Да, и чем скорее, тем лучше. Не нравится мне он.

— Тебе все новички не нравятся.

— Мне не нравятся все, кто к тебе подмазывается.

К нам подбежала запыхавшаяся, смеющаяся Ханна. Милли плюхнулась на землю у моих ног.

— Она каталась на спине в какой-то гадости, — сообщила Ханна. — Теперь пахнет, как вонючка. Я думаю, это был дохлый краб.

1 *Фукус* (*англ.* bladderwrack) — «морской дуб», «царь-водоросль» — род бурых водорослей.

— А тебе не надо делать домашнее задание? — спросила я и убрала волосы с ее лица.

Теперь каждый раз, когда я смотрела на дочь, мне казалось, что она немного подросла и в лице появились новые черточки. Это напоминало мне о том, что однажды Ханна уйдет и будет жить своей жизнью. И, учитывая то, что нас связывало, мне трудно было представить, как это у нас получится.

— Только повторение. Во вторник у нас будет тест по естествознанию.

— Тогда иди и занимайся, а потом будешь свободна весь вечер.

— А что за тест? — спросила Йоши. — Если хочешь, принеси сюда и я тебе помогу.

Прожив не один год в Сильвер-Бей, я поняла, что ребята в командах обладают знаниями, которых хватило бы, чтобы Ханна получила аттестат. Например, Йоши имела степень по биологии и морской науке, а Ланс мог ответить на любой вопрос по метеорологии. Кое-кто делился с Ханной талантами, которые не вызывали у меня восторга. Например, Скотти научил ее ругаться, а однажды, когда меня не было рядом, предложил ей затянуться его сигаретой. Ланс увидел и врезал ему. Но у моей дочери были и свои таланты. Я подозреваю, что их ей передала я. Она умеет оценивать людей, умеет держаться подальше, пока не узнает, какой перед ней человек и чего от него ожидать, знает, как оставаться незамеченной в толпе. Научилась справляться с горем.

Последний урок ей пришлось выучить слишком рано.

Темнело. Йоши подсела к Ханне, и они вместе стали разбираться в том, что такое осмос. У Йоши лучше меня получается объяснять такие вещи. Образование у меня хромает, и я твердо решила, что с Ханной будет по-другому.

Грэг догадался, что события этого дня не прошли для меня даром, и пытался развеселить рассказами о беспокойной парочке туристов с его лодки. Он не вспоминал о своей бывшей и о том, что может случиться с его лодкой. Я надеялась, что бывшая все-таки «ослабит хватку». Слушая Грэга, я поглядывала на прибрежную дорогу, все ждала, что снова появится тот грузовик, а из его кабины выберутся два офицера в голубой форме.

— Хочешь пойти ко мне сегодня? — спросил Грэг, наклонившись ближе ко мне. — Взял тут у одного парня из лодочных мастерских целую гору видеокассет. Новые комедии. Может, тебе какая-нибудь и понравится, — предложил он, стараясь говорить как можно непринужденнее.

— Нет, — ответила я. — Но спасибо.

— Это же просто кино, — сказал Грэг.

— Это не просто кино, Грэг.

— Но когда-нибудь... — сказал он, не спуская с меня глаз.

— Когда-нибудь... — уступила я.

Майк Дормер появился, когда солнце зашло за горизонт. Включили горелки, Кэтлин сделала бутерброды с беконом и толстыми кусками белого хлеба. Ханна втиснулась на лавку рядом со мной. Она закуталась в шарф, а волосы убрала в хвостик.

Кэтлин подала Майку тарелку, он обошел стол и занял единственное свободное место. Одежда, чистая и хорошо скроенная, всегда выделяла его среди других. Мы могли целыми днями ходить в одном и том же, ведь под штормовкой или ветровкой не видно, что на тебе надето.

Майк глянул на меня, потом на других и пробормотал:

— Добрый вечер.

Я все еще вздрагивала от его акцента. У нас в Сильвер-Бей не так много людей из Англии, так что я уже давно не слышала речь соотечественников.

Ханна наклонилась ближе к столу и спросила:

— Ты видел, что я написала?

Майк поднял голову от тарелки.

— У тебя в компьютере. Я оставила тебе записку. Ты показал, как искать людей, и я сегодня поискала.

Майк взял бутерброд с тарелки.

— Я снова поискала тетю Кей. А потом поискала тебя.

Майк вскинул голову.

— Там есть твоя фотография. Твоя и твоей компании.

Мне показалось, что Майку стало некомфортно. Понимаете, мне симпатичны люди, которые не любят, когда кто-то копается в их личной жизни, и я всегда говорила Ханне, что так делать нехорошо.

— И что же там, приятель? — спросил Ланс. — Наркотики? Торговля белыми рабами? Может, продать тебе малявку по сходной цене. Ну и если захочешь, подкинем в придачу собачку.

Ханна ткнула его кулаком в плечо.

— Вообще-то, скучно, — улыбнувшись, сказала она. — Я бы вот не хотела работать в Сити.

— А я думаю, — Майк постепенно начал приходить в себя, — что у тебя здесь найдутся дела поинтереснее.

— Так чем же конкретно ты занимаешься? — спросил Грэг.

По его агрессивному тону я поняла, что Майк еще не прощен за нашу поездку. И мне из-за этого захотелось как-нибудь его защитить.

Майк откусил большой кусок от бутерброда и ответил, не проглотив:

— В основном исследования. Собираю вводную информацию для финансовых сделок.

— Хм, скучное занятие, — с пренебрежением сказал Грэг.

— Это твоя собственная компания? — спросила Ханна.

Майк с набитым ртом покачал головой.

— Хорошо платят? — поинтересовался Ланс.

Майк наконец закончил жевать.

— Мне хватает.

Я подождала, пока Ханна уйдет в дом, и только после этого заговорила с Майком:

— Слушайте, извините за сегодняшнее. Я хочу сказать, если я вас напугала. Просто не знала, как избавиться от этих лодок. Не продумала свои действия. Это было глупо. И опрометчиво... Особенно с пассажиром на борту.

Он к этому времени уже выпил пива и расслабился, как и мог расслабиться такой человек: расстегнул воротничок рубашки и закатал рукава пуловера. Облака закрыли луну, и при свете фонарей на крыльце я едва разглядела его улыбку.

— Да, признаюсь, такого я не ожидал, — сказал он. — Я подумал, что вы решили забить их гарпуном.

У Майка была такая улыбка... Мне даже показалось странным, что я могла заподозрить его в том, что он способен донести на меня полицейским. Но такая уж я.

Чтобы вам было понятнее: подозрительность — моя позиция по умолчанию.

— Не в этот раз, — сказала я, и он улыбнулся.

«Майк не опасен», — подумала я. Уже очень давно я не думала так о мужчинах.

Моя комната была в задней части дома, в самом конце коридора, можно сказать, от моря меня отделяли только дерево и стекло. Соседняя комната — комната Ханны. Ночью она частенько приходила и забиралась ко мне в постель. Совсем как в те времена, когда была малышкой. А я обнимала дочь и была так счастлива чувствовать ее сладкий запах и тепло. Если честно, хорошо спать я могла, только когда Ханна была со мной рядом. Но я бы никогда ей об этом не сказала: малышка и так несла на плечах непомерный груз, не хватало, чтобы она чувствовала себя ответственной за мой сон. Стоило мне укрыть ее одеялом, она сразу засыпала, так что, думаю, нам обеим спокойнее было спать вместе.

Милли располагалась на ночь на коврике между кроватью и окном. Я все время держала ночью окно открытым — звуки моря и звезды на чистом небе умеют убаюкать, а ночи никогда не были такими холодными, чтобы хотелось закрыть окно. Здесь, на втором этаже, я могла остаться наедине со своими мыслями и поплакать так, чтобы никто не услышал. Очень редко я закрывала окно из опасения, что мои всхлипы долетят до ребят, которые сидят за столом внизу, или до туристов, которые решили прогуляться возле гостиницы. Восточный ветер мог донести вниз мои сдавленные рыдания, а западный в ответ принести ко мне смех и разговоры ребят из команд преследователей. Вот так я и услышала голос Грэга — стянула толстовку через голову, встала у окна и услышала. Он уже запьянел, говорил не очень разборчиво и совсем не доброжелательно.

— Держись от нее подальше, понятно. — В его голосе была неприкрытая угроза. — Я четыре года ее жду. Никто не подойдет к ней ближе меня.

Прошло несколько секунд, прежде чем я поняла, что он это обо мне. Грэг возомнил, будто имеет на меня право. Это так меня взбесило, что я с трудом удержалась, чтобы не выскочить туда, к ним, и не сказать все, что я об этом думаю.

Но я осталась в комнате. События прошедшего дня дорого мне обошлись, еще один бой был не под силу. Я лежала в постели, проклинала Грэга Донахью и пыталась не возвращаться туда, куда может привести меня английский акцент.

Спустя час, не меньше, я поняла, что так и не услышала ответ Майка.

8

Кэтлин

Он думал, что я не догадываюсь. Он не понимал, что это всякий раз, когда он на нее смотрит, бьет мне в глаза, как луч маяка. Мне стоило бы предупредить его. Я могла бы сказать ему, что Грэг — это всерьез. Но был бы от этого хоть какой-то прок? Люди слышат то, что они хотят слышать. Я еще не встречала мужчину, который бы не был уверен в том, что, если очень захочет, не сможет перевернуть мир.

И поэтому перспектива того, что мистер Майк Дормер из Лондона сделает какие-то движения в сторону моей племянницы, заставила меня присмотреться к нему чуть больше, чем к простому гостю. Я вдруг поняла, что мне важно составить его портрет, и я внимательно слушаю все, что он говорит. Ханна сказала, что Майк работает в Сити, а из того, как он среагировал, следовало, что в этом нет ничего интересного. Может, на кого-то и произвела бы впечатление его финансовая состоятельность, но в наших краях это никогда не имело значения, и уж тем более для меня. Нет, мистер Дормер производил впечатление доброго, хорошо воспитанного человека.

Он всегда находил время для Ханны, даже если она приставала к нему с банальными для взрослого человека вопросами. И это, конечно, было плюсом. На мой взгляд, он обладал вполне симпатичной внешностью, хотя для Ханны это, наверное, было не так уж важно. Держался спокойно, можно сказать, тихо и совсем не был слабаком или простофилей. Это я поняла, когда Грэг предупредил его насчет моей племянницы.

— Спасибо за совет, — ответил он тогда Грэгу.

Я стояла на пороге и не знала, чего ожидать, а Майк, сдержанно так, в своем британском духе, продолжил:

— Моя личная жизнь тебя не касается, так что, с твоего позволения, я к нему не прислушаюсь.

Я удивилась, но Грэг отступил. Наверное, потому, что сам удивился не меньше моего.

Майк жил в Сильвер-Бей уже почти три недели, но по-прежнему оставался чужаком. Да, он начал расстегивать первую пуговичку воротника и купил себе ветровку, но, сидя за столом с преследователями китов, он был среди них своим настолько, насколько я была бы своей в зале заседаний совета директоров какой-нибудь фирмы.

О, Майк старался: доброжелательно реагировал на шутки, даже непристойные, и оплачивал выпивку, которая превышала его долю за общим столом. А когда он думал, что за ним не наблюдают, смотрел на мою племянницу.

Но кое-что в Майке меня беспокоило: не покидало ощущение, что он с нами неискренен. Почему одинокий молодой человек проводит столько времени в таком маленьком и тихом курортном местечке, как наше? Почему он никогда не рассказывает о своей семье? Как-то утром он сказал мне, что не женат и что у него нет детей, а потом плавно сменил тему. Я давно обнаружила, что большинство мужчин, особенно мужчин состоятельных, просто «на щелчок» готовы рассказывать о себе, но вот Майк не жаждал делиться с нами какими-то подробностями из своей жизни.

А однажды я увидела его возле муниципального совета. У Лизы в тот день были запланированы два выхода в море, так что она не могла выбраться в город, вот я и поехала — купить новое школьное платье для Ханны. Я стояла у банкомата, чтобы снять деньги на покупку, и тут увидела, как он с большой папкой под мышкой сбегает через ступеньку с крыльца муниципалитета.

Сама по себе эта картинка не могла бы стать причиной моего беспокойства. У них на первом этаже был туристический офис, и многие мои гости рано или поздно наведывались туда по моему же совету. Не знаю, как это сказать, но Майк в тот момент казался другим, более настоящим и динамичным, чем я видела его дома. И еще его лицо, когда он меня заметил: человек вдруг понял, что его застукали. Именно это читалось на лице Майка.

Он быстро взял себя в руки, прошагал через дорогу и непринужденно поболтал со мной, спросил, где лучше купить открытки с видами. Но меня все-таки немного передернуло — я вдруг почувствовала, что ему есть что скрывать.

Нино сказал, что я все принимаю близко к сердцу. Он знал кое-что из истории Лизы — не больше, чем нужно, — и считал, что я слишком за нее боюсь.

— Она большая девочка, — сказал Нино, — и уже совсем не та, какой сюда приехала. Ради бога, Кейт, ей тридцать два.

И он был прав. Действительно, подтверждение словам Нино можно было найти, просто разглядывая фотографии. Это своеобразная история ее жизни за последние пятнадцать лет.

История эта не была какой-то необычной, но то, какой была на фото Лиза, очень четко отражало все обстоятельства ее жизни. По тому, какими большими стали ее глаза, можно было понять, что она чувствовала после смерти моей сестры, своей матери. Спустя год она делала яркий макияж — так она что-то прятала и казалась мне совсем чужой. Трудно было поверить, что под этим «камуфляжем» скрывается девочка, которая писала мне сбивчивые письма о пони и трудностях учебы в четвертом классе, что это она, когда приезжала в гости, могла колесом пройти по всей пристани.

Спустя несколько лет я заметила мягкость черт и уязвимость, подаренные материнством. На фото, которые были сделаны всего через несколько часов после родов, она была гордой и усталой, мокрые пряди светлых волос прилипли к лицу. А потом, когда Ханна делала первые шаги, она целовала ее в пухлые щечки в какой-то тесной будке для фотографирования на документы. После того как Лиза встретила Стивена, фотографии перестали приходить. Точнее, была одна-единственная, которую я никогда бы не поместила в рамочку. На этом фото Стивен выглядел очень самодовольным и обнимал за плечи Лизу, видно был горд, что стал отцом. И здесь Нино сказал, что я преувеличиваю.

— Она чудесно выглядит, — пояснил он. — Ухожена, дорого одета.

Но для меня главным были глаза Лизы — словно скрыты под вуалью, без выражения.

У нас не было фотографий последнего периода, с того момента, когда она приехала в Сильвер-Бей. Да и какой в них смысл?

И вот сейчас, по прошествии пяти лет, я представляю себе, какой бы она была на фотографиях. Точно могу сказать, что Лиза стала сильнее и мудрее. Эта женщина способна принять свое прошлое и полна решимости стать независимой от него.

Хорошая мать. Смелая и любящая, но грустная и настороженная больше, чем мне бы хотелось. Да, вот такой она была бы на нынешних фотографиях. Если бы она позволила их сделать.

На следующее утро, когда Лиза и Ханна завтракали на кухне, приехал доставщик заказов. Его фургон остановился на гравийной дорожке у гостиницы. Громко чавкая жвачкой, он передал мне посылку на имя Майка. Я расписалась в получении. К тому времени, когда приехал Майк, а он теперь практически всегда ел с нами, Ханна буквально места себе не находила от любопытства.

— Тебе посылка! — сообщила Ханна, как только он появился в кухне. — Сегодня утром доставили!

Майк взял посылку и сел за стол. На нем был самый мягкий свитер из всех, которые я видела в своей жизни. Меня так и подмывало спросить: кашемировый?

— Надо же, не ожидал, что придет так быстро, — сказал он и передал посылку Лизе. — Это для вас.

Боюсь, она посмотрела на него слишком подозрительно.

— Что?

— Вот это, — повторил Майк.

— А что это?

Лиза смотрела на посылку, будто не хотела к ней даже притрагиваться. Она еще не убрала волосы в хвост, и они падали на щеки, скрывая лицо. Хотя, возможно, именно эту цель Лиза и преследовала.

— Открой, мам, — попросила Ханна. — А если хочешь, я открою.

Ханна потянулась к посылке, и Лиза позволила ее взять.

Пока я нарезала хлеб, Ханна атаковала пластиковую обертку, проткнув ее ножом в самых неподдающихся местах. Спустя несколько секунд она избавилась от обертки и внимательно изучила небольшую коробку.

— Это мобильный телефон, — объявила Ханна.

— С функцией видео, — сказал Майк, показав на картинку. — У меня такой же. Я подумал, что вы сможете с его помощью снимать плохие лодки.

Лиза молча смотрела на серебристый телефон. Он был таким малюсеньким, мне показалось, что набирать номер на подобном устройстве можно только с помощью заточенного карандаша и микроскопа.

Прошла целая вечность, и Лиза наконец спросила:

— Сколько он стоит?

— На этот счет можете не волноваться, — ответил Майк, а сам в это время намазывал маслом кусок хлеба.

— Я не могу это принять, — сказала Лиза. — Такой телефон наверняка стоит целое состояние.

— И на него можно снять кино? — Ханна уже копалась в коробке в поисках инструкции.

Майк улыбнулся:

— Вообще-то, мне он ничего не стоил. Я когда-то заключил сделку для компании, которая производит такие телефоны. Они с удовольствием прислали мне его в качестве подарка. — Он похлопал себя по карману. — Так я и свой получил.

На Ханну это произвело большое впечатление.

— И много людей присылают тебе вещи задаром?

— Это называется бизнес, — сказал Майк.

— Ты можешь получить все, что захочешь?

— Обычно можно что-то получить только в том случае, если дающий рассчитывает однажды получить что-то в ответ, — объяснил Майк и тут же поторопился добавить: — Я имею в виду в бизнесе.

Я задумалась над этой фразой и, когда ставила перед Майком молоко, сделала это чуть резче, чем собиралась. Мне не хотелось размышлять о нашей встрече у муниципалитета.

— Послушайте, если хотите, считайте, что взяли его напрокат, — предложил Майк, потому что Лиза так и не прикоснулась к телефону. — Берите его на сезон миграции китов. Мне не понравилось то, что я видел в день нашей прогулки. Будет здорово, если у вас появится оружие против плохих парней.

Его аргумент возымел действие на мою племянницу. Я думаю, Майк догадывался о том, что Лиза не может позволить себе подобный аппарат, даже если весь сезон у нее будет две полные лодки в день.

Наконец с большой осторожностью она взяла у Ханны телефон.

— Я могу снимать и тут же пересылать отснятое прямо в Национальные парки, — сказала она, разглядывая телефон.

— Именно. Как только увидите, что кто-то совершает какой-либо проступок, — сказал Майк. — Можно мне еще кофе, Кэтлин?

— И не только диско-лодки, а вообще все. Попавших в беду или запутавшихся в сетях китов и дельфинов. А когда он мне не будет нужен, я смогу одалживать его ребятам с других лодок.

— А я сниму фильм про дельфинов и покажу его ребятам в школе. Ну, если ты возьмешь меня с собой. —

Ханна посмотрела на мать, но та продолжала разглядывать маленький серебристый телефон.

— Даже не знаю, что сказать, — наконец произнесла она.

— Бросьте, — небрежно буркнул Майк. — Правда, больше ничего не надо говорить по этому поводу.

И как будто подводя черту под этим разговором, он взял газету и начал читать.

Вот только я видела, что он не вникает в текст, и у меня возникли догадки по поводу происхождения этого телефона. Догадки эти подтвердились в тот же день, — когда я перестилала постель Майка, я нашла чек. Судя по чеку, телефон был куплен в Австралии через какой-то интернет-сайт и стоил он больше, чем мой отель за неделю.

В тот день, когда Лиза и Ханна прилетели в Австралию, я три часа ехала до сиднейского аэропорта, а когда привезла их в отель, Лиза легла в постель и не вставала девять дней.

На третий день это меня настолько встревожило, что я позвонила доктору. Лиза словно впала в кому. Она не ела, не спала, только изредка делала пару глотков сладкого чая, который я оставляла на прикроватном столике, и отказывалась отвечать на все вопросы. Бóльшую часть времени она лежала на боку и смотрела в стену. Она немного потела, ее светлые волосы стали сальными, на лице был шрам, а на руке, вниз от плеча, — огромный синяк. Доктор Армстронг поговорил с Лизой и пришел к выводу, что она, в общем, здорова. Он сказал, что причиной всего может быть какой-нибудь вирус или невроз и что ей надо отдохнуть.

Я, конечно, обрадовалась, что она приехала ко мне не умирать, но и хлопот прибавилось немало. Ханне тогда было только шесть, она была беспокойной и прилипчивой девочкой, иногда с ней случались истерики, и она буквально заливалась слезами, а еще часто по ночам я слышала, что она бродит по коридору и тихонько плачет. В этом не было ничего удивительного: маленькая девочка один день и две ночи добиралась до неизвестного места и ее встретила старуха, которую она ни разу в жизни не видела. Это было в разгар лета. Из-за жары Ханна покрылась потницей, девчушку чуть не до полусмерти закусали москиты, и она не могла понять, почему я не пускаю ее побегать возле дома. А я боялась, что ее нежная кожа обгорит на солнце, боялась пускать ее к воде, боялась, что она убежит и не вернется.

Когда я за ней не приглядывала, отвлекаясь на домашние дела, Ханна прокрадывалась наверх и прилипала к своей маме, как маленькая обезьянка. У меня сердце разрывалось, когда я слышала, как девочка плачет по ночам. Помню, я даже обращалась к сестре на небесах и спрашивала ее, что мне, черт возьми, делать с ее потомством.

На девятый день я решила, что с меня хватит. Я совершенно вымоталась: мне надо было присматривать за гостями и за плачущим ребенком, который не мог толком объяснить, в чем дело, и которому я, в свою очередь, тоже ничего не могла объяснить. Я хотела вернуть свою кровать и хоть немного отдохнуть. У меня никогда не было семьи, так что я не привыкла к хаосу, который привносят дети, к их постоянным жалобам и просьбам. Я стала резкой и раздражительной.

На том этапе я думала, что все дело в наркотиках, — Лиза была такой бледной и такой отстраненной, она словно пребывала в каком-то ином мире. Я начала терять надежду, что когда-нибудь узнаю о причине ее состояния. Мы не виделись много лет, это могло быть что угодно.

«Отлично, — подумала я, — если она принесла это к моему порогу, ей придется объяснить мне, в чем дело. И жить она будет по моим правилам».

— Вставай, давай поднимайся, — орала я, а сама в это время поставила рядом с ней кружку свежезаваренного чая и открыла окно.

Лиза не ответила, и тогда я откинула одеяло. Она была такой худой, что я с трудом сдержалась, чтобы не показать, как мне больно на нее смотреть.

— Давай же, Лиза, сегодня такой чудесный день, хватит тебе уже лежать. Ты нужна дочери, а мне надо заниматься своими делами.

Я помню, как она повернулась ко мне. В ее глазах стоял черный ужас пережитого, и в эту секунду решимость покинула меня. Я присела на свою старую добрую кровать и взяла ее руку.

— Лиза, расскажи мне, — тихо попросила я. — Что происходит?

И когда она рассказала, я обняла ее и крепко прижала к груди. Я смотрела в пустоту, а Лиза, преодолев путь длиной в двенадцать тысяч миль и спустя несколько сотен часов, наконец заплакала.

Был уже одиннадцатый час, когда мы услышали о выбросившемся на берег детеныше кита. Еще днем Йоши передала мне по радио, что они с Лансом видели самку, которая беспокойно плавала у входа в бухту. Они подошли довольно близко, но так и не смогли понять, что с ней такое: у нее не было явных признаков болезни и обрывков сетей, которые могли бы ее порезать, они тоже не увидели. Самка плавала по какой-то странной, рваной траектории, а это ненормальное поведение для мигрирующих китов. Вечером, когда они с Лансом вывезли на прогулку работников из страховой компании Ньюкасла, они обнаружили выбросившегося на берег детеныша.

— Это тот самый, которого мы видели, — сказала Лиза и повесила трубку. — Я уверена.

Мы сидели в кухне. Вечер был холодный, и Майк ушел в холл, чтобы почитать газету у камина.

— Я могу чем-то помочь? — спросил он, когда увидел, как мы в главном коридоре натягиваем куртки и ботинки.

— Останьтесь, пожалуйста, здесь, чтобы Ханна не была одна, ладно? И если она проснется, не говорите ей, что произошло.

Меня удивило, что Лиза решила попросить его об этом, после приезда она ни разу не высказывала желания нанять для Ханны няньку. Но у нас было мало времени, и я подумала, что Лиза, как и я, решила, что Майк неопасен.

— Вряд ли мы скоро вернемся, — сказала я и похлопала Майка по плечу. — Так что не ждите нас. И ни в коем случае не выпускайте Милли. Малышу там и так не сладко, не хватало еще, чтобы вокруг него носилась собака.

Майк смотрел, как мы с Лизой забираемся в грузовик. Я чувствовала, что ему хотелось поехать с нами, чтобы как-то помочь. Все время, пока мы ехали по прибрежной дороге, я видела в зеркало заднего вида его силуэт в освещенном дверном проеме.

Трудно представить более душераздирающую картину, чем выбросившийся на берег детеныш кита. Я, слава богу, за все свои семьдесят с лишним лет только дважды видела такое. Малыш лежал на песке. Он был метра два в длину. Такой нездешний, беззащитный и в то же время странным образом близкий. Море тянулось к нему, будто пыталось зазвать обратно, домой. Ему было всего несколько месяцев.

Грэг пытался сделать хоть что-то, чтобы малыш не погружался глубже в песок.

— Я сообщил властям, — сказал он.

В наше время запрещено предпринимать попытки вернуть кита в море без помощи представителей власти: если кит болен, перемещая его, вы можете только навредить. А если какие-нибудь доброжелатели развернут выбросившегося кита к морю, он может послать сигнал всей стае, и тогда на следующий день киты из сострадания к своему собрату тоже начнут выбрасываться на берег.

— Возможно, малыш болен, — сказал Грэг, он вставал на колени возле детеныша, и джинсы у него намокли. — Очень слабый, ему еще нужно молоко, без мамы он долго не протянет. Я так думаю, он здесь уже несколько часов.

Малыш лежал на боку носом к берегу, глаза его были полузакрыты, он словно созерцал свои мучения, такой несчастный и такой неприспособленный к тому месту, где оказался.

— Он выбросился не из-за того, что болен. Это все чертовы лодки, — сквозь зубы прошипела Лиза и, схватив ведро, пошла к морю за водой. — Из-за громкой музыки они теряют ориентацию. У малышей нет ни одного шанса.

Вдоль нашей прибрежной дороги фонарей не было. Мы втроем работали в полной тишине. Прошло около часа, но люди из Национальных парков и спасатели все не появлялись. Надо было поливать малыша водой, чтобы он оставался влажным. Мы ходили от него к воде и обратно и старались вести себя как можно тише. Какой-нибудь турист, оценив размеры детеныша кита, мог бы подумать, что раз он такой большой, то выносливый. Но это совсем не так. В реальности жизнь могла покинуть его с той же легкостью, с какой она покидает золотую рыбку на ярмарочной площади.

— Не сдавайся, малыш, — шепотом просила Лиза, опустившись возле китенка на колени, и гладила его по голове. — Держись, скоро тебе привезут носилки. Твоя мама рядом, она ждет тебя.

Мы были уверены, что так оно и есть. Примерно каждые полчаса где-то вдалеке раздавался всплеск, его эхом отражали заросшие соснами холмы. Скорее всего, это мать малыша пыталась определить, как близко она может подойти к берегу. Больно было это слышать. Мы цепочкой ходили к воде, и я пыталась как-то отвлечься от звуков, которые посылала потерявшая своего малыша мать. Я боялась, что она от отчаяния тоже может выброситься на берег.

Грэг трижды звонил по своему мобильному, а я один раз выезжала на шоссе, чтобы поднять спасателей, но люди из Национальных парков и рейнджеры из Службы охраны дикой природы добрались к нам только после полуночи. Видимо, связь была нарушена, им сообщили не те координаты, а кто-то уехал с единственными специальными носилками.

Лиза даже слушать не стала их объяснения.

— Надо перенести его в воду, — сказала она. — Быстрее. Мы знаем, что его мать еще ждет его там.

— Попробуем спустить его на воду.

Кряхтя от тяжести, они пошли к мелководью и, не обращая внимания на холод, встали в воде. Я осталась на берегу и наблюдала за их действиями. Кто-то предложил загрузить малыша на лодку и переправить его ближе к матери. Но человек из Национальных парков высказал неуверенность в том, что малыш вообще удержится на воде, не говоря уже о том, чтобы плыть. И все боялись, что появление лодки спугнет мать и она покинет залив.

— Если у нас получится его стабилизировать, — пробормотал кто-то из спасателей, — мы сможем переправить его дальше в залив...

Они стали тихонько его раскачивать, чтобы он привык к балансу воды, который успел потерять, пока был на берегу. Прошел час или около того, и они зашли глубже. Теперь Лиз и Грэг без всяких гидрокостюмов стояли по грудь в воде. Лиза стучала зубами, да и я замерзла.

Но малыш не двигался.

— Так, хорошо, не будем его подгонять, — сказал один из спасателей, когда им стало ясно, что малыш не поплывет. — Постоим здесь еще, подержим его, пока он не сориентируется. Может, ему нужно еще время.

Даже наполовину погруженный в воду детеныш кита был жутко тяжелым. Мы с Йоши сидели на берегу и смотрели, как они четверо там стоят. Я видела напряженные от тяжести худенькие плечи Лизы и слышала, как она шепотом подбадривает малыша, пытается уговорить его поплыть обратно к маме.

Ближе к двум ночи всем стало ясно, что дела у малыша плохи: он совсем обессилел, дыхание у него было прерывистое и он все чаще закрывал глаза. Я подумала, что он мог заболеть еще до того, как все это случилось. Возможно, и его мама чувствовала это, но просто не могла отпустить его от себя.

Не знаю, как долго они там стояли. Ночь потеряла связь с реальностью, часы медленно ползли в холоде, приглушенных разговорах и все нарастающем отчаянии. Мимо проехали две машины. Их привлек свет наших фонарей. В одной была компания веселых юношей и девушек. Они предложили нам свою помощь. Мы поблагодарили их и попросили ехать дальше. Бедный малыш меньше всего нуждался в том, чтобы вокруг него суетились подвыпившие тинейджеры. Мы с Йоши один раз сходили на «Моби-два» и приготовили кофе. Потом она и Ланс подменили ребят, чтобы те смогли передохнуть пятнадцать минут и немного согреться. Ночь все тянулась и тянулась. Я даже одолжила куртку и натянула ее поверх своей — старые кости, как оказалось, мерзнут сильнее молодых.

А потом мы услышали это. Наводящий ужас, тихий звук со стороны моря. Пронзительный и в то же время низкий звук песни кита пронесся над водой.

— Это его мать! — закричала Лиза. — Она зовет его.

Йоши покачала головой.

— Нет, самки не поют, — сказала она. — Это, скорее всего, самец.

— Сколько раз ты слышала их песню над водой? — с вызовом спросила Лиза. — Это мать, я знаю, это она.

Йоши не стала спорить. Она помолчала, а потом сказала:

— Проводились исследования, и они показали, что самец сопровождает самку и малыша на расстоянии. Как эскорт. Если так, возможно, он их ищет.

— Пареньку, похоже, от этого не легче, — сказал один из ребят из Национальных парков, когда мы сели на влажный песок. — Кажется, у него не осталось сил бороться.

Лиза рядом со мной в отчаянии замотала головой. Ее пальцы посинели от холода.

— Он сможет. Он просто сбит с толку, не понимает, где он. Если дать ему еще время, он поймет, где его мама. Главное, чтобы он ее услышал.

Вот только никто из нас не был уверен в том, что малыш может вообще что-то услышать. По мне, так бедняжка был чуть жив и боролся за каждый вдох. Я уже не была уверена, для чего и для кого они держат его на плаву. К тому времени я сама с трудом держалась на ногах. Я, конечно, крепкий орешек, но все-таки слишком стара, чтобы всю ночь оставаться на ногах. Это я поняла, когда, по совету Йоши, присела и сразу начала отключаться, только напряженные голоса спасателей возвращали меня в реальность.

Вот что хуже всего, когда киты выбрасываются на берег: они как будто хотят умереть, а мы, люди, сами того не сознавая, просто продлеваем их агонию. Каждый раз, когда кто-то из них триумфально уплывает от берега в море, в нас крепнет уверенность в правильности наших действий. Мы готовы сделать все, чтобы спасти каждого, выбросившегося на берег кита. Но что, если иногда правильно оставить выбросившегося кита в покое? Может, мы не нужны этому малышу? И если мы оставим его в покое, его мама придет и сама как-нибудь заставит поплыть в море? Я слышала, что такое случалось. Думать о том, что страдания китов лежат на нашей совести, было просто невыносимо, и я постаралась переключиться на всякие бытовые мелочи: стала думать о кроссовках для Ханны, о сломанном чайнике и неоплаченных банковских счетах. А потом, подозреваю, я задремала.

Когда солнце появилось над мысом и его бледные лучи осветили группу спасателей, один из парней объявил, что надежды больше нет, и я встряхнулась.

— Его следует умертвить, — сказал этот парень из Национальных парков. — Если будем продолжать удерживать его на плаву, его мать тоже может выброситься на берег.

— Но он ведь еще жив, — сказала Лиза.

Ее лицо было серым и изможденным. Она дрожала в мокрой одежде. Йоши предлагала ей переодеться, но Лиза отказывалась, потому что все равно снова бы вошла в воду.

— Он еще жив...

Грэг обнял ее за плечи. Глаза у него покраснели, подбородок стал темным от щетины.

— Лиза, мы сделали все, что могли. Мы не можем подвергать риску его мать.

— Но он же не болен! — закричала Лиза. — Это все проклятые лодки. Если у нас получится отправить его к маме, с ним все будет хорошо.

— Нет, — сказал парень из Национальных парков и положил руку на спину малышу. — Мы с ним уже восемь часов. Мы относили его на глубину и возвращали обратно, а он так и не двигается. Он слишком маленький и слишком слабый, чтобы вернуться в море. Если мы занесем его глубже, он утонет, и я не хочу в этом участвовать. Извините, ребята, но он никуда не поплывет.

— Плохо дело, — сказал Ланс.

Йоши, которая стояла рядом с ним, заплакала. Я сама с трудом сдерживала слезы.

Лиза гладила малыша и умоляла:

— Еще полчаса, только полчаса. Если бы мы могли переправить его к маме... Послушайте, она бы знала, если бы он не мог этого сделать. Правильно? Она бы оставила его, если бы знала.

Мне пришлось отвернуться, так тяжело было слышать это из ее уст.

— Его мать сейчас ему не поможет, — сказал парень и пошел к своему грузовику.

— Тогда надо позволить ему умереть рядом с матерью, — все умоляла Лиза. — Нельзя, чтобы он умер один. Мы можем отвезти его ближе к матери.

— Я не могу этого сделать. Даже если при перевозке мы не нанесем ему вреда, нет никакой гарантии, что она подпустит нас к себе. Мы можем вызвать у нее агрессию.

Надо было разбудить Ханну и отвезти ее в школу, и я ушла, но можно сказать, что сбежала, настолько тяжело было смотреть на все это. Я рада, что не видела, как малышу сделали два укола, а ребята из парков чертыхались, потому что они не подействовали на малыша. Им потребовалось еще двадцать минут, чтобы найти винтовку. Потом Йоши мне рассказала, что, когда винтовку приставили к голове малыша, бедняжка сделал последний булькающий выдох и умер. И тогда они все, промокшие и продрогшие, расплакались. Даже здоровый парень из Национальных парков, который говорил, что это у него второй такой случай за последние две недели.

Но, по словам Йоши, Лиза сорвалась. Она так рыдала, просто заходилась. Грэг держал ее, боялся, что с ней случится истерика. Она зашла в воду, вытянула перед собой руки и просила прощения у матери малыша, как будто это она лично была виновата в его смерти. Когда ребята накрыли его брезентом, чтобы не привлекать внимания любопытных туристов, Лиза так сильно плакала, что парень из Национальных парков даже незаметно спросил у Ланса, все ли у нее в порядке... в смысле, с головой.

Йоши сказала, что после этого Лиза немного успокоилась. У Грэга в бардачке была бутылка, и он дал ей сделать большой глоток коньяка. Ланс и Йоши сделали по глотку, чтобы взбодриться, а Лиза выпила еще. А потом добавила. И когда солнце поднялось над заливом и осветило прикрытое тело на берегу и невыразимую красоту вокруг, когда стихли крики (мы все надеялись, что это все же не была его мать), Лиза, пошатываясь, забралась в грузовик и поехала к Грэгу.

9

Майк

Будь проклят этот синдром смены часового пояса. Начало седьмого утра, а я был уже неестественно бодр и обдумывал только что состоявшийся разговор с Деннисом. Я старался убедить себя в том, что мне все показалось и разговор прошел гладко, потому что иначе и быть не могло.

Нетрудно было догадаться, в чем дело. Я проснулся в начале пятого и какое-то время лежал в темноте, а в голове у меня крутились дурные мысли. В конце концов я встал. В отеле, кроме меня и Ханны, не было ни души. Я побродил по пустым комнатам, по пути прихватил бинокль Кэтлин и вернулся к себе. Встав у окна, я настроил бинокль. Сцену на берегу освещали только лучи фонарей и вспышки фар проезжающих мимо машин. Я видел, как Грэг и другие ребята из команд преследователей по очереди заходят в воду. Спустя какое-то время я узнал Лизу (по цвету штормовки), она сидела на берегу, а два парня разговаривали рядом с чем-то похожим на брезент.

Я в очередной раз проклял часовые пояса и сказал себе, что через неделю сон должен восстановиться. Потом я задернул шторы и сварил кофе. Трудно было удержаться от того, чтобы снова не подойти к окну. Когда решается вопрос жизни или смерти, это всегда притягивает, даже если речь идет о животном. Но у меня лично желание посмотреть на такое всегда вызывает неприятные ощущения, как будто это вскрывает в моем характере какие-то дефектные черты: эгоизм и равнодушие.

Кроме того, возможность, оставаясь незамеченным, наблюдать за другими людьми заставила меня подумать о том, что я держал в тайне от Ванессы... Это грозило поглотить меня и могло послужить доказательством моей двуличности. В Сильвер-Бей у меня получалось бо́льшую часть времени забывать о своей работе, я отгонял мысли о ней подальше, в другой часовой пояс. Поэтому порой мне казалось, что я проживаю жизнь другого человека. В тишине перед рассветом ничто не отвлекало, и трудно было закрыться от правды о самом себе.

Звонок Денниса не позволил мне поразмышлять на эти темы. Ему было плевать на разницу во времени, он был зол как черт из-за сломанной ноги и настоял на том, чтобы я детально описал ему все разговоры, все шаги, которые предпринял для осуществления наших планов. Денниса и в лучшие времена трудно было переубедить, но в таком состоянии почти невозможно. В офисе, когда он был в дурном расположении духа, мы могли исчезнуть, уехать на воображаемые встречи, залечь на дно, пока ураган не стихнет. Он был человеком крайностей и девяносто процентов времени мог быть самым щедрым и неисправимым оптимистом. Такие люди заставляют подражать им, рядом с ними вы начинаете верить, что способны на большее. Но в остальные десять процентов он был просто кровожаден.

— Ты получил разрешение на планировочные работы? — спросил он.

— Здесь так быстро это не делается.

Я вертел ручку между пальцами и удивлялся тому, как этот человек, который по факту вроде бы является моим партнером, то есть равным, умудряется на расстоянии в двенадцать тысяч миль заставлять меня потеть, как юношу.

— Я тебе уже об этом говорил.

— Ты знаешь, это не то, что я хочу услышать. Я хочу услышать, что дело сделано, Майк.

— Могут возникнуть проблемы... с экологической стороны.

— Что, черт возьми, это значит?

— Водный спорт... здесь это может рассматриваться как угроза жизни морских обитателей залива.

— Это же залив! — заорал Деннис. — Это залив, там есть все, что пожелаешь: корабли, устричные банки, быстроходные катера. Так было сто лет. Как наши скромные развлечения на крохотном кусочке берега могут чему-то там угрожать?

— Мы можем столкнуться с некоторым сопротивлением наблюдателей за китами.

— Наблюдатели за китами? Кто они такие? Шайка любителей чечевицы из «Гринпис»?

— Наблюдение за китами — самая важная составляющая туристического бизнеса в заливе.

— И чем же они там целыми днями занимаются?

Я посмотрел на телефонную трубку.

— Наблюдают за китами...

— Именно об этом я и говорю. И на чем, черт их подери, они плавают, когда наблюдают за китами?

— На лодках.

— На парусных или гребных лодках?

— На лодках с мотором.

Я понял, к чему он ведет.

Когда я снова посмотрел в окно, на берегу уже никого не было, даже кита.

Где-то около шести я услышал, как скрипнула дверь с сеткой от комаров, и, спустившись вниз, увидел Кэтлин. Она стягивала с себя промокшую куртку. В бледном утреннем свете Кэтлин выглядела совсем измотанной, она как будто постарела за последние двенадцать часов. Лизы с ней не было.

— Позвольте, я возьму вашу куртку, — предложил я.

Кэтлин отмахнулась.

— Не суетись, — сказала она, и по ее голосу я понял, что детеныш кита погиб. — Где Ханна?

— Еще спит.

А вот собачка Лизы и не думала спать: Милли скреблась в дверь и скулила с той самой минуты, как они ушли из дома.

— Спасибо. — Кэтлин кивнула.

Я впервые видел, чтобы она сутулилась, и впервые осознал, что передо мной старая женщина.

— Я собираюсь заварить чай. Вы будете?

Гибель кита потрясла Кэтлин, но меня удивляло то, что женщина, которая прославилась как убийца акул, так переживает из-за гибели другого морского существа. Я сидел за столом в кухне и размышлял об этом, а затем понял, что все это время жду, когда откроется дверь и я услышу шорох куртки Лизы, а потом она войдет и бросит ключи в вазу на столе в холле.

Кэтлин наконец тоже села.

— Проклятый маленький кит, — сказала она. — У него не было ни шанса. Нам следовало застрелить его в самом начале.

Я выпил две кружки чая, прежде чем набрался смелости спросить хоть что-то. Надо было спрашивать как бы между делом. Про себя я решил, что Лиза, скорее всего, захотела на рассвете выйти в море. Я уже открыл рот, чтобы высказать свое предположение, но тут Кэтлин бросила на меня взгляд, в котором читалось, что нам незачем притворяться друг перед другом.

— Она с Грэгом.

Слова Кэтлин повисли в воздухе.

— Я не знал, что они вместе, — бодрым фальшивым голосом сказал я.

— Они не вместе, — тихо произнесла Кэтлин, а потом ни с того ни с сего добавила: — Лиза близко к сердцу приняла смерть малыша.

Последовала долгая пауза. Я смотрел в пустую кружку и пытался собраться с мыслями.

— Я уверен, она сделала все возможное для его спасения, — сказал я.

Это была банальная фраза, просто я не мог понять, каким образом мертвый кит связан с тем, что она спит с Грэгом.

— Послушай, Майк, Лиза пять лет назад потеряла ребенка. Как раз перед тем, как приехала сюда. Так она пытается с этим справиться.

Кэтлин замолчала, придвинула к себе кружку и отпила глоток чая. Я обратил внимание на то, какие у нее большие натруженные руки, совсем не такие мягкие и нежные, как у моей матери.

— К несчастью, этот бедолага раз или два в год начинает думать, что у него есть шанс.

Пока я переваривал полученную информацию, Кэтлин встала — для этого ей пришлось двумя руками опереться о стол — и, с трудом сдерживая зевоту, сказала, что ей пора будить Ханну. Я понял, что разговор о Лизе закончен. Утренний свет просачивался сквозь окно в кухню, в его лучах лицо Кэтлин, обычно румяное, стало бесцветным. Я подумал о том, через что ей пришлось пройти там, на берегу. Так легко было забыть, что она старая женщина.

— Если хотите, я могу отвезти ее в школу, — предложил я. — У меня на утро никаких планов.

Я вдруг понял, что мне надо чем-то себя занять. Чтобы не думать. Веселая болтовня Ханны о хит-парадах, уроках технологии и школьных обедах могла бы меня отвлечь. Мне хотелось поехать куда-нибудь. Уехать из этого дома.

— Кэтлин, вы слышите? Я ее отвезу.

— Уверен?

Кэтлин посмотрела на меня, в ее взгляде была искренняя признательность, и тогда я понял, насколько в действительности устала Кэтлин Виттер Мостин — легендарная охотница на акул и неутомимая хозяйка отеля. Я встал из-за стола и пошел в коридор за ключами.

Вполне возможно, что в теории я могу показаться, как сказала бы моя сестра, бóльшим игроком, чем на самом деле. За четыре года отношений с Ванессой, если не брать вечер с Тиной, я даже не целовался с другими девушками. Не скажу, что я не думал об этом, — я ведь живой человек, — но до той офисной вечеринки измена Ванессе казалась мне маловероятной и, более того, малоприятной. То есть даже когда я обнимал стройное и крепкое тело Тины, а ее руки настойчиво расстегивали мои брюки, я готов был глупо рассмеяться оттого, что это все-таки случилось.

Я познакомился с Ванессой Бикер в «Бикер холдингс», она тогда занимала временный пост в департаменте маркетинга. И хотя многие думали иначе, значение ее фамилии до меня дошло только после того, как мы встречались уже несколько недель. Когда я понял, кто такая Ванесса, мне захотелось прекратить наши отношения. Я действительно любил эту работу и уже просчитал, как будет продвигаться моя карьера в компании. Мне казалось, что не стоит подвергать ее риску из-за романтических отношений.

Но прежде, чем принять решение, я посчитал нужным посоветоваться со своей девушкой. Ванесса сказала мне, чтобы я не дурил. Она в моем присутствии поставила отца в известность о наших отношениях и добавила, что вне зависимости от того, останемся мы вместе или нет, это его не касается. Позднее Ванесса объявила мне, что сразу поняла: я — номер один, и улыбнулась так, чтобы я понял, что из-за этого заявления волноваться тоже не стоит.

Полагаю, я действительно не очень-то волновался по этому поводу. Моя сестра Моника сказала, что я ленивый в отношениях. Меня устраивали те женщины, которым нравился я, и лишь однажды я сам прекратил отношения. Ванесса была симпатичной (порой ее можно было назвать настоящей красавицей), уверенной в себе и умной девушкой. Она каждый день говорила мне, что любит меня, но даже если бы она этого не говорила, я бы все равно об этом знал: дома она окружала меня заботой, у нее был здоровый аппетит на секс, и она тратила уйму времени и энергии на мой внешний вид и мое благополучие. Я не возражал — иначе мне самому пришлось бы всем этим заниматься. И я доверял мнению

Ванессы. Она, как я уже говорил, была умной, и у нее, как у отца, была деловая жилка.

Не знаю, почему я защищал свои отношения перед сестрой, но я это делал. И часто. Моника говорила, что Ванесса слишком «jolly hockey sticks»[1]. Еще она говорила, что я бы женился на любой девушке, которая для достижения этой цели приложила бы столько же усилий, сколько Ванесса, абсолютно на любой, которая сделала бы мою жизнь легче. Моника говорила, что я никогда по-настоящему не любил, потому что никогда не страдал. На это я отвечал, что ее версия отношений больше похожа на мазохизм.

Сестра ни с кем не встречалась уже пятнадцать месяцев. Говорила, что достигла возраста, когда подходящие ей мужчины считают ее «слишком сложной».

— Чего тебе? — спросила она, когда я ей позвонил.

— Привет, дорогой братишка. Я по тебе соскучилась, — сказал я. — Как там жизнь, в другом полушарии? Как главная в твоей карьере сделка?

— Ты звонишь, чтобы сказать, что эмигрируешь? Хочешь оплатить мой приезд в гости? Купи мне билет бизнес-класса, и я буду защищать тебя перед родителями.

Я услышал, что Моника прикурила сигарету. На заднем плане бормотал телевизор. Я сверился с часами и прикинул, который час дома.

— Я думал, ты бросила.

— Я и бросила, — сказала Моника и громко выдохнула. — Видимо, какие-то помехи на линии. Так что ты хочешь?

1 *«Jolly hockey sticks»* (*англ.;* буквально: «веселые клюшки») — прозвание энергичных и неунывающих учеников частных привилегированных школ.

Правда была в том, что я сам не знал, чего хочу.

— Наверное, просто с кем-нибудь поговорить.

Это ее проняло. Я еще никогда ни на что не жаловался своей сестре.

— Ты как там, в порядке?

— Да, все отлично. Просто... просто была необычная ночь. Недалеко от отеля погиб детеныш кита, и это... это меня немного потрясло.

— Ух ты. Детеныш кита? Его кто-то убил?

— Не совсем. Он выбросился на берег.

— А-а, да. Я о таком слышала. Жуть какая. — (Я слышал, как она снова затянулась сигаретой.) — Сделал фото? Интересные могли бы получиться.

— Хватит размахивать топором, Моника.

— А ты не будь занудой. Ну так что, вы все пытались затащить его обратно в воду?

— Не я лично.

— Не хотел пачкать свои дизайнерские трусы, да?

Я вдруг почувствовал раздражение от этой ее выдающейся способности оставаться резкой и саркастичной, вместо того чтобы быть искренней и милой.

— Нам уже не по четырнадцать лет, если ты забыла. — Мне хотелось накричать на нее, но я просто сказал: — Ладно, пока. Мне пора идти.

— Эй-эй, Майк, хорошо, извини.

— Слушай, давай поговорим в другой раз.

Мне следовало позвонить Ванессе. Но я догадывался, почему этого не сделал.

— Майк, не злись. Извини меня, ладно? Что... что ты хотел мне сказать?

Но в том-то и дело, что я не знал. Я просидел так почти пять минут, прежде чем понял, что действительно не знал.

Я увидел Лизу через полчаса после того, как завез Хану в школу и вернулся в отель. Милли залаяла от радости. Она шла по берегу усталая, лицо было бледным, к мокрым джинсам прилип песок. Когда она заметила, что я сижу у пристани, она не изменилась в лице, но остановилась в нескольких футах от меня и прикрыла ладонью глаза от солнца. Ее немного покачивало, и я подумал, что она, возможно, пьяна. Теперь, после того как я узнал то, что узнал, я видел ее иначе, как будто Лиза Маккалин предстала передо мной в другом измерении.

— Хочешь поехать со мной в супермаркет?

— Ты за рулем? — уточнил я.

— Думаю, ты, если, конечно, освоил коробку передач на своем «холдене». Кэтлин слишком устала, чтобы ехать за продуктами, ей надо поспать.

Я посчитал, что это самый лучший повод для совместной поездки, и пошел в дом за ключами.

Для британца австралийские супермаркеты просто рог изобилия. Все необычно и в то же время знакомо, множество ярких фруктов и овощей с вкраплениями иноземных радостей типа «Вайолет Крамбл»[1] и «Гринс пэнкейк шейк»[2]. Дома я не ходил в магазин за продуктами: либо все организовывала Ванесса, либо я, следуя ее инструкции, набирал на продуктовых сайтах «список заказов», и все доставляли в аккуратных пакетах с маркировками «Морозильная камера», «Холодильник», «Кладовая». Как будто у кого-то в Лондоне есть кладовая. Но в австралийском супермаркете, с пещеристым ин-

1 *«Вайолет Крамбл»* (*англ.* Violet Crumble) — шоколадные конфеты с медовой начинкой.

2 *«Гринс пэнкейк шейк»* (*англ.* Green's Pancake Shake) — смесь для приготовления блинчиков.

терьером, мне понравилось изучать незнакомые продукты. Я даже поймал себя на том, что постоянно перевожу цены в стерлинги, — можно подумать, я знал, сколько стоят подобные продукты в Англии.

Лиза шла по проходам, уверенно выбирала продукты и закидывала их в большущую тележку. Глядя на то, как быстро и ловко она это делает, вы бы никогда не подумали, что она всю ночь провела на ногах.

— Тебе взять что-то особенное? — спросила она меня через плечо. — Ну, конечно, если ты еще не уезжаешь.

Судя по интонации, с которой она это сказала, ей было все равно, остаюсь я или уезжаю.

— Я непривередливый.

Я положил обратно на полку пакет с крекерами и подумал о том, что это утверждение верно тысячу раз.

У кассы Лиза начала выискивать по карманам купюры и монеты разного достоинства. Я хотел ускорить процесс, но она так на меня посмотрела, что моя рука замерла в кармане, где лежал бумажник. Я притворился, будто полез за носовым платком, и для пущей убедительности шумно высморкался. Женщина у меня за спиной в ужасе отшатнулась.

Наблюдая за Лизой, я пытался составить картину ее жизни из известных мне фактов. Она не в силах позволить своему уцелевшему ребенку выйти в море. Ее печаль. Возможно, тот ребенок утонул. Возможно, это был младенец. Возможно, в то же время она потеряла мужа. Я понял, что о личном ее никогда не спрашивал. Если подумать, я, в общем-то, никогда никого ни о чем таком не расспрашивал. У Денниса Бикера вполне могла быть вторая семья. А Тина Кеннеди могла два года назад сбежать из женского монастыря. Я всегда оценивал людей поверхностно. И теперь вдруг до меня дошло, что, возможно, я что-то упустил.

У Лизы Маккалин когда-то умер ребенок. Она была на три года младше меня, и я неожиданно для себя понял, что мой жизненный опыт на уровне амебы.

Прежде чем снова заговорить, мы почти двадцать минут проехали молча.

Когда миновали городской совет, я подумал о проекте, о разговоре с Деннисом. Я думал о том, что говорила мне Кэтлин несколько дней назад. Она сказала, что единственной причиной преображения Сильвер-Бей из диких зарослей кустарника в город было то, что союзники построили здесь базу. Она помнила те времена, когда был только ее отель, несколько домов и универсам. Кэтлин рассказывала об этом с удовлетворением, так, словно этот вариант развития был ей по душе. Я понимал: пришла пора рассказать. Но страшно трусил. Я знал, как она... как любой из них... это воспримет. Эти люди мне нравились, и когда я думал, что они будут считать меня подлецом, мне становилось плохо.

После всего: Лиза, сигнальные ракеты, детеныш кита — я уже не был уверен в том, что наш проект — это правильно. Я искал способ, как увязать то, что необходимо для нашего предполагаемого отеля, и то, что необходимо преследователям китов. Но я не хотел ни с кем это обсуждать, пока сам не найду выход из создавшегося положения. Ни с Лизой, ни с Кэтлин. И не с Деннисом, как бы он ни злился из-за моего бездействия.

Я вел машину и пытался сосредоточить все свое внимание на дороге, но постоянно чувствовал близость Лизы. То, как она, когда мысли уносили ее куда-то далеко, поправляла правой рукой волосы.

Я все думал о том, что сказать, но так, чтобы не дать ей возможность спрятаться за вежливым разговором. У меня было такое ощущение, что мы уже прошли этот этап. Странно, но мне почему-то казалось, что я должен оправдываться. А еще я думал о том, как Грэг тогда вечером с улыбочкой намекнул, довольно грубо, на проведенную вместе с Лизой ночь. Как будто теперь она стала его собственностью и я не смел на нее посягать. Мне в жизни на каждом шагу встречались мужчины его типа: харизматичные, шумные, они, как дети, постоянно стремятся быть центром внимания. Они умудряются завоевать расположение красивейших женщин, а потом обычно очень плохо с ними обращаются. Я представлял, как он с видом собственника сидит на лавке рядом с Лизой, положив ей руку на плечо, и думает, как выразилась Кэтлин, что у него есть шанс. Но возможно, у него все-таки был шанс, и не один. Кто знает, на чем основывается человек, когда выбирает сердцем? В конце концов, Лизе он мог быть нужен хотя бы для того, чтобы лечь с ним в постель. И не один раз.

Но почему он? Почему этот вечно поддатый, неразборчивый в связях, провонявший пивом лузер?

Мы проехали половину пути по береговой дороге и заговорили, только когда впереди показалась гостиница. У Китовой пристани стояли «Моби I» и «Измаил». Я распознал их по внешнему виду, а не по надписям на бортах, и это странным образом подарило мне чувство удовлетворения. За лодками на ярко-синей воде сверкали блики полуденного солнца, а холмы, густо поросшие соснами, были фантастически насыщенного зеленого цвета. Всякий раз, когда я смотрел на этот пейзаж, я представлял его на фото в рекламной брошюре.

— Ты, я думаю, уже знаешь, что было сегодня ночью, — сказала Лиза, не глядя на меня.

— Это не мое дело, — сказал я.

— Да, — согласилась она, — не твое.

Я включил левый поворотник и, сбавив скорость, начал подниматься к отелю. Мне вдруг стало жаль, что мы так близко к дому. В это трудно было поверить, но часы в машине показывали всего лишь время ланча, а мне казалось, что я прожил целый день.

Когда Лиза заговорила снова, голос у нее был спокойный:

— Я уже давно знаю Грэга. Он... в общем, я знаю его достаточно, чтобы понимать, что это не имеет для него значения. Это вообще ничего не значит.

Я заехал на стоянку. Мы сидели и молчали. Медленно остывал двигатель. Она посчитала, что должна что-то мне сказать. Это надо было обдумать нам обоим.

— Твоя тетя рассказала мне о твоем ребенке. Сочувствую.

Лиза резко повернулась ко мне. Я заметил, что у нее покраснели глаза. Возможно, это от нехватки сна или она много плакала.

— Ей не следовало тебе говорить.

Я не знал, что сказать, просто наклонился к Лизе Маккалин, взял ее усталое прекрасное лицо в ладони и поцеловал. Один бог знает почему. Но что самое удивительное, она ответила на мой поцелуй.

10

Ханна

Лара взяла меня с собой в залив на лодке. Ее плоскодонка называлась «Мечтатель». У «Мечтателя» была банка — это такая поперечная скамья посередине, и оснастка, как у бермудского шлюпа: грот-мачта и косой парус, похожий на два треугольника — один побольше, другой поменьше. А еще флаг, как флюгер, он показывал, куда дует ветер.

Лара научила меня, как менять курс и перекидывать парус, — это самое главное, что надо уметь, если хочешь ходить под парусом, для этого надо работать с рулем, парусом и весом всей команды одновременно. Мы перемещались с одного борта на другой и смеялись, а Лара иногда притворялась, будто падает, но мне не было страшно, потому что я знала, что это она в шутку.

Маме я об этом не рассказывала, но Ларина мама знала, она наблюдала за нами из дома и дала мне свой запасной спасательный жилет. Моя мама никогда не разговаривала с мамами моих друзей, так что я не волновалась, что она узнает.

В семье Лары все ходят под парусом. Она первый раз вышла в море, когда была еще совсем маленькой. В комнате Лары висит фотография, где она еще в подгузниках держится пухленькими ручками за румпель и видно, что кто-то держит ее за животик. Лара помнит, как маленькой спала на яхте, а ее мама говорит, что она теперь так плохо спит, потому что привыкла, что в детстве ее убаюкивали волны.

Лара прошла курс в Саламандра-Бей и все знала о том, как ходить под парусом, про все углы, под какими лодка может поймать ветер: под перпендикулярным углом идешь быстрее всего, и про встречный, который пошлет лодку назад, тоже. Лара говорила, что, когда моя мама разрешит мне ходить на «Гордости Ханны», мы сможем вместе пройти курс в Саламандра-Бей, там на практике учат ходить под одним парусом и без выдвижного киля. Курс проводят на каникулах, и круто, если ты занимаешься на своей лодке, а не стоишь в очереди на школьную. После дня рождения я один раз спрашивала маму про динги Грэга, она просто сказала «нет», и я сразу поняла, что она не собирается это обсуждать. Но тетя Кей сказала, что возьмет это на себя, сказала, что, если мы будем действовать с умом, мама уступит. Она сказала, что это как рыбалка: хочешь выудить рыбу — не дергай и наберись терпения.

Было тепло даже на воде, и мы надели только толстовки. Мама Лары велела, чтобы мы не снимали спасательные жилеты, они тоже согревали, так что нам и без курток было хорошо. Море было спокойным, и нам разрешили пройти мимо двух самых близких буев и зайти далеко, но только не выходить на морской путь. Лара всегда слушается маму. Она рассказала мне, что один знакомый ее папы заплыл на морской путь и его чуть не затянуло под стальной контейнеровоз, потому что они никогда не смотрят, где плывут.

Около мыса, когда мы сделали остановку, чтобы подкрепиться шоколадками, на нас приплыли посмотреть дельфины. Я узнала Бролли и ее малыша (по фотографиям с «Моби I») и показала Ларе ее спинной плавник, который был точь-в-точь похож на зонтик с внутренней стороны. Малыш был таким славным, Лара даже чуть не расплакалась от умиления. Мы были на сто процентов уверены в том, что они нас узнали. Дельфины не всегда подплывают к преследователям китов, а вот к нам с Ларой подплыли уже в третий раз. Когда смотришь на дельфинов, кажется, будто они всегда улыбаются. Малыш Бролли, с тех пор как мы видели их в последний раз, подрос дюймов на шесть. Они тогда подплыли к нашей лодке так близко, что можно было погладить Бролли по носу, хотя она наверняка знала, что у нас нет рыбы. Я не удержалась и погладила. Хотя Йоши говорила, что мы не должны подманивать или приручать дельфинов подплывать слишком близко, чтобы они не подумали, будто все люди будут хорошо к ним относиться. Она рассказала мне, что в прошлом году кто-то убил дельфина недалеко от берега. Катался на водном мотоцикле и заколол дельфина ножом. Я так плакала и все представляла, как тот бедный дельфин подплыл к мотоциклу, представляла его милую улыбающуюся мордочку, он ведь, наверное, думал, что встретил нового друга. Я так сильно плакала, что Йоши пришлось сходить за мамой, чтобы она меня успокоила.

Дельфины были любимыми животными Летти. У нее на туалетном столике стояли четыре стеклянные разноцветные фигурки дельфинов — подарок на пять лет. Я их иногда переставляла по-своему, а Летти злилась, потому что это были ее фигурки. Мы часто ругались, она ведь была всего на четырнадцать месяцев младше меня, и мама говорила, что мы как горошинки в стручке. А сейчас, когда иногда вспоминаю, как мы ругались, мне становится так плохо, потому что, если бы я знала, что с ней случится, я бы старалась никогда с ней не ссориться. Я говорю, что старалась бы, потому что тяжело каждый день быть хорошей и милой. Даже мама меня иногда злит, но я всегда с ней милая, потому что знаю: она до сих пор грустит и, кроме меня, у нее никого не осталось. Я все еще храню те стеклянные фигурки дельфинов. Одна немного похожа на Бролли, я и зову ее Бролли. А самая маленькая фигурка у меня, как будто бы ее малыш, хотя она, конечно, не такая маленькая. Только теперь я храню их в коробке, потому что они очень мне дороги, а еще потому, что, если их вытащить, все возвращается.

Как-то Лара очень бережно их разглядывала и спросила:

— Ты часто думаешь о своей сестре?

Я была под кроватью, выискивала в журнале фотографии, которые хотела ей показать, и поэтому, думаю, она не видела, как я кивнула.

— Вообще-то, я о ней стараюсь не говорить, потому что мама тогда сильно расстраивается, — ответила я, осторожно, чтобы не стукнуться головой, выползая из-под кровати. — Но я по ней скучаю.

Больше я не смогла ей ничего сказать, мне все еще тяжело говорить о сестре.

— А я ненавижу свою сестру, — сказала Лара. — Она злыдня. Я бы хотела быть единственным ребенком.

Я не могла объяснить все Ларе так, чтобы она поняла, но у меня всегда была сестра. Из-за того что Летти умерла, я не стала единственным ребенком, на самом деле от меня осталась только одна половинка.

В четверг мама уже третий раз за неделю попросила меня отнести Майку завтрак.

— А ты сама не можешь? — сказала я. — Я еще косы не заплела.

Я по-настоящему разозлилась, потому что как раз заплетала косички, а если в этом деле потеряешь ритм, косички в середине получатся рыхлыми. Тетя Кей сказала, что ее старые пальцы уже плохо гнутся, а маме всегда было все равно, какая у нее прическа, поэтому мне приходилось заплетать косички самой.

— Нет, — коротко ответила мама и оставила поднос для Майка у моей двери.

Вела она себя очень странно. Я не знала почему, может, потому, что он ей не нравился, но она больше не сидела по вечерам со всеми у дома. А если такое иногда случалось, она его игнорировала, хотя он выходил каждый вечер, как будто ждал ее там. Я сказала Ларе, что мама ведет себя как маленькая, как некоторые девчонки из нашего класса, которые притворяются, будто не видят тебя, даже если ты стоишь прямо перед ними.

В конце концов я спросила маму:

— Ты с ним поссорилась?

Мама, кажется, удивилась:

— Нет, а почему ты спрашиваешь?

— Потому что ты ведешь себя так, будто сердишься на него.

Мама начала крутить на пальце прядь волос.

— Я не сержусь на него, милая. Просто я считаю, что не нужно сближаться с гостями.

Позже я слышала, как она разговаривала с тетей Кей на кухне. Они думали, что я смотрю телевизор. Преследователи китов сидели возле дома, а мама к ним не пошла, хотя им тогда действительно надо было поговорить о ценах на билеты. Топливо снова подорожало, они всегда волновались из-за цен на топливо.

— Не понимаю, почему ты постоянно из-за всего так себя накручиваешь, — сказала тетя Кей.

— А кто говорит, что я себя накручиваю?

— Это от моей тарелки откололось?

Я услышала, как упала тарелка, и мама пробормотала:

— Извини.

— Лиза, милая, ты не можешь прятаться всю жизнь.

— Почему нет? Разве мы не счастливы? Нам же хорошо?

Тетя Кей на это ничего не ответила.

— Я не могу, понятно? Просто не могу.

— А с Грэгом можешь?

Грэгу Майк не нравится. Когда тетя Кэтлин с ним разговаривала, а Грэг думал, что их никто не слышит, он называл Майка «сукиным сыном».

— Я просто думаю, что для Ханны, с какой стороны ни посмотри, лучше, если я буду избегать эмоциональной зависимости от кого бы то ни было...

Мама сказала это напряженным голосом, четко и ясно, а потом вышла из кухни. А тетя только фыркнула.

Я посмотрела в словаре, что такое эмоциональная зависимость. Там было сказано, что это «романтические или сексуальные отношения, запутанные или сложные». Я показала страничку тете Кей, чтобы понять, что из двух, но она ткнула пальцем в оба определения и сказала, что все вместе.

В школе все говорили о поездке. Мне порой казалось, что ребятам говорить больше не о чем, хотя до поездки было еще несколько месяцев. Даже наша учительница иногда говорила, что, если мы не перестанем болтать и не начнем заниматься, вообще никто никуда не поедет.

Мы сидели на длинной скамейке во дворе, и Кэти Тейлор спросила меня, поеду ли я со всеми, а я ответила, что, может, и нет. Мне не хотелось ничего ей говорить, потому что она из тех, кто вечно все перевирает. И вот прямо перед всеми она спросила меня:

— Почему? Что, денег не хватает?

— Это не из-за денег, — ответила я и начала краснеть, потому что не могла назвать причину.

— Тогда из-за чего? Все из нашего класса поедут.

У Кэти, как всегда, возле ушей были розовые пятна, потому что ее мама слишком туго затягивала ей волосы. Лара считала, что из-за этого она такая вредная.

— Не все, — сказала Лара.

— Все, кроме отсталых.

— Я не поеду, потому что мы собираемся поехать в другое место, — сказала я, не подумав. — Мы поедем в путешествие.

Лара кивнула, как будто знала об этом уже тысячу лет.

— Обратно в Англию?

— Может быть. А может, в Северную территорию.

— Так ты даже не знаешь куда?

— Слушай, ее мама еще не решила, — сказала Лара таким голосом, чтобы стало понятно, что с ней лучше не связываться. — Не суй свой нос не в свои дела, Кэти. Не твое дело, куда они едут.

После этого мы пошли к Ларе, и она взяла меня под руку. Мама, как всегда по вторникам, заехала за мной после чая.

Лара всегда говорит, что это смешно, что я больше люблю бывать у нее, а она у меня.

Мне нравится, что у нее такая веселая и счастливая семья, даже когда они кричат друг на друга. Еще мне нравится, как папа Лары дразнит ее или щекочет ее голые пятки щетиной на подбородке и зовет котенком. Иногда я думаю о нем, когда Ланс называет меня малявкой, но это не одно и то же. Мы с Лансом никогда не обнимаемся, как Лара обнимается со своим папой. Когда папа Лары однажды схватил меня за ступни и пощекотал их подбородком, мне стало неловко, как будто все изображают, что я им нравлюсь, потому что у меня нет своего папы.

Лара говорила, что ей нравится у меня, потому что никто не заходит ко мне в комнату и не трогает мои вещи, а тетя Кей дает нам ключи от Музея китобоев и не смотрит, чем мы там занимаемся. Тетя Кей сказала, что знает, что мы ничего там не поломаем, потому что мы очень хорошие девочки. Сказала, что лучше нас не встречала. Я не рассказывала тете, что Лара как-то стащила у мамы сигареты и мы курили в углу за «Мауи II», пока нас не затошнило.

— Ханна, — сказала Лара, когда мы дошли до конца ее улицы, и голос у нее был такой добрый, будто она хотела показать мне, что мы настоящие подруги, — это правда из-за денег? Поэтому ты не можешь поехать в Новую Зеландию?

Я погрызла ноготь и ответила:

— Все сложнее.

— Ты моя лучшая подруга, — заверила Лара. — Я никому не расскажу.

— Знаю, — ответила я и крепче сжала ее руку.

Мне и правда хотелось поговорить с ней об этом, но я сама не знала всего. Я знала только то, что сказала мне мама. Она сказала, что мы никогда не сможем уехать из

Австралии и что я не должна об этом ни с кем говорить. И рассказывать, почему мы не можем уехать, тоже.

А на следующий день Кэти Тейлор снова начала меня доставать. Она сказала, что я не могу поехать, потому что наш отель развалился. А потом сказала, что это, скорее всего, тетя Кей убила детеныша кита, так же как убила акулу, потому что об акуле писали во всех газетах и все про это знают. Она сказала, что если бы у меня был папа, то, может, я бы и могла ездить со всеми. Потом спросила, как его звали. Она спросила, потому что знала, что я не скажу, и рассмеялась. Она так противно смеялась, пока Лара не подошла к ней и не толкнула. Кэти схватила Лару за руку и стала выворачивать ей назад пальцы. Они по-настоящему дрались, пока во двор не вышла миссис Шерборн и не разняла их.

— Эта Кэти — глупая сука, — сказала Лара, когда мы пошли в раздевалку, и сплюнула на пол попавший в рот волос Кэти. — Не обращай на нее внимания.

Но дело в том, что я почему-то не злилась на Кэти и на ее глупых друзей. Я вдруг разозлилась на маму, потому что хотела, чтобы мне было можно делать все, что можно делать другим. У меня были хорошие оценки, я никогда не говорила того, что не должна говорить. И даже когда очень хотелось, старалась не говорить о Летти, потому что мне нельзя было делать больно другим. Если я, по словам тети Кей, могу получить деньги на поездку в Новую Зеландию и все из класса едут (даже Дэвид Добс, который до сих пор писает в постель, а его мама берет вещи в магазине в долг), так почему я не еду? Почему это мне всегда приходится отказываться?

Если не считать, откуда мы приехали, я одна в классе никогда не бывала дальше Синих гор.

Когда я вернулась домой, я все еще злилась. Мама заехала за мной, и я в машине чуть не начала разговор, но она была так погружена в свои мысли, что совсем не замечала, как я притихла. А потом я вспомнила, что от нас еще не съехала эта жуткая семейка с двумя мальчишками, которые смотрели на меня как на дурочку какую-нибудь. И это меня еще больше разозлило.

— Тебе задали что-нибудь на дом? — спросила мама, когда мы остановились возле отеля.

Милли на заднем сиденье жевала рукоятку фонарика, я всю дорогу об этом знала, но ничего не сделала.

— Нет, — ответила я и выбралась из машины, пока она не успела проверить.

Я знала, что она смотрит на меня, но слова Кэти еще звучали у меня в ушах, и мне хотелось побыть одной в своей комнате.

Поднявшись по лестнице, я заметила, что дверь в комнату Майка открыта. Он разговаривал по телефону. Я подумала, что, может, стоит подождать, пока он закончит, и остановилась на секунду.

Думаю, Майк почувствовал, что я стою у дверей, потому что резко обернулся.

— С94. Да, именно так. И он сказал, что это улучшит наши шансы на сто процентов. — Майк взглянул на меня. — Хорошо, Деннис, не могу сейчас говорить. Я тебе перезвоню. — Он положил трубку и широко улыбнулся. — Привет. Как дела?

— Ужасно. — Я бросила сумку на пол. — Всех ненавижу.

Сама удивилась, что сказала такое. Обычно я так не разговариваю. Зато мне стало лучше.

Майк не пытался меня воспитывать, не стал говорить, что на самом деле я ничего такого не чувствую, как это обычно делает тетя, как будто я не могу знать, что чувствую. Он просто кивнул в знак согласия:

— У меня тоже бывают такие дни.

— Сегодня?

Майк нахмурился:

— Что — сегодня?

— Один из таких дней? Ужасный. Ужасный день.

Майк задумался на минуту, а потом покачал головой. Я подумала, что, когда он улыбается, он почти такой же красивый, как Грэг.

— Нет, — сказал Майк. — Сейчас у меня почти все дни очень хорошие. Заходи. — И он жестом пригласил меня сесть. — Может быть, вот это тебя порадует? Я поставил перед собой задачу — перепробовать все сорта австралийского печенья.

Майк выдвинул ящик стола, и я увидела все свои самые любимые: «Айсид Во-Вос», «Анзак», шоколадные «Тим Тэмс» и «Минт Слайсес».

— Ты так растолстеешь, — предупредила я.

— Не растолстею. Я бегаю почти каждое утро, — сказал Майк, — у меня хороший метаболизм. И вообще, люди слишком уж много об этом волнуются.

Майк сделал себе чай и сел в кожаное кресло, а я села за стол, так как он разрешил мне попользоваться его компьютером. Майк показал мне программу, с помощью которой можно изменять фотографии. Мы с ним для смеха достали фотографии тети Кей и акулы и приделали акуле широченную улыбку, а потом на другой я приделала тете усы и большущие ноги. Тетя держала в руках плакат, и я написала на нем: «Зубная паста „Леди Акула“ сделает вашу улыбку неотразимой».

Как раз когда я заканчивала надпись на плакате, я почувствовала, что Майк на меня смотрит. Понимаете, так бывает: если очень пристально на кого-то смотреть, можно заставить человека оглянуться. Я затылком почувствовала, что он на меня смотрит, быстро обернулась, и так оно и оказалось.

— У тебя был брат или сестра? — тут же спросил Майк. — Я имею в виду того, кто умер.

Это было так неожиданно, я чуть не подавилась шоколадным «Тим Тэмом». Никто из взрослых не говорил о Летти. Не так прямо, как Майк. Если случалось, что я произносила вслух ее имя, тетя Кей делала такое лицо, как будто ей больно слышать, а мама становилась очень грустной, и мне это тоже не нравилось.

— Сестра, — помолчав немного, ответила я. — Ее звали Летти.

Майк не сделал такое лицо, как будто он в шоке, и не посмотрел на меня так, будто я не должна об этом говорить, и поэтому я продолжила:

— Она погибла в автокатастрофе, когда ей было пять лет.

— Это действительно тяжело. Мне жаль.

И тут я вдруг захотела плакать. Никто никогда мне не сочувствовал. Никто никогда не думал о том, каково мне было потерять сестру, никто не сказал, что это могло быть тяжело для меня. Никто не спрашивал, скучаю ли я по ней или, может, виню себя в том, что случилось. Все думали, что, раз я маленькая, мои переживания не имеют значения.

Я слышала, как взрослые говорили: «Маленькие быстро выздоравливают. Она оправится». Или: «Слава богу, она почти ничего не помнит». А еще: «Что может быть страшнее, чем потерять ребенка».

Но они никогда не говорили: «Бедная Ханна, она потеряла самого любимого человека во всем мире».

Они никогда не говорили: «Хорошо, Ханна, давай вспомним Летти. Давай поговорим о том, как ты по ней скучаешь и как тебе грустно без нее».

Но я не чувствовала, что могу сказать об этом Майку, это было спрятано очень глубоко во мне, там, где я давно научилась хранить все самое дорогое. Поэтому, когда слезы навернулись на глаза, я притворилась, будто расстроилась из-за школьной поездки, и рассказала ему о том, как меня дразнит Кэти Тейлор, о деньгах и о том, что я одна в классе не еду в Новую Зеландию. Очень быстро это сработало, и так хорошо, что я смогла не думать о Летти. Я думала о школьной поездке и о том, как мне будет плохо, когда все уедут в Новую Зеландию, а я останусь, и заплакала.

Майк дал мне свой носовой платок и, пока я вытирала слезы, сделал вид, будто его заинтересовало что-то за окном. Он сидел тихо, пока я не перестала шмыгать носом, а потом наклонился ко мне, посмотрел в глаза и сказал:

— Хорошо, Ханна Маккалин, у меня к тебе деловое предложение.

Майк Дормер попросил меня сделать фотографии залива. Он купил три разовых фотоаппарата и сказал, что будет платить один доллар за каждый стоящий снимок. Когда он вернется домой, его друзья захотят узнать о том, где он провел отпуск, а он не очень хороший фотограф. В общем, я должна была сделать фотографии залива, чтобы он показал их друзьям. Еще Майк попросил меня написать для него обо всем, что я считаю хорошим в школе и в Сильвер-Бей, а потом о том, как можно все улучшить.

— Типа о том, что наш автобус сломался и еще нет нового? Или что у нас до сих пор передвижная библиотека?

— Точно. — Майк дал мне блокнот для записей. — Не о тех, кто тебе нравится в школе или не нравится, как эта глупая девочка, которая тебя дразнит. Это проект, серьезная исследовательская работа.

Майк сказал, что будет платить мне достойную зарплату.

— Но мне нужна профессиональная работа, не какая-то халтура. Как думаешь, справишься?

Я кивнула, у меня голова пошла кругом при мысли о том, что я смогу заработать. Майк сказал, что если я постараюсь, то вполне смогу позволить себе поездку в Новую Зеландию.

— А ты еще долго здесь пробудешь? — спросила я.

Я пыталась вычислить, сколько у меня времени на то, чтобы заработать деньги, и еще на то, чтобы мама согласилась отпустить меня в поездку. Майк ответил, что дата его отъезда — фактор жизненной неопределенности. Я чуть не спросила его, что это значит, но мне не хотелось, чтобы он посчитал меня глупой, и я кивнула, как всегда кивала, когда Йоши говорила о всяких непонятных вещах.

Потом я показала тете Кей фотографии, которые мы с Майком переделали, те, где она с акулой. Тетя закатила глаза и сказала, что Господь никогда не позволит ей забыть об этом.

Может показаться странным, но в тот вечер я почувствовала себя счастливой. Я знаю, что если бы сразу пошла к себе в комнату, то весь вечер мне было бы грустно, а так мы отлично провели время, почти как на вечеринке.

Постояльцы куда-то ушли на весь вечер и взяли с собой своих конопатых мальчишек, которые разглядывали меня каждый раз, когда я проходила по холлу. Ланс выиграл на скачках — он называл это «лошадки» — и купил каждому по пицце, получилась целая гора коробок. Он сказал тете Кэтлин, что сегодня она может хоть раз посидеть, задрав ноги. Еще он сказал, что Майк хотя он и гость, но уже стал предметом мебели из красного дерева, так что она может вокруг него не суетиться. Майк улыбнулся, как всегда улыбался, когда хотел, чтобы это никто не заметил, но я видела, что ему понравилось быть частью обстановки. А потом он позволил мне съесть всю салями с его пиццы, потому что это мой любимый сорт колбасы.

К нам присоединились Ричард и Том с другого «Моби». Они рассказали, что днем видели у Брейк-Ноус-Айленда стаю из пяти китов. У них на борту был турист из Америки, он был так счастлив, что дал каждому по пятьдесят долларов чаевых. А потом заехал мистер Гейнс, он привез тете Кэтлин две бутылки вина. Тетя сказала, что вино слишком хорошее для таких, как мы, но все равно открыла обе бутылки. Они с мистером Гейнсом начали вспоминать «старые времена», они всегда, когда встречались, любили предаваться воспоминаниям.

Грэг не пришел. Говорили, что он уже четыре дня не выходит в море. Тетя Кей сказала, что разрыв отношений не для всех проходит легко. Я спросила, где он, и тетя ответила, что, возможно, на дне бутылки. Когда она в первый раз сказала мне такое, я подумала, что это очень смешно, потому что во всей Австралии не сыщешь бутылку, в которую мог бы поместиться взрослый мужчина, тем более такой высокий, как Грэг.

Вечер был холодный, мы включили все горелки и сидели, прижавшись друг к другу, на лавке. Ланс и Йоши поместились вместе в большом кресле, а тетя Кэтлин и мистер Гейнс расположились в плетеных креслах с подушками, потому что тетя сказала, что они в их возрасте заслужили немного комфорта. Мама сидела рядом со мной. Я допила свой напиток и рассказала о деловом предложении Майка. У мамы стало такое лицо, какое бывает, когда она собирается мне что-то запретить, а у меня пересохло во рту так, что я не могла проглотить кусок пиццы.

— За деньги? Ты собираешься платить ей за фотографии?

Майк отпил глоток вина.

— А ты считаешь, что мне следует давать ей деньги просто так?

— Ты ничем не лучше Грэга, — сказала мама.

— Я вообще не такой, как Грэг. И ты это знаешь.

— Не надо использовать мою дочь, Майк, — шепотом сказала мама, как будто так я не могла ее услышать. — Не пытайся через нее сблизиться со мной, потому что у тебя ничего не выйдет.

Но Майк даже глазом не моргнул.

— Я делаю это не из-за тебя. Я делаю это, потому что Ханна необыкновенная, милая девочка и мне нужен помощник. Если бы я не попросил ее, я был бы вынужден обратиться к кому-то другому, и честно скажу, я предпочитаю работать с Ханной.

Я старалась не думать о том, что я необыкновенная и милая. Мне казалось, что я начинаю влюбляться в Майка.

Майк откусил большой кусок пиццы.

— В любом случае, — продолжил он с набитым ртом, — ты очень самонадеянна. Кто сказал, что я хочу с тобой сблизиться?

Мама ничего не ответила, только пристально посмотрела на Майка. А потом я увидела, как у нее дрогнули губы, она как будто не хотела улыбаться, но не могла сдержаться. Я расслабилась, потому что, если бы мама собиралась мне запретить работать на Майка, она бы сделала это прямо тогда, за столом.

Мама смотрела на свои руки, как будто что-то обдумывала.

— Для чего тебе эти фотографии? — спросила она.

Майк облизал пальцы.

— Этого я не могу тебе сказать. Торговая привилегия, — ответил он и обратился ко мне: — Ханна, ни слова.

Но он тоже улыбался.

— Ханна хорошо фотографирует, — сказала мама.

— Так и должно быть. Я ведь плачу ей выше рыночной цены.

— И сколько же ты ей платишь?

— Это тоже конфиденциальная информация, — сказал Майк и подмигнул мне. — Если ты намекаешь на то, что хочешь сбить цену и собираешься выступить в роли конкурентки собственной дочери, я буду рад выслушать твое предложение.

Я не понимала, о чем они говорят, но им вроде было весело, так что я перестала волноваться и стала думать о том, как отпить у Майка немного пива, так чтобы мама не заметила.

— И сколько ты здесь пробудешь? — спросила мама.

Он как раз собирался ответить, но тут мы увидели на прибрежной дороге свет фар приближающейся машины. Мы все замолчали и пытались разглядеть, кто это мог быть. У Грэга были противотуманные фары, так что это был не он.

— Это, наверное, букмекер, — сказал мистер Гейнс, наклонившись к Лансу. — Едет сообщить, что твоя последняя лошадка только что добралась до финиша.

А Ланс с набитым ртом в ответ, как будто приветствуя мистера Гейнса, поднял бутылку пива.

Но это оказалось такси. Когда такси остановилось у поворота к гостинице, тетя Кэтлин встала из-за стола и проворчала себе под нос:

— Нет покоя нечестивым.

— У меня не осталось продуктов, — сообщила она. — Надеюсь, они не захотят поужинать.

— Ну и? — сказала мама, повернувшись к Майку. — Ты не ответил на мой вопрос.

Я навострила уши, потому что тоже хотела знать ответ, но меня отвлекла тетя Кэтлин, которая возвращалась обратно с чьим-то чемоданом на колесиках. Следом за ней шла девушка с очень прямыми светлыми волосами. Она была одета как на вечеринку: мягкий розовый кардиган и туфли на высоком каблуке с блестками. Когда она вышла на освещенное место, ее туфли начали сверкать.

Тетя Кэтлин подошла к Майку и поставила перед ним чемодан. Она как будто удивленно подняла брови и сказала:

— Кое-кто приехал тебя повидать.

— Папа дал мне отгулы, — сказала девушка.

Майк, который сидел позади меня, встал, и я услышала, как он сделал резкий вдох.

— Вот, приехала тебе помочь. Подумала, почему бы не начать раньше наш медовый месяц?

11

Майк

Это было так странно. Ты представляешь себе встречу с любимой после долгой разлуки как кино в замедленной съемке: вы бежите навстречу друг другу, потом поцелуи, объятия и прикосновения, которые все длятся и длятся... Это как протокол проведения больших встреч, своего рода эмоциональный выплеск, подтверждение того, что вы значите друг для друга.

Но когда я увидел Ванессу, у меня возникло то самое ощущение из детства, когда ты в гостях у друзей, только разыгрался, и тут за тобой приезжает мама. Я почувствовал, что виноват из-за того, что, увидев ее, не испытал этих «протокольных» чувств, которые должен был испытать и на которые она имела право рассчитывать. Ванесса сразу это поняла. Как я уже говорил, она, моя девушка, была умная.

— Я думала, ты обрадуешься, — сказала Несса, когда мы позже лежали вместе в постели.

Еще одна странная вещь — мы не касались друг друга.

— Я рад, — сказал я. — Только... здесь было непросто. Я с головой погрузился в работу и намеренно отключился от мыслей о доме.

— У тебя точно получилось, — сухо заметила Несса.

В комнате было темно. Я закрыл глаза и сказал:

— Ты же знаешь, я не умею радоваться, когда что-то происходит внезапно. Сюрпризы не для меня.

Ванесса молчала, и это послужило для меня знаком, что хоть в этом она со мной согласна.

Честно сказать, это были самые неловкие двадцать минут за все время наших отношений.

Ванесса стояла там, перед преследователями китов, одетая как модель из модного журнала. Она переводила взгляд с одного на другого, постепенно осознавала всю степень своей ошибки, и улыбка исчезала с ее лица. Кэтлин пошла в дом, чтобы принести ей выпить. Ханна, она сидела рядом со мной, воспользовалась моментом, чтобы тайком отпить глоток пива из чужой бутылки. Мистер Гейнс устроил целое шоу: он подставил Ванессе кресло и старательно стряхивал невидимую пыль с подушек, я бы сказал, преувеличенно подобострастно, как будто таких гостей здесь никогда не видели. И все это время Ланс отпускал шуточки в мой адрес: мол, я темная лошадка. Он так долго давил на эту «педаль», что под конец я увидел, как Ванесса дрогнула. Она начала просчитывать, насколько для меня были важны наши отношения, пока я был в Австралии.

А Лиза сидела с другого бока от меня. Ее лицо превратилось в японскую маску, а глаза бесстрастно оценивали это неожиданное явление. Мне хотелось отвести ее в сторону и все объяснить, но это было нереально. Посидев за столом еще десять минут и вежливо, но холодно представившись, она пожала Ванессе руку, извинилась перед всеми и сказала, что ей и Ханне пора идти, потому что Ханне надо готовиться к школе.

Я ощущал ее присутствие в другом конце коридора как радиоактивное вещество.

А спустя несколько часов начал из-за этого испытывать что-то похожее на обиду и чувство вины. Появление Ванессы в моем номере все изменило. Я привык к аскетичной обстановке, а отсутствие обычных для дома атрибутов дарило мне легкость и ощущение свободы. И вот появилась Ванесса, с ее чемоданами одного цвета, бесконечными туфлями и шеренгами кремов и масел, даже само ее присутствие нарушало баланс вещей. Это напоминало мне о жизни в Лондоне, и я стал задаваться вопросом о том, был ли я там так счастлив.

Мне казалось низким даже думать об этом. Я повернулся на бок и положил руку на живот Ванессе, на ней было что-то из гладкого шелка.

— Послушай, — сказал я как можно убедительнее, — просто мне было не очень легко общаться с ними, и они не знают о наших планах. А твое появление все немного усложняет.

— Кажется, тебя зацепила... здешняя атмосфера, — заметила Несс.

Я лежал очень тихо и пытался осмыслить ее слова.

Потом она снова заговорила:

— Я думаю, это очень маленькое место и просто невозможно этого избежать. Я имею в виду знакомства с людьми.

— Это не... — я запнулся, — не среднестатистический отель в нашем понимании.

— Я догадалась.

— Это, скорее, семейный отель.

— Мне показалось, они очень милые люди.

— Так и есть. Это сильно отличается от того, к чему я привык... К чему мы привыкли.

Я был рад, что Ванесса не видит моего лица.

— Кажется, ты чувствуешь себя здесь как дома. — Ванесса пошевелилась, и кровать скрипнула. — Было действительно очень необычно увидеть тебя среди этих людей. В джинсах и рыбацкой куртке, или как там она называется. Я почувствовала себя чужой. Даже для тебя.

Ванесса села на край кровати. Получилось, что она сидела спиной ко мне. В темноте я видел только ее силуэт. Волосы у нее спутались, после того как она лежала на спине, и мне вдруг захотелось ее приласкать. Я не часто видел Ванессу со спутанными волосами.

— Без тебя было так непривычно, — сказала она.

Я снова откинулся на подушки.

— Если бы не этот несчастный случай с твоим отцом, я бы сюда не поехал.

— Прошло всего три с половиной недели, а кажется, несколько лет. — Я видел, что она склонила голову набок. — Я думала, ты будешь звонить чаще.

— Когда здесь ночь, там день. Ты же знаешь.

— Ты мог бы звонить мне в любое время суток.

Воздух стал сладким от ее духов, раньше он был соленым.

— Это бизнес, Несс. Ты знаешь, как это бывает. Ты знаешь, какой я.

— Знаю. Извини. Не понимаю, что со мной такое. Просто чувствую себя немного...

— Это все смена часовых поясов, — пояснил я.

Мне стало не по себе от ее слов. Ванесса всегда имела обо всем четкое представление. Это качество мне нравилось в ней больше всего.

— Я после приезда тоже странно себя чувствовал.

Думать о том, что я причина ее состояния, мне совсем не хотелось. Я никогда не ощущал себя ответственным за счастье Ванессы, и мне не нравилось думать, что она зависит от меня в большей степени, чем казалось раньше.

Я потянулся к Ванессе, чтобы уложить ее обратно. Мне показалось, что, если мы займемся любовью, это странное ощущение отчужденности исчезнет. Но Ванесса плавно уклонилась, встала с кровати и подошла к окну. Море волшебно мерцало, от огней стоящих вдалеке кораблей по черной воде к берегу бежали светящиеся дорожки, а темные холмы вокруг залива словно скрывали какие-то тайны.

— Здесь чудесно, — негромко произнесла Ванесса, — как ты и говорил.

— И ты чудесная.

Это было похоже на кадр из фильма: силуэт женщины в лунном свете, изгибы ее тела смутно прорисовываются сквозь тонкую ткань.

«Все хорошо, — сказал я себе. — Если я могу это к ней испытывать, значит все хорошо. Все остальное — случайные отклонения от нормы».

Ванесса повернулась. Я смотрел на ее профиль. «Эта женщина будет моей женой, — пообещал я себе. — Эту женщину я буду любить до конца своих дней». Несса посмотрела на меня, и у меня вдруг появилась надежда, что у нас все будет прекрасно.

— Итак, насколько мы близки к получению разрешения на планировочные работы? — спросила она.

Как я уже говорил Ванессе, с планом застройки были некоторые трудности. Накануне днем я несколько часов провел в городском отделе планирования, заполнил множество форм, которые нужно было заполнить, и встретился с соответствующим количеством чиновников. За три прошедшие недели я добрался до мистера Рейли, который занимал высшую ступеньку на лестнице планирования. Он мне понравился: высокий, веснушчатый, по его лицу было видно, что он отлично разбирается во всех аспектах моего дела. Я начал издалека. Для начала прояснил, что мы, если он сочтет это необходимым, будем рады внести поправки в наш план. Я сознательно ему уступал, так как не хотел, чтобы он видел в нас иностранный капитал, который стремится эксплуатировать это место. Хотя, я полагаю, так оно и было.

В какой-то степени мой подход сработал. После нескольких встреч Рейли сказал, что ему нравится дизайн проекта, нравится увеличение количества рабочих мест. Рейли также понравились прямые выгоды для местных магазинов и торговцев, а я на примерах других австралийских курортов подчеркнул положительное влияние подобных проектов на местную экономику. Архитектурное решение гармонировало с окружающей средой. Материалы будут использоваться местные. Туристический офис проект одобрил. Я начал работать над сайтом проекта, чтобы местные жители могли детально с ним ознакомиться, задать интересующие их вопросы и при желании подумать о перспективе новой работы. На это Рейли приподнял одну бровь, как бы давая понять, что я забегаю вперед.

А не нравилось Рейли то, чего я и боялся, — возможное воздействие проекта на окружающую среду. И дело было не только в шуме и разрушениях почвы, к которым приводят строительные работы, тем более в непосредственной близости от национальных парков. Люди в Сильвер-Бей очень серьезно относились к защите залива.

Рейли рассказал мне, что предыдущая попытка открыть в соседнем заливе жемчужную ферму была встречена такими протестами, что проект пришлось закрыть.

— Разница между нашими проектами в том, что мы предлагаем местной общине более существенные преимущества, — ответил я.

Мистер Рейли был не дурак.

— Да, но до определенной степени, — сказал он. — Мы уже сталкивались с подобными вещами, так что не говорите мне, что вы собираетесь инвестировать полученные прибыли в развитие Сильвер-Бей. Проект поддерживают венчурные капиталисты... британские венчурные капиталисты. Они же захотят пощупать прибыль, верно? Вы окажетесь в руках акционеров, а эти ребята не из социальных служб.

Я показал на свои бумаги.

— Мистер Рейли, вы не хуже меня знаете, что прогресс не остановить. Это лучший район австралийского побережья, идеальное место для семейного отдыха, для семейного отдыха австралийцев. Все, что мы хотим сделать, — это создать для их отдыха максимальные удобства.

Рейли вздохнул и сложил ладони домиком, а потом указал на документ:

— Майк... Я могу называть вас Майк? Вы должны понять, что за последние два года здесь все очень изменилось. Да, предлагаемый вами проект по многим пунктам может рассматриваться как приемлемый, но теперь мы вынуждены считаться и с другими факторами. Например: как вы собираетесь минимизировать воздействие на окружающую среду? Вы так и не дали мне убедительного ответа на этот вопрос. Мы здесь все отчетливее понимаем, какую роль это место играет для популяции китов и дельфинов. Люди не хотят соглашаться на то, что может им навредить. Если смотреть на это только с экономической точки зрения, киты и дельфины сами являются местной достопримечательностью.

— Мы не жемчужная фабрика. Мы не займем большой кусок побережья, — возразил я.

— И все же часть побережья вы сделаете непригодной.

— Но место останется туристическим, ничего масштабного или сомнительного.

— В том-то и дело. Такие туристы нам не нужны, во всяком случае не в Сильвер-Бей. Они могут плавать, выходить в море на динги, но водные велосипеды, мотоциклы и лыжи — все это производит больше шума и захватывает большую площадь залива.

— Мистер Рейли, вы, как и я, знаете, что застройка подобного места — дело времени. Если не мы, этим займется какая-нибудь другая корпорация.

Рейли положил ручку на стол и посмотрел на меня, в его взгляде читалась воинственность и симпатия одновременно.

— Послушай, парень, мы все здесь только за развитие, за все, что пойдет на пользу местному сообществу. Мы понимаем, что нам необходимы новые рабочие места и модернизация инфраструктуры. Но морская фауна и дикая природа для нас стоят не на втором месте. Мы не Европа, где сначала строят, а потом начинают беспокоиться по поводу экологии. Для нас это вещи нераздельные, и пока вы не решите вопрос сохранности окружающей среды, наш город вас не примет.

— Отлично, мистер Рейли, — сказал я и сложил свои бумаги в стопку. — Очень похвально. Я бы безоговорочно принял ваши аргументы, если бы на этой неделе не стал свидетелем того, как туристы с диско-лодки чуть не до полусмерти запугали двух китов. И эту часть залива никто и не думал патрулировать. Вы правы, когда говорите, что предлагаемый мной проект может нанести вред, но китам уже грозит реальная угроза, и она серьезнее любого аспекта нашего предложения. И насколько я понимаю, никто не предпринимает попыток помешать этому. Мы предлагаем ограниченную застройку. Мы за сотрудничество и будем делать все от нас зависящее, чтобы у вас не возникли проблемы с экологией. Мы готовы консультироваться с экспертами в этой области и, если понадобится, готовы на лицензирование. Но не надо мне говорить, что ваш район — образцовый в смысле отношения к окружающей среде, потому что я видел выбросившегося на берег кита и видел то, что его к этому подтолкнуло. Я выходил в море наблюдать за китами, и мне неприятно говорить, но это и есть вторжение в залив.

— Вы не можете утверждать это наверняка.

— А вы не можете утверждать наверняка, что несколько туристов на водных лыжах помешают миграции китов, которая проходит здесь веками. Здесь должна быть какая-то логика.

— Я рассмотрю этот вопрос с коллегами, — сказал Рейли. — Но вы только не удивляйтесь, если дело дойдет до открытого разбирательства. Уже пошли слухи по поводу ваших планов, и некоторые проявляют беспокойство.

Я приехал в гостиницу в плохом настроении и позвонил Деннису. Прикинув, что из-за разницы во времени он уже давно спит, я даже испытал нечто похожее на злорадство. Кратко обрисовав встречу с Рейли, я был разочарован, потому что Деннис без особых усилий перескочил из глубокого сна в активное состояние. Можно было подумать, что он и во сне работает над проектом.

— Это не просто, Деннис. Я не стану притворяться, будто это не так. Но у меня есть альтернативное предложение. Что, если... если мы закроем тему водного спорта и сделаем акцент на спа? Это реально, сделаем курорт в стиле «Вог». Для селебрити.

— Но водный спорт — уникальное торговое предложение, — зло пролаял Деннис. — Именно это вызвало интерес венчурных капиталистов — спорт и поддержание физического здоровья. Имеется в виду все, что касается тела, цель — и мужчины и женщины. Лакшери-досуг[1]. Опять чертовщина по поводу китов? Что они говорят?

— Они ничего не говорят. Они пока не в курсе.

— Дьявол, так в чем тогда твоя проблема?

— Я хочу, чтобы это работало на всех уровнях.

— Не говори ерунду.

— Деннис, нам будет легче работать с плановиками, если мы устраним угрозу окружающей среде.

— Нам будет гораздо легче работать с плановиками, если ты будешь грамотно выполнять свою работу и сделаешь упор на то, какие фантастические перспективы открывает наш проект для депрессивного района. Дави на то, какие деньги он им принесет.

— Дело не в деньгах...

— Дело всегда в деньгах.

— Хорошо. Просто когда оказываешься здесь, начинаешь понимать, насколько это... — Я провел рукой по волосам. — Насколько важны киты.

Деннис выдержал паузу и повторил:

— Насколько-важны-киты.

1 *Лакшери-досуг* — сегмент рынка товаров роскоши и услуг класса люкс.

Я сделал глубокий вдох.

— Майк, я совсем не это ожидал от тебя услышать. Я не для этого тебя продвигал. Моя задница застряла в Англии, я жду новости о проекте постройки лакшери-отеля на сто тридцать миллионов фунтов, а ты в Австралии уже три недели и все еще не получил разрешения, на планировочные работы. Слушай внимательно: нам надо получить это разрешение, и как можно быстрее. Мы должны начать строительство в ближайшие месяцы. Так что поговори со своими дружками — любителями китов и спой китовую песенку. Подбрось этому Рейли деньжат или достань его фото с литовской стриптизершей на коленях. Делай что хочешь, но через сорок восемь часов мне нужен от тебя конкретный план, который я смогу в понедельник представить ребятам из «Вэлланса». Понял? Иначе киты будут твоей последней проблемой.

Деннис судорожно втянул в себя воздух. Я был рад, что нас разделяют тысячи миль.

— Слушай, ты хотел стать партнером, докажи, что тебе это по плечу. Иначе, хоть я и люблю тебя как сына, на твоей заднице появится отпечаток моего башмака, образно говоря. И на всех твоих перспективах тоже. Ты понял меня?

Да, яснее он выразиться и не мог. Я сел в кресло, закрыл глаза и подумал обо всем, над чем работал последние годы, и о том, чего ждал от будущего. Потом вспомнил, о чем мне рассказала Ханна: о школьном автобусе и передвижной библиотеке.

— Хорошо, — сказал я. — Есть единственный реальный способ решить эту проблему. Помнишь, я упоминал о том, что называется С94.

Мистер Рейли объяснил мне, как это работает. За каждый туристический проект в районе Сильвер-Бей городской совет ожидает получить от девелоперов взнос в пятьдесят процентов на развитие местных служб: дороги, автостоянки, места отдыха и развлечений, пожаротушение, экстренные службы и тому подобное. Я с этим уже сталкивался при работе над другими проектами. Всегда есть пункт, как в случае с Сильвер-Бей, который допускает отказ от проекта, если он не предусматривает достойную выгоду для местного сообщества. Я использовал это в своих исследованиях. Деннис тоже это знал, но намекал на то, что дело можно подмазать, и компании получали выгодные контракты на строительство. «Есть много способов для достижения своей цели», — любил говорить он, похлопывая в ладоши. И еще: «Каждый имеет свою цену».

Документ городского совета был образцом тщательного подхода к делу, в нем учитывались не только демографические прогнозы для данного района, но и стоимость всех условий для благоприятного курортного отдыха. Я все просеял, просчитал и постарался выделить моменты, которые будут иметь наилучшее влияние на общественность.

«Продолжающийся рост туристического бизнеса, который охватывает не только территорию города, но и прибрежные территории, приведет к росту требований комфортного проживания... Уровень требований варьируется в зависимости от категории курорта и времени пребывания. Но существует еще рост требований от местного населения...»

Я выпрямился в кресле и задумался. Изучая документ С94, я понял, что можно все повернуть в свою пользу: если компания предложит сверх требуемого взноса, например новую библиотеку для школы Сильвер-Бей, или новый школьный автобус, или реконструкцию Музея китобоев.

Во время нашей встречи мистер Рейли сидел с таким лицом, как будто уже слышал все это раньше. Вероятно, за годы работы в совете он выслушал много предложений, много одобрил и не меньше отклонил. Но «Бикер холдингс», в отличие от большинства других компаний, не пытается отделаться минимальным взносом при строительстве курорта. Наоборот, мы собирались стать образцово-ответственным застройщиком. В «Бикер холдингс» подходят к делу творчески, мы предложили сверх того, что требовалось, это было щедро с нашей стороны, и мы могли использовать этот подход в наших следующих проектах. Должен сказать, что расчеты местного самоуправления не самое захватывающее чтиво, но в тот день до прихода Ханны я увлекся им настолько, насколько это вообще было возможно.

Ванесса проспала до одиннадцати утра следующего дня. Когда рассвело, я лежал рядом с ней, рассматривал ее лицо, смотрел, как она шевелится под простыней. В итоге в голове у меня все так запуталось, что я решил потихоньку вылезти из постели. Ближе к восьми я крадучись спустился вниз и вышел на пробежку — пять миль туда и обратно по прибрежной дороге. Я наслаждался холодным сырым воздухом, тишиной и одиночеством, которые только пробежка и может подарить.

Я бегал дольше и выкладывался больше, чем обычно, даже скинул куртку, но не чувствовал усталости. Мне была необходима серьезная физическая нагрузка и время подумать. Пока я бежал по грунтовой дорожке, которая отделяла главную дорогу от пляжа, я рисовал в своем воображении новый отель и дешевое жилье для персонала. Я обнаружил, что в Австралии такие же проблемы с доступным жильем, как и в Англии. Я думал о том, что, возможно, мы откроем магазины и кафе, связанные с тематикой водного спорта. А если прибыль будет существенной, сможем даже построить медицинский центр. На обратном пути я старался не смотреть на отель. Именно он, если застройка пойдет успешно, в лучшем случае придет в упадок, а в худшем — просто перестанет существовать.

Дважды мне попадались люди, которых я уже узнавал в лицо, — хозяева, выгуливающие своих собак, а рыбаки махали мне рукой, я отвечал им и думал о том, как они отнесутся к моему плану. Для них я не был чужаком из Англии, рыбой, выброшенной на берег, возможным женихом или человеком, который уводит чужих женщин. Позже, просматривая список запланированных звонков — Деннису, в финансовый департамент и мистеру Рейли о новой встрече, — я снова вспомнил об этих людях, которые приветственно махали мне рукой, и подумал: кому же, черт возьми, они махали?

Во время этой пробежки я сделал открытие. Несколько месяцев я был одержим этим проектом и думал только о том, как его исполнение скажется на моей карьере. Теперь передо мной встал вопрос его стоимости, во всех смыслах. И я понял, что деньги и амбиции отошли на второй план, передо мной стояла более сложная задача — найти компромисс. Я хотел, чтобы Кэтлин и Лиза в результате были бы так же счастливы, как венчурные капиталисты с каменными глазами. Хотел, чтобы проект не повлиял на жизнь китов и дельфинов. Ну или, по крайней мере, чтобы они могли жить, как любые другие животные, живущие в непосредственной близости от человека. Я еще не решил эту задачу, но у меня были идеи о заповедных зонах и мемориальных музеях, и я чувствовал, что могу за что-то ухватиться.

В отель я вернулся в половине девятого. Мокрый от пота, уставший до отупения, я лишь надеялся, что смогу позавтракать в одиночестве. Стыдно признаться, но я подгадал возвращение ко времени, когда Лиза повезет Ханну в школу, так у меня было больше шансов вернуться в пустой дом.

Не вышло. В кухне за столом сидела Кэтлин, седые волосы она собрала в хвост, а ее темно-синий свитер служил сигналом о наступлении зимы. Кэтлин уже давно позавтракала. Она приготовила для меня хлопья и кофе. Рядом демонстративно поставила второй прибор. Когда я садился за стол, она, не опуская газету, сухо заметила:

— Держал рот на замке.

Не мог же я ей сказать, что просто забыл?

12

Грэг

Шрам на лице Лизы Маккалин не заметишь, если не подойдешь к ней вплотную или если не уберешь волосы за ухо и не проведешь рукой по ее щеке. Шрам уже побледнел — я прикинул, что ему несколько лет, — жемчужно-белый, он был дюйма полтора в длину и неровный, как будто она, после того как поранилась, не занималась лечением всерьез. Полдня она ходила в бейсболке, так что эта часть ее лица оставалась в тени. А когда снимала бейсболку, ветер высвобождал пряди волос, и они прикрывали шрам. Если она смеялась, у нее в уголках глаз появлялись морщинки, которые дарят море и солнце, так что шрам тоже трудно было разглядеть.

Но я его видел. И даже без этого шрама вы бы легко могли догадаться, что с Лизой было что-то не так.

Когда я увидел ее в первый раз, она была похожа на привидение. Вы можете подумать, что я немного того, но, клянусь, мне казалось, что она почти прозрачная. Она была как туман над водой, будто хотела раствориться в воздухе.

— Это моя племянница, — представила ее Кэтлин как-то днем, когда мы все ждали наше пиво.

Как будто этого было достаточно, чтобы сообщить о приезде человека, о существовании которого большинство из нас и слыхом не слыхивали.

— А это ее дочь Ханна. Они из Англии. Будут жить здесь.

Я сказал «день добрый», пара преследователей китов эхом повторили за мной. А Лиза, не глядя никому в глаза, кивнула, типа «привет». Перелет ее, конечно, вымотал. За пару дней до этого я видел, как малышка висла на руке Кэтлин, но подумал, что она из постояльцев. Признаюсь, я сильно удивился, узнав, что девочка — родственница Кэтлин, а когда узнал, что в отеле все это время жил кто-то еще, удивился еще больше. Я ее заценил по-быстрому (блондинка, длинноногая, в общем, мой тип), но тогда она не показалась мне особенно привлекательной. Бледная, под глазами темные круги, а распущенные волосы наполовину прикрывали лицо. В общем, понимаете, она не вызвала у меня интерес, мне тогда было скорее любопытно.

Но с Ханной все было по-другому. Ханну я полюбил сразу, как только увидел, и я уверен, что тоже ей понравился. Она стояла, спрятавшись за Кэтлин, у нее были огромные карие глаза, а зрачки широкие, как у опоссума, и казалось, что, если на нее вдруг кто-то прикрикнет, она сразу упадет на землю и помрет от страха. В общем, я присел перед ней — она тогда была совсем маленькой — и сказал:

— Привет, Ханна. Твоя тетя уже рассказала тебе, кого у нас тут можно увидеть, если выйдешь из отеля?

Кэтлин глянула на меня, будто я собирался сказать «бугимена»[1], но я не стал обращать на нее внимания и продолжил:

1 *Бугимен* (*англ.* Bogeyman) — персонаж устрашения в сказках и притчах.

— Дельфинов. В море, вон там, в заливе. Они самые умные, самые игривые существа на свете. Если будешь долго смотреть в свое окошко, могу поспорить — ты их увидишь. А еще знаешь что? Они такие сообразительные, что могут даже высунуть нос из воды и заметить тебя в окошке.

— Да, у нас в заливе их много, — подтвердила Кэтлин.

— Ты когда-нибудь видела дельфина вблизи?

Малышка отрицательно потрясла головой. Но я все-таки сумел ее заинтересовать.

— Они очень красивые. Когда мы выходим в море на лодках, они с нами играют. Прыгают вокруг, заныривают под лодку. Они такие же умные, как ты или я. И очень любопытные — приплывают посмотреть, что мы делаем. У нас в заливе их стаи живут уже лет тридцать-сорок. Правильно, Кэтлин?

Старая леди молча кивнула в ответ.

— Если хочешь, могу взять тебя с собой в море, и ты их увидишь, — предложил я.

— Нет, — сказал кто-то.

Я встал. Это подала голос племянница Кэтлин.

— Нет, — повторила она и стиснула зубы. — Она не может выйти в море.

— Со мной безопасно, как дома, — сказал я. — Спроси у Кэтлин. Я уже лет пятнадцать показываю туристам дельфинов. Черт, я и «Моби» — мы самые старые операторы в этих краях, если не считать Кэтлин. А дети у нас всегда в спасательных жилетах. Скажи ей, Кэтлин.

Но Кэтлин тогда была сама на себя не похожа.

— Каждому нужно время, чтобы осмотреться и устроиться. Подождем немного, а потом придумаем для Ханны какое-нибудь интересное занятие. Торопиться некуда.

Наступила странная такая тишина. Лиза смотрела на меня, будто подначивала предложить еще какую-нибудь поездку. Можно было подумать, что я предложил маленькой девочке что-то ужасное. Кэтлин виновато улыбалась. Она словно извинялась за то, что ничего не может поделать, я еще никогда ее такой не видел.

Я парень простой, не из тех, кому нужны неприятности, поэтому в тот вечер я решил пораньше лечь спать со своей женушкой. Это, естественно, было до того, как она связалась с инструктором по аэробике.

— Рад был с тобой познакомиться, Ханна. Поглядывай в окошко — и увидишь дельфинов, — попрощался я с малышкой и прикоснулся пальцами к козырьку капитанской фуражки.

Малышка мне улыбнулась, и эта робкая улыбка осветила все вокруг. Лиза Маккалин за это время, кажется, успела забыть о моем существовании.

— Эй, Грэгги, видел это?

Я сидел в гриль-баре Макивера в пяти минутах ходьбы от Китовой пристани и пытался поправить больную голову куском пирога с кофе. Я прикинул, что это может быть чем-то средним между завтраком, который я пропустил, и ланчем, который я почти никогда не ел. Идти домой не имело смысла. Я ушел из бара после закрытия с Дэл, владельцем, это было в третьем часу ночи, и, как только смог вылезти из душа, вернулся обратно «по своим следам».

В баре было тихо, солнце еще отбрасывало длинные тени на залив, колючий зимний ветер отгонял остатки туристов от берега. Так вот, Дэл подошел к моему столику, сел и положил газету.

— Что видел? — переспросил я, потому что мне было трудно сфокусировать зрение на газете.

— Первая полоса. Об этой старой доброй застройке Сильвер-Бей.

— О чем ты говоришь?

Я подвинул к себе газету, прищурился и бегло просмотрел статью на первой полосе. Заголовок: «Самый сильный толчок к развитию туризма в нашем городе». В статье говорилось о том, что в заливе, начиная от отеля Кэтлин, была одобрена застройка на миллионы долларов. Крупная международная корпорация, после серии беспрецедентных предложений по сохранению окружающей среды, получила разрешение на планировочные работы.

«Финансисты из „Вэлланс" выступили с предложением, в которое входит: строительство нового Музея китов, что будет способствовать пониманию значения морской фауны Порт-Стивенса среди туристов; развитие дружественных для китов видов водного спорта со всеми лицензиями, включая охрану китов; серия дополнительных взносов для местной школы в виде строительства новой библиотеки и покупки автобуса.

„Мы надеемся, что это только начало плодотворного партнерства с местным сообществом, — сказал Деннис Бикер из «Бикер холдингс». — Мы надеемся на развитие сотрудничества, которое послужит гарантией ответственного строительства на этой территории".

Мэр Сильвер-Бей сказал: „Мы подробно обсуждали правомерность и целесообразность данного проекта и после долгого процесса планирования с радостью приветствуем строительство нового гостиничного комплекса, который подарит нам новые рабочие места и развитие инфраструктуры. Но более всего нас радует ответственный и вдумчивый подход компании к нашему заливу"».

— И еще меня радует жирная взятка, которую я сунул в задний карман штанов, — кривляясь, добавил Дэл. — Кэтлин в курсе?

— Не знаю, приятель. Я... я не был у нее несколько дней.

— Понятно, — сказал Дэл. — Я думаю, уже знает.

Он перекинул кухонное полотенце через плечо и потопал обратно к грилю, где от бургеров к вытяжке взлетали искры.

— Дружественные к китам водные виды спорта? — сказал я. — Сэм Хилл и есть эти самые виды?

— Может, они собираются научить их синхронному плаванию? — Дэл ухмыльнулся. — Или на водных лыжах кататься?

В голове у меня немного прояснилось.

— Черт, да это же просто катастрофа, — сказал я, продолжая читать статью. — Они купят участок Буллена и кусок залива напротив.

Дэл молча переворачивал свои бургеры.

Я стал читать дальше.

— В следующем сезоне нам надо будет покупать разрешение на выход в море. Глазам своим не верю.

— Грэг, ты же не станешь говорить, что городу не нужен бизнес.

— Думаешь?

Я вдруг увидел гриль-бар Дэла глазами туриста. Линолеум здесь не менялся все пятнадцать лет, что я живу в Сильвер-Бей, столы и стулья удобные, но несовременные. Но нам так нравилось. Мне так нравилось.

Потом я пошел к кассе. Леони, студентка, подрабатывала там зимой. Всегда можно найти кого-нибудь, повернутого на дельфинах, который готов работать в кассе за копейки.

— У тебя сегодня четыре человека, — сообщила она, помахивая квитками. — На утро среды семья из шести человек, два на пятницу, но я предупредила их, что должна получить подтверждение, потому что прогноз погоды не очень-то хороший.

Я мельком глянул на нее и кивнул.

— Да, Грэг, Лиза заходила сегодня после полудня, — добавила Леони. — Она хочет поговорить с тобой и с другими ребятами по поводу этой застройки. Мне показалось, она немного расстроена.

— Не она одна, — сказал я, прикурил сигарету и пошел к своему грузовичку.

В первый раз, когда Лиза Маккалин легла со мной в постель, она была такой пьяной, что я не уверен, что она помнит, чем мы там занимались. Это было где-то через год после ее приезда в Сильвер-Бей. Она тогда уже немного оттаяла, но со всеми по-прежнему держала дистанцию. Не тропики, конечно, скорее арктическая оттепель — так я это называл. В общем, не самый лучший вариант для постели. Они с Кэтлин начали выходить в море на «Измаиле». Пока малышка была в школе, Кэтлин показывала Лизе что да как, и чем больше времени она проводила на воде, тем счастливее становилась. Я отпустил пару шуток по поводу конкуренции и все такое. Кэтлин недобро на меня посмотрела. Потом я брякнул что-то на тему Леди Акулы, и тогда она спросила, почему бы мне не тратить мои жалкие доллары в каком-нибудь другом баре. Наверное, тоже пошутила.

К тому времени Лиза уже стала понемногу со мной разговаривать. Иногда вечерами выходила посидеть со мной и другими преследователями — Нед Даррикин и та молодая француженка с усиками тогда ходили на

«Моби II». «Привет», «да» или «спасибо» — из камня воду легче выжать.

Я над ней все время подшучивал. Лиза к тому времени уже меня зацепила, а я люблю смешить девчонок, и меня злило, если не удавалось за весь вечер заставить ее хоть раз улыбнуться. Я так старательно ее обрабатывал, что, честно говоря, наверное, тогда Сьюзен все и достало. Я все вечера торчал у Кэтлин, пил пиво и часто незаметно для себя набирался, так что еле приползал домой, а Сьюзен сидела там с лицом как сморщенная задница, и ужин был пережарен так, что им рисовать можно.

Но в тот вечер было понятно: что-то изменилось. Лиза не вышла, а Кэтлин ходила поджав губы, сказала только, что она останется дома. Поэтому я зашел в дом, нашел ее в кухне и сел. Она рассматривала какие-то фотографии. Я ничего не сказал, потому что она сразу спрятала их в карман, точно не хотела, чтобы кто-то их видел. Глаза у нее были красные, как будто она плакала. Первый раз в жизни я додумался не открывать рот, потому что почувствовал: что-то стало по-другому и, если я буду осторожен, это может сыграть мне на руку.

Она просидела так несколько минут, а я старался даже не шевелиться (с детства ненавижу сидеть без движения). Потом она посмотрела на меня. У нее были такие грустные глаза, что мне самому даже плакать захотелось.

— Грэг, — сказала она, — ты не мог бы со мной напиться? Я имею в виду, по-настоящему напиться?

— Ну что ж, — ответил я, — во всем Сильвер-Бей не найти более подходящего человека для такого мероприятия.

Ни слова не сказав Кэтлин, мы пошли к моему грузовику, сели и поехали к Дэлу. Там она уничтожала «Джим Бим» такими темпами, как будто он вышел из моды.

Ушли мы после закрытия, на этом этапе она уже с трудом держалась на ногах. Она не была глупо пьяной. Сьюзен, та, когда напивается, песни распевает и хамит, я ей всегда говорил, что это не красит женщину, да и агрессивность тоже. Лиза вела себя так, словно ее что-то съедало изнутри.

— Недостаточно пьяная, — бормотала она, когда я запихивал ее в грузовик. — Надо еще выпить.

— Бар закрылся, — сказал я. — Не думаю, что в этом районе Ньюкасла что-то еще открыто.

Я и сам выпил порядочно, но, когда видишь, как кто-то реально напивается, почему-то не очень пьянеешь.

— У Кэтлин, — сказала она. — Вернемся и выпьем у Кэтлин.

Я, естественно, не верил, что старая Леди Акула обрадуется, что мы совершим набег на ее бар на рассвете, но это была не моя идея.

Было еще тепло, даже рубашка к телу прилипала, так что мы сидели у отеля и пили пиво. При свете луны я видел, как блестела от пота ее кожа. В тот вечер все было странно, воздух был наэлектризован, как будто что-то должно случиться. В такую ночь в море бывает внезапный шторм. Я слушал, как волны накатывают на берег, и старался не думать о той, которая сидела рядом со мной и большими глотками пила пиво. Помню, в какой-то момент мы разулись — кто-то из нас предложил пройтись по воде. Еще помню, что она смеялась, истерично так, я даже не мог понять, плачет она или смеется. А потом она потеряла равновесие под пристанью, вроде как повалилась на меня. До сих пор помню вкус ее губ, когда она потянулась ко мне. «„Джим Бим“ и отчаяние», — подумал тогда я. Не самый лучший микс.

Но это меня не остановило.

Второй раз был через полгода. Мы с Сьюзен разбежались на какое-то время, и она жила у своей сестры в Ньюкасле. Лиза напилась еще сильнее, чем в первый раз, мне даже пришлось придерживать ей волосы, пока ее рвало. Только после этого она смогла собраться и залезть в мой грузовик. Но это не помешало ей уже у меня выпить бутылку отменного «Шираза» с виноградников мистера Гейнса. Она была странной: холодная как лед, трезвенница все семь дней в неделю, а потом вдруг в какой-то момент она словно решала выключиться. В ту ночь я проснулся и обнаружил, что она плачет. Лиза лежала спиной ко мне, уткнувшись лицом в ладони, и плечи у нее вздрагивали.

— Я тебя обидел, тебе больно? — еще не прочухавшись, спросил я.

Когда просыпаешься, после того как имел с девушкой секс, а она плачет, это не очень приятно. Понимаете, о чем я?

— Лиза, милая, что с тобой?

А потом я дотронулся до ее плеча и понял, что она спит. Это меня немного напугало, поэтому я потряс ее и позвал по имени.

— Что? — спросила она, оглядевшись вокруг. — Господи, где я?

— Ты плакала, — сказал я. — Во сне. Я подумал... Я подумал, из-за меня.

Она в одну секунду выскочила из постели и стала натягивать джинсы. Честно, если бы я был не такой пьяный, это бы меня даже оскорбило.

— Эй, эй, придержи коней. Тебе не надо никуда идти. Я просто хотел убедиться, что с тобой все в порядке.

Я увидел, как мелькнул белый лифчик, когда она набрасывала бретельки на плечи.

— Ты здесь ни при чем. Извини, Грэг, мне надо идти.

Она была как мужчина. Как я, когда уходил в загулы — это до того, как познакомился со Сьюзен, — просыпался с какой-нибудь женщиной и готов был руку себе отгрызть, лишь бы свалить побыстрее.

Минут через десять после того, как Лиза ушла, я понял, что она не на машине. Но к тому времени, когда я вышел из дома, ее уже и след простыл. Я тогда подумал, что она, наверное, полпути по прибрежной дороге бегом пробежала. Как будто ей было совсем не страшно. «А чего ей было бояться, — насмешливо сказала Кэтлин, когда я спросил ее об этом. — Самое страшное уже случилось».

На следующий день, когда я сидел рядом с ней на лавке, она вела себя так, как будто ничего не было. Думаю, если бы я был не такой наблюдательный, я бы немного занервничал.

Вообще-то, мне стоило бы разозлиться, но на Лизу невозможно было злиться. Было в ней что-то такое. Она была не похожа ни на одну женщину из тех, что я встречал.

Когда Лиза наконец рассказала мне о ребенке, она была трезвой. И попросила меня ничего не говорить. Она бы не стала отвечать на вопросы. Она даже не рассказала, как умерла малышка. А рассказала только потому, что я разозлился и потребовал объяснений, какого черта она напивается, перед тем как лечь со мной в постель.

— Я напиваюсь не для того, чтобы лечь с тобой в постель. Я напиваюсь, чтобы забыть. Секс с тобой — это побочный продукт пьянки. — Вот так прямо и сказала, как будто эти ее слова не могли меня хоть как-то обидеть. — И не спрашивай об этом Ханну. — Она посмотрела на меня так, словно пожалела обо всем сказанном, и это было уже слишком. — Не хочу, чтобы ты все это разворошил. Ей не нужны напоминания.

— Господи, как же ты плохо обо мне думаешь, — сказал я.

— Это не так, просто соблюдаю осторожность. — Лиза крепко сжала кулаки. — Теперь я просто соблюдаю осторожность.

Дэл был рад, что мы решили провести собрание у него, — он понимал, что так продаст приличное количество завтраков, — но перед этим честно меня предупредил, что не против застройки. Местоположение бара всего в двух шагах от них, — стало быть, он мог сорвать куш. Как будто эти их клиенты, о которых они говорили, будут к нему забегать, чтобы съесть на ланч сэндвич с салом от Макивера. Я знал, что не смогу переубедить старого жука, но точно просчитал, что из чувства вины он приготовит превосходный рулет из бекона. Так и вышло. Когда пришло время, я сидел на улице, ел отличный рулет и запивал его отличным крепким кофе.

Я распространил слух о собрании, и в бар Макивера пришли владельцы нескольких местных отелей, рыбаки, преследователи китов, — в общем, те, на чей бизнес могла повлиять эта застройка. Мы сидели и стояли возле бара и ждали, пока подтянется народ. Некоторые сжимали в руке тот номер газеты. Некоторые переговаривались вполголоса, но большинство болтали как ни в чем не бывало, как будто город не должен был вот-вот навсегда измениться.

Когда пришла Лиза, я не стал с ней разговаривать, да и она не спешила заговорить со мной. Но я помахал Ханне, и она подошла и села рядом со мной.

— Твоя лодка все еще под замком, — тихо напомнил я, потому что хотел увидеть ее улыбку.

— А дельфины все уплывут? — спросила Ханна.

К нам подошла Кэтлин, она положила руку на плечо малышке и сказала:

— Я уверена, что они видали времена и похуже. Во время войны у нас стояли военные корабли, над головой летали бомбардировщики, подводные лодки сновали в толще воды, но дельфины от нас все равно не уплыли. Не волнуйся.

— Они ведь умные, да? Они понимают, что нельзя ко всем подплывать.

— Умнее большинства из тех, кто сюда пришел, — сказала Кэтлин.

Мне не понравилось, как она на меня посмотрела, когда отвечала малышке.

Ланс встал и начал говорить. Мы решили, что у него это получится лучше других — я сам не мастак выступать, а Лиза, мы все знали, что она скорее умрет, но не станет светиться перед чужими людьми. Ланс сказал, что он знает, что проект застройки принесет городу некоторые экономические выгоды, и ценит это, но школа водного спорта подвергнет риску исчезновения из туристической зоны китов и дельфинов.

— Я знаю, ребята, что многим из вас все равно, но морские животные — единственное, что отличает Сильвер-Бей от других мест. И большинство из вас должно понимать это. Когда туристы приезжают к нам, чтобы посмотреть на дельфинов и китов, они не только пользуются нашими лодками, но и частенько заглядывают в ваши кафе или магазины. Или останавливаются в ваших отелях и мотелях.

Люди в баре начали одобрительно переговариваться.

— А эта застройка на иностранные деньги, — продолжил Ланс. — Да, появятся новые рабочие места, но можете на что угодно поспорить, хоть на свою жизнь, но прибыль от их проекта не останется в Сильвер-Бей. Она не останется даже в Новом Южном Уэльсе. Иностранные инвестиции к иностранцам и возвращаются. И потом, вы ведь даже не знаете, как они там все задумали. Если у них будут свои кафе и бары, черт, ребята, вы потеряете столько же, сколько приобретете.

— Это может повысить зимнюю торговлю, — сказал кто-то с задних рядов.

— А какой ценой? Если киты и дельфины уйдут, не будет никакой зимней торговли, — парировал Ланс. — Взгляните правде в лицо. Сколько народу сюда приезжало бы в июне, июле, августе, если бы не Китовая пристань? А?

Никто не ответил.

Ханна рядом со мной читала газету. Клянусь, эта малышка так быстро выросла, еще пару годиков, и она сядет за руль.

— Грэг? — позвала она и нахмурилась.

— Что, милая? — шепотом ответил я. — Хочешь, чтобы я принес тебе что-нибудь поесть?

— Это компания Майка. — Она показала маленьким пальчиком на строчку в газете. — «Бикер холдингс». Это на их сайте я видела его фотографию.

Чтобы усвоить то, что она сказала, мне потребовалась целая минута или даже две и еще больше на то, чтобы понять, что это значит.

— «Бикер холдингс», — прочитал я. — Ты уверена, милая?

— Я запомнила, потому что название похоже на слово «клюв»[1]. Это значит, что Майк купил Сильвер-Бей?

После такого до конца собрания я уже не мог следить за тем, что говорили. Пока Ланс организовывал петицию, я просто старался держать себя в руках. Я смог проголосовать за то, чтобы вызвать парня из отдела планирования и зарегистрировать жалобу. А потом, когда все начали уходить, я спросил Кэтлин, в отеле Майк или где-то еще.

— Он у себя в номере, — сказала Кэтлин. — А его девушка, думаю, пошла по магазинам. — Кэтлин усмехнулась. — Любит она это дело. — Кэтлин посмотрела мне в глаза и спросила: — Грэг, ты в порядке?

— Можешь позвать Лизу? — попросил я, еле сдерживаясь, чтобы не сорваться при малышке. — Вам надо кое о чем узнать.

У меня ушло полтора года на то, чтобы Лиза Маккалин легла со мной в постель, и еще два на то, чтобы она стала доверять мне настолько, что рассказала о своей дочке.

Вот почему я не мог поверить своим глазам в тот день, после ночи, когда умер детеныш кита. Я приехал в отель, чтобы отдать ей ключи, которые она оставила

1 Ср. «клюв» (*англ.* beak) и «Бикер холдингс» (*англ.* Beaker Holdings).

у меня, потому что, как всегда, спешила поскорее убежать домой. И увидел ее в машине на стоянке у отеля, где она нагло, никого не стесняясь, обнимается с этим англичанином, хотя только-только выскочила из моей постели. Эта картинка теперь постоянно всплывала у меня перед глазами, прожигала мозг, сколько бы пива я в себя ни вливал.

Оказалось, что Майк сидит в кухне, куда могли входить только члены семьи Кэтлин, как будто он имел право на это место. На нем была модная рубашка, он читал старый путеводитель. Когда мы появились на пороге, он поднял голову. Только из-за того, что он рассиживал там, мне сразу захотелось дать ему в морду.

У него ушло две секунды на то, чтобы просечь ситуацию. Но Лиза больше ему и не дала. Она швырнула на кухонный стол газету.

— Значит, так ты проводишь свои исследования?

Он посмотрел на заголовок статьи и мгновенно побледнел. Я никогда раньше такого не видел, но он так быстро стал белым, что я даже посмотрел ему под ноги, на случай, если там растеклась лужа крови.

— Сидишь в нашем отеле почти месяц, заводишь друзей, вопросы задаешь, болтаешь с моей дочерью и все это время строишь планы, как нас уничтожить?

Он сидел и смотрел на первую полосу газеты.

— Именно ты! Именно ты, зная все то, что ты знаешь! Как ты мог, Майк? Как ты мог так поступить?

Клянусь богом, я никогда не видел ее такой злой. Она вся наэлектризовалась, у нее только что волосы дыбом не стояли.

Он встал:

— Лиза, позволь мне объяснить...

— Объяснить? Что объяснить? Что ты приехал сюда якобы в отпуск, а сам у нас за спиной планировал с чертовым городским советом, как нас уничтожить?

— Я не собирался уничтожать ни вас, ни китов. Я работал над планом, как сохранить это место.

И тут она рассмеялась таким глухим безумным смехом:

— Сохранить. Сохранить. Как этот чертов парк водного спорта в самом центре нашего залива может что-то сохранить? Здесь будут гонять быстроходные катера с лыжниками на прицепе, гидроциклы, так вы их называете. Ты знаешь, что будет с китами из-за всего этого?

— Чем это хуже того, что вы делаете? Это всего лишь лодки с моторами. Они будут держаться в стороне от пути миграции китов. Для них разработают специальные правила. Каждого будут консультировать.

— Правила? Да что ты в этом понимаешь? Думаешь, восемнадцатилетний парень на гидроцикле захочет слушать какие-то правила? — Лизу аж трясло от злости. — Ты видел, как мы пытались спасти того малыша, а теперь стоишь тут и говоришь, что твой проклятый водный спорт ни на что не повлияет? А хуже всего то, что ты выспросил у моей дочери, с чем у нас тут проблемы, чтобы потом подмазать плановый отдел и поиметь их.

— Я думал, это будет хорошо для вас всех, — возразил он. — Ханна сказала, что им нужен школьный автобус и библиотека.

— Это тебе был нужен автобус и библиотека, чтобы переманить членов проклятого планового совета на свою сторону. Ты подлый и низкий, знаешь ты это? Подлый и низкий.

— Решение принимал не я, — беспомощно сказал он. — Я делал все, что мог, чтобы этот проект работал для всех.

— Ты делал все, что мог, чтобы набить свои карманы, — сказал я и шагнул в его сторону.

Мы стояли лицом к лицу. Он как будто сам приготовился к удару.

Лиза отвернулась, на глазах у нее появились слезы. Она тряхнула головой и с горечью в голосе сказала:

— Знаешь... все, что ты говорил, — ложь. Все.

Тут он в первый раз за все время разозлился.

— Нет, — твердо сказал он и протянул к ней руку. — Не все. Я хотел поговорить с тобой. Я и сейчас хочу...

Лиза отмахнулась от его руки, как будто она была ядовитой.

— Ты правда считаешь, что я буду тебя слушать?

— Прости. Я думал рассказать тебе о проекте, — продолжал он, — но сначала мне надо было кое-что доработать. Когда я понял, что значат для вас всех киты, я решил, что постараюсь сделать так, чтобы все остались довольны.

— Что ж, по-здрав-ля-ю, — по слогам сказала Лиза. — Надеюсь, теперь ты доволен, потому что этот твой проект уничтожит нас и уничтожит китов. Но черт возьми! Твои работодатели получат хорошую прибыль! Я рада, что ты рад.

Тут я предложил дать ему в морду.

— О, не будь таким дураком, — сказала она и небрежно махнула рукой так, будто этот жест относился к нам обоим, и прошла мимо меня из кухни.

В коридоре стояла девушка, такая блондиночка в дорогой одежде, и прижимала к груди маленькую сумочку.

Она отступила, когда Лиза проходила мимо нее, и спросила:

— У вас все хорошо?

«Еще одна помми, — подумал я. Так пренебрежительно мы называем англичан. — Наверное, его девица. Слишком хороша для такого, как он».

— Я тебя достану, приятель, — сказал я и ткнул ему пальцем в лицо. — Не думай, что тебе все забудется.

— О Грэг, успокойся ты, — усталым голосом сказала Кэтлин и вытолкала меня из кухни.

Как будто это я был во всем виноват. Как будто кто-то из нас был виноват.

— Ванесса, может, ты хочешь войти и присесть? Я приготовлю чай.

13

Кэтлин

НЬЮКАСЛ ОБСЕРВЕР,
11 апреля 1939 года

«В Новом Южном Уэльсе в общине рыбаков к северу от гавани Порт-Стивенс была поймана самая большая акула-нянька. И поймала ее семнадцатилетняя девочка!

Мисс Кэтлин Виттер Мостин, дочь Ангуса Мостина, владельца отеля „Сильвер-Бей“, в среду днем поймала этого гиганта неподалеку от мыса Брейк-Ноус-Айленд. Она сделала это без чьей-либо помощи с небольшой гребной лодки, пока ее отец ненадолго отлучился в отель за продуктами.

Отец девочки сказал: „Я был просто потрясен, когда Кэтлин показала мне свой улов. Первое, что мы сделали, — это вытащили акулу на берег и вызвали представителя администрации, потому как я понял, что дочь побила какой-то рекорд“.

Пресс-секретарь от Общества рыболовов подтвердил, что эта акула — самая крупная из всех, которые когда-либо были пойманы в этом районе.

„Это выдающееся достижение юной леди, — сказал мистер Сол Томпсон. — Такую акулу даже опытный взрослый рыбак выловит с огромным трудом“.

Акула уже стала местной достопримечательностью, многие рыбаки и туристы съезжаются из разных мест, чтобы увидеть этого гиганта. Мистер Мостин планирует поднять ее и разместить в своем отеле, чтобы увековечить рекорд дочери.

„Осталось только найти достаточно крепкую стенку“, — пошутил он.

Служащие отеля говорят, что с тех пор, как разнеслась новость о рекорде мисс Мостин, наплыв гостей в их отеле увеличился в три раза. И конечно, этот рекорд будет способствовать укреплению репутации Сильвер-Бей как одного из лучших мест для рыбалки».

Я протерла стекло от пыли и повесила обратно на стену эту пожелтевшую от времени газетную вырезку в рамочке. Рядом с фотографиями чучела акулы. Само чучело постигла печальная участь. Подозреваю, отец так торопился выставить его на всеобщее обозрение, что не стал искать настоящего специалиста в этом деле. В результате чучело, когда его перетаскивали из отеля в музей, развалилось. Из швов вокруг плавников и в месте крепления хвоста посыпалась набивка. В конце концов мы признали свое поражение и выставили его к мусорным бакам. В день, когда пришли мусорщики, я с любопытством наблюдала за ними в окно.

Не помогло даже то, что довольно много унесли заглядывающие к нам туристы и местные жители. Что-то заставляло людей прикоснуться к чучелу акулы. Возможно, они испытывали душевный трепет при мысли о том, что в природе любой, кто приблизился бы к ней на расстояние вытянутой руки, абсолютно точно лишился бы этой руки, да и жизни наверняка тоже. Возможно, это дарило им ощущение собственной силы. А возможно, все мы испытываем извращенную потребность приблизиться к тому, что может нас уничтожить.

Я решительно отвернулась от фотографий. Смахивая пыль с других «экспонатов», я попыталась смотреть на музей глазами туриста, который заинтересован в появлении самого дорогого парка водного спорта. Или, как писали в газетах, пыталась увидеть «самый настоящий» Музей китов и дельфинов. За последние десять дней у меня не было ни одного посетителя. «Может, и не стоит их винить», — подумала я, аккуратно устанавливая гарпун на крючья в стене. Экспозиция музея с каждым годом все больше становилась похожа на груду рыбьих скелетов в ветхом сарае. Я поддерживала его только в память об отце.

Все ребята собрались возле отеля, они пили пиво с чипсами и громко обсуждали, как можно противостоять застройке. Я не хотела в тот момент быть среди них, не хотела симулировать возмущение по поводу еще не совершенного преступления против китов и дельфинов. Мои чувства и желания совершенно отличались от тех, что испытывали они.

Скрипнула дверь, я обернулась. Это был Майк Дормер. Он стоял против света, так что трудно было разглядеть его лицо, поэтому я кивнула ему, чтобы он заходил.

— Здесь я еще не был, — сказал он, оглядываясь по сторонам и постепенно привыкая к полумраку.

Обычно Майк держал спину ровно, а сейчас стоял сгорбленный, извиняющийся, руки глубоко в карманах.

— Да, — согласилась я, — не был.

Он медленно шел по музею, разглядывал балки, с которых свисали старые удочки, сети, буйки и рабочие комбинезоны китобоев тридцатых годов. Он рассматривал все с неподдельным интересом, что редко встретишь у обычного посетителя.

— Узнаю эту фотографию. — Он остановился перед газетной вырезкой в рамочке.

— Да... Одно мы знаем о тебе наверняка, Майк, — ты действительно занимался исследованиями.

Получилось, что я сказала это жестче, чем собиралась, но я чувствовала усталость и все еще не могла свыкнуться с тем, что он столько времени прожил под моей крышей, а я не смогла в нем разобраться.

— Простите, — сказал Майк. — Я это заслужил.

Я презрительно фыркнула и начала смахивать пыль с сувениров, которые были расставлены на трехногом столике рядом со старой кассой. Они были такими несовременными, старенькими и в то же время очень трогательными: брелоки с фигурками китов, дельфины, подвешенные внутри прозрачных пластиковых шариков, почтовые открытки и кухонные полотенца с улыбающимися рыбками. Подарки для детей. Но дети больше не заходили в музей. Так для чего были все эти сувениры?

— Послушайте, Кэтлин, у вас сейчас, скорее всего, нет желания со мной разговаривать, но мне действительно нужно кое-что вам сказать. Для меня очень важно, чтобы вы поняли.

— О, я понимаю, еще как понимаю.

— Нет, не понимаете. Я хотел вам рассказать, — признался Майк. — Это правда. Когда я приехал сюда, я думал, что меня ждет обычная работа по разработке плана застройки. Я думал, что приеду и уеду, что никого не заденет этот проект. Но как только я понял, что все обстоит иначе, я старался найти такое решение, чтобы и мой босс в Англии был доволен, и все вы. Мне надо было получить как можно больше информации.

— Ты мог бы поделиться с нами. А мы, возможно, смогли бы тебе что-нибудь подсказать. Тем более что я прожила здесь семьдесят с лишним лет.

— Теперь я это понимаю, — подтвердил Майк, а я с каким-то странным чувством удовлетворения заметила, что у него сносились ботинки. — Но как только я узнал вас всех ближе, это стало невозможно.

— Особенно Лизу, — сказала я.

Назовем это ошибочным предположением.

— Да, и Лизу.

— Послушай, Майк, ты и так умудрился всех здесь встряхнуть.

Я не знала, куда себя девать, просто стоять перед ним мне не хотелось, и я поэтому продолжила старательно наводить порядок. Мы промолчали несколько минут. Я работала спиной к Майку, но чувствовала, что он на меня смотрит.

— В любом случае, — Майк откашлялся, — я посчитал, что это, возможно, что-то изменит. Я сделал несколько звонков. Выше по побережью есть место, где меня... нас готовы принять. Я просто хотел сказать, что мне очень жаль, и если я смогу сделать что-то, чтобы смягчить последствия застройки, вы только дайте мне знать.

Я замерла с тряпкой в руке, а потом повернулась к нему лицом. Мой голос в пустом музее звучал неожиданно громко.

— Как можно смягчить уничтожение семейного бизнеса, которому уже семьдесят лет, Майк? — спросила я.

Тут я заметила, что его наконец проняло.

— Знаешь что? Мне плевать на отель, что бы ты там ни думал. Такие дома не самое большое сокровище, а этот уже не первый год падает в цене. Меня даже залив не волнует. И киты с дельфинами. Надеюсь, эти благодетели, которые повсюду суют свой нос, присмотрят за ними.

Я перекинула тряпку из одной руки в другую.

— Но я тебе скажу то, что тебе следовало бы знать, Майк Дормер. Когда ты уничтожишь это место, ты оставишь Ханну без защиты. Сильвер-Бей — единственное место в мире, где ей не нужно ни о чем волноваться, где она может расти в безопасности, где никто не причинит ей вреда. Я не могу тебе все рассказать, но ты должен об этом знать. То, как ты поступил, отразится на нашей маленькой девочке. И этого я тебе не прощу.

— Но почему вам обязательно отсюда уезжать?

— Как мы можем позволить себе жить в отеле, где нет постояльцев?

— Кто сказал, что у вас не будет постояльцев? Ваш отель кардинально отличается от того, что планируется построить. Всегда найдутся те, кто захочет поселиться в таком отеле, как ваш.

— Притом что рядом отель, где полторы сотни номеров с ванными комнатами и спутниковое телевидение? А зимой предложение: три-за-два и бассейн с горячей водой? Я так не думаю. Единственным нашим преимуществом было уединение. К нам приезжали люди, которые хотели отдохнуть вдали от всего. Они хотели слышать ночью плеск волн, шорох травы и дюн, а не караоке в холле «Хампбэк» или как заезжают и выезжают со стоянки машины по пути к оплаченному буфету. Брось, Майк, ты же имеешь дело с цифрами в коммерческом планировании. Вот и скажи мне, как наш бизнес может остаться на плаву?

Он собрался что-то ответить, но потом только покачал головой.

— Ну так возвращайся к своим хозяевам, Майк. Скажи им, что выполнил задание. Ты заключил сделку, или как там вы, ребята из Сити, это называете.

Я была готова расплакаться, и это так меня разозлило, что я снова принялась за уборку, лишь бы он не видел мое лицо. Семьдесят шесть лет, и чуть не расплакалась, как девчонка. Но я ничего не могла с собой поделать. Каждый раз, когда я думала о том, что Лиза с Ханной уедут от меня, что им придется устраиваться где-то далеко от Сильвер-Бей и все начинать заново, у меня комок подкатывал к горлу.

Я так долго стояла к нему спиной, что была уверена в том, что он ушел. Но, когда я обернулась, он все еще был там. Так и стоял, глядя под ноги, и о чем-то думал.

Наконец Майк поднял голову и сказал:

— Я все исправлю. Прямо сейчас, я еще не знаю как, но я все сделаю правильно.

Наверное, по моему лицу было видно, что я ему не верю, потому что Майк шагнул ко мне и повторил:

— Я обещаю вам, Кэтлин. Я все сделаю правильно.

После этого он, так и не вынимая рук из карманов, повернулся кругом и пошел по дорожке наверх, к дому.

На следующий день я подбросила Ханну в школу, а потом свернула на внутреннюю дорогу и поехала к Нино Гейнсу. Он был одним из немногих, с кем я могла открыто обсуждать свои финансовые дела. Если бы я рассказала Лизе о том, как мало у нас денег, это встревожило бы ее еще больше, и я всегда старалась скрывать, что ее выходы в море с туристами почти не покрывают затраты на содержание отеля.

— Итак, сколько ты имеешь в наличии? — спросил Нино.

Мы сидели в его кабинете. Из окна открывался вид на виноградники. Под непривычно серым небом без листьев они были похожи на выстроившиеся ровными шеренгами батальоны голых прутиков. За спиной Нино были полки с книгами по виноделию и в рамочке постер из супермаркета, где впервые среди прочего рекламировался его «Шираз». Мне нравился кабинет Нино, в нем, несмотря на преклонный возраст хозяина, все говорило о здоровом бизнесе, нововведениях и успехе.

Я нацарапала цифры на листке блокнота, который лежал передо мной, и пододвинула его к Нино. Такое поведение может показаться глупым, но, когда я росла, разговаривать о деньгах считалось неприличным, и даже в мои годы мне все еще было трудно произнести это вслух.

— Это прибыль до обложения налогами. И приблизительный оборот. Нам хватает. Но если надо будет поменять крышу или что-нибудь еще в этом роде, мне придется продать лодку.

— Туго, да?

— Туго.

Нино явно был удивлен. Думаю, до этого момента он считал, что, раз мой отец, когда мы только познакомились, был далеко не последним человеком в заливе, у меня и через столько лет должны были оставаться солидные сбережения. Пришлось ему объяснить, что это было пятьдесят лет назад. И уже лет десять, как в Сильвер-Бей нет постоянного потока туристов. Налоги, ремонт дома и расходы на двух появившихся в моей жизни родственниц — одна постоянно нуждается в замене обуви, книгах и одежде — вот куда уходило все, что я могла бы отложить.

Нино отпил из своей чашки глоток чая. Чуть раньше Фрэнк принес нам поднос с чаем и печеньем. Он все заботливо расставил на кружевные салфетки, и это заставило меня внимательнее приглядеться к единственному еще не женатому сыну Нино. Хотя Нино, кажется, верил, что вся эта красота была сервирована исключительно для меня.

— Хочешь, я инвестирую в твой отель и ты сможешь его немного подновить? Сменишь обстановку в номерах? Установишь спутниковое телевидение? У меня в последние годы дела шли хорошо. Я бы с радостью вложил в какое-нибудь дело несколько фунтов. — Он улыбнулся. — Диверсификация. Вот на чем я должен сфокусировать внимание, говорит мой старый бухгалтер. Ты могла бы стать моей диверсификацией.

— А какой в этом смысл, Нино? Ты не хуже меня знаешь: как только у пристани вырастет этот монстр, наш отель превратится в подобие сарайчика на краю их сада, не больше.

— А вы не можете прожить на деньги от наблюдения за китами? Уверен, когда людей в заливе станет больше, Лиза будет чаще выходить в море. Может, ты подкопишь и инвестируешь во вторую лодку. Наймешь кого-нибудь, кто будет выходить на ней в море для тебя.

— Но в этом-то все и дело. Она не останется, если людей будет больше. Она... она станет нервничать. Ей для жизни нужно тихое место.

Все это даже для меня звучало недостаточно убедительно. Я уже давно прекратила попытки как-то оправдать загадку своей племянницы.

Мы сидели и молчали. Нино обдумывал мои слова. Потом он наклонился ко мне через стол и сказал:

— Хорошо, Кейт. Ты знаешь, я никогда не сую свой нос в чужие дела, но сейчас я хочу задать тебе вопрос. — Нино понизил голос. — От чего убегает Лиза?

И вот тогда пришли слезы, я с ужасом поняла, что не могу сдержать их. Рыдания сдавливали грудь, выкручивали плечи, меня как будто подвесили и дергали за нитки. Не думаю, что я когда-нибудь так плакала, разве что в далеком детстве, но я все равно не могла остановиться. Я так хотела защитить своих девочек, но Майк Дормер и его дурацкий предательский план снова напомнили, насколько они уязвимы, как легко наше убежище в конце залива может рассыпаться в прах.

Немного успокоившись, я подняла голову и посмотрела на Нино.

Он сочувственно мне улыбнулся, в глазах его было понимание.

— Не можешь мне рассказать, да?

Я спрятала лицо в ладони.

— Наверное, это что-то очень плохое, иначе ты бы так не встревожилась.

— Ты не должен плохо думать о Лизе, — пробормотала я сквозь пальцы.

Нино просунул мне в ладони мягкий застиранный носовой платок, и я не очень элегантно промокнула глаза.

— Никто не вынес столько страданий, сколько вынесла она.

— Перестань дергаться, я видел твоих девочек и знаю, что у них в душе нет ни капли зла. Я не стану больше об этом спрашивать, Кейт. Просто подумал, если ты расскажешь кому-нибудь... может, тебе станет немного полегче.

И тогда я потянулась к нему и накрыла его старую сильную руку ладонью. Нино в ответ сжал мою руку — его большие суставы поверх моих. Мне стало хорошо и покойно, я даже не ожидала, что так может быть.

Мы просидели несколько минут, слушали, как на каминной полке тикали часы, и я чувствовала, как тепло его руки проникает мне в кожу. Я поняла, что не хочу ехать домой. У меня не было сил на то, чтобы успокоить Лизу, которая просто сходила с ума от тревоги. Я не хотела быть любезной с Майком Дормером и его модной девушкой и одновременно думать о том, что они сделали с моей жизнью. Мне даже не хотелось подбивать их счета. Я просто хотела сидеть в тихой комнате, в тихой долине и чтобы кто-то обо мне заботился.

— Ты можешь переехать ко мне, — нежным голосом предложил Нино.

— Я не могу, Нино.

— Почему нет?

— Я уже говорила тебе. Я не могу оставить девочек.

— Я имел в виду тебя и девочек. Почему нет? Здесь полно места. И до школы Ханны не так далеко, если ты не против покататься туда и обратно. Посмотри на этот большой дом. Эти комнаты с радостью снова примут молодняк. Фрэнк живет здесь только потому, что не хочет оставлять меня одного.

Я промолчала. У меня закружилась голова.

— Переезжай и живи со мной. Мы можем все устроить, как ты захочешь: у тебя будет своя комната или...

Нино пристально вглядывался в меня из-под тяжелых век, и я на секунду увидела того дерзкого, самонадеянного летчика, каким он был пятьдесят лет назад.

— Я не буду больше тебя об этом просить, Кейт. Но если ты переедешь ко мне, мы оба будем счастливы, я уверен. Я помогу защитить твоих девочек от всего, из-за чего ты так волнуешься. Ты же знаешь, я живу в настоящей глуши, даже чертов почтальон через раз нас находит.

Я не смогла не рассмеяться. Как я уже говорила, Нино Гейнс всегда умел меня рассмешить.

Потом он крепче сжал мою руку.

— Я знаю, ты любишь меня, Кэтлин. — Я ничего не ответила, и Нино продолжил: — Я до сих пор не забыл ту ночь. Помню каждую минуту. И я понимаю, что это значит.

Я вскинула голову и отрезала:

— Не говори о той ночи.

— Поэтому не хочешь стать моей женой? Потому что чувствуешь вину. Господи, Кейт, это была одна ночь двадцать лет назад. Многие мужья ведут себя гораздо хуже. Это была всего одна ночь, и мы договорились, что она не повторится.

Я покачала головой.

— И мы ведь не повторили. Я был хорошим мужем для Джин, и ты знаешь это.

О, я это знала. Я почти половину жизни думала об этом.

— Тогда почему? Джин сказала мне... Господи, это были ее последние слова перед смертью... Она сказала, что хочет, чтобы я был счастлив. Это то же самое, как если бы она сказала, что мы с тобой должны быть вместе. Проклятье, что же нас останавливает? Что останавливает тебя?

Мне пора было ехать. Я встала из-за стола, махнула на него рукой, а вторую прижала к губам и так, на нетвердых ногах, пошла к своей машине.

Я не могла сказать Нино... не могла сказать ему правду. А правда была в том, что последние слова Джин были посланием, обращенным ко мне. Она через Нино передавала мне, что знала, все эти годы после той ночи, она знала. Эта женщина понимала, что, когда я об этом узнаю, чувство вины будет мучить меня до самой смерти. Джин Гейнс знала нас обоих гораздо лучше, чем думал Нино.

В тот день я не вышла к ребятам из команд. Нетрудно было догадаться, что пороха для возмущения у них хватит на весь вечер. Пожаловавшись на головную боль, я попросила Лизу обслужить ребят, а сама пошла в свой маленький кабинет за кухней, где всегда занималась счетами постояльцев. Я сидела там и разглядывала бухгалтерские книги, счета в них отражали историю нашего отеля. Гроссбухи с сорок шестого по шестидесятый год были в толстых переплетах, их широкие корешки говорили о популярности отеля Сильвер-Бей. Изредка я открывала их и разглядывала похожие на пергамент счета за говядину, импортный бренди и сигары — это обычно заказывали, когда хотели отметить хороший улов. Мой отец сохранял все чеки до единого, эта привычка передалась и мне. В те времена в море водилось много рыбы, в холле всегда звучал смех и жизнь была простой. Главной заботой было, как отпраздновать конец войны и наступившее за ней процветание.

Корешок книги за последний год был полдюйма или даже меньше. Я провела рукой по ряду бухгалтерских книг в кожаных переплетах, кончиками пальцев улавливая их все уменьшающийся объем. Потом посмотрела на свадебную фотографию родителей: очень серьезные и торжественные, они глядели на меня сверху вниз. Мне стало интересно, что бы они сказали по поводу положения, в котором я оказалась. Нино сказал, что, возможно, у меня получится продать отель людям из гостиничного комплекса, сказал, что с хорошим посредником я могу поднять хорошую сумму и, возможно, этого хватит для нового старта. Но я была слишком стара для охоты за недвижимостью и для того, чтобы заталкивать остатки моей жизни в какое-нибудь похожее на коробку бунгало. Я не хотела спрашивать дорогу к новым медицинским центрам и супермаркетам, не хотела заводить вежливые разговоры с новыми соседями. Моя жизнь была в этих стенах, среди этих книг. Все, что когда-то имело значение в моей жизни, было здесь, в Сильвер-Бей. Я смотрела на бухгалтерские книги и понимала, что этот дом нужен мне гораздо больше, чем я думала.

Я не любительница выпить, но в тот вечер я достала из отцовского стола старую серебряную фляжку и позволила себе глоток виски.

Примерно в четверть одиннадцатого в дверь постучала Лиза.

— Как голова? — спросила она, прикрывая за собой дверь.

— Хорошо.

Я закрыла бухгалтерскую книгу, понадеявшись, что Лиза решит, будто я работала. Голова не болела, а вот мне было плохо, я чувствовала слабость во всем теле.

— Только что пришел Майк Дормер и сразу поднялся наверх. Он ведет себя так, будто никуда не собирается. Я думала, ты уже с ним поговорила.

— Поговорила, сказала, что он может остаться, — тихо ответила я, поднимаясь из-за стола, и поставила книгу на полку.

— Что ты ему сказала?

— Ты слышала.

— Но почему? Мы не хотим, чтобы он был среди нас.

Я не смотрела на Лизу, это было необязательно — по ее дрожащему голосу я поняла, что она наверняка покраснела от злости.

— Он заплатил до конца месяца.

— Так верни ему деньги.

— Ты думаешь, я могу позволить себе разбрасываться такими деньгами? — резко спросила я. — Я беру с него в три раза больше, чем с любого другого постояльца.

— Дело не в деньгах, Кэтлин.

— Нет, Лиза. Дело именно в деньгах. Теперь нам будет нужен каждый пенни, а это значит, что любой, кто захочет у меня остановиться, получит радушный прием, даже если от одного его вида у меня будет сворачиваться кровь.

Лиза была в шоке.

— Но ты подумай о том, что он сделал, — сказала она.

— Двести пятьдесят долларов за ночь, Лиза, вот о чем я думаю. Плюс за питание его подруги. Ты скажи мне, как еще мы можем заработать такие деньги?

— Команды преследователей. Они приходят каждый вечер.

— И сколько, по-твоему, они мне приносят? Пару центов с каждой бутылки пива. Доллар или около того за еду. Ты действительно считаешь, что я могу заработать настоящие деньги, когда прекрасно знаю, что половина из них живет на бесплатном печенье? Ради бога, Лиза, ты разве не замечала, что у Йоши через раз вообще нет денег, чтобы с нами расплатиться?

— Но он собирается уничтожить нас. А ты хочешь позволить ему рассиживать в твоей лучшей комнате, пока все это происходит.

— Что сделано, то сделано, Лиза. Есть будущее у этого отеля или нет — это уже не в нашей власти. Сейчас для нас главное — заработать как можно больше, пока еще есть такая возможность.

— И плевать на принципы?

— Мы не можем позволить себе принципы, Лиза. Это реальность. Не можем, если хотим, чтобы Ханна ходила в школу.

Я понимала, о чем говорит Лиза, просто ни она, ни я не могли произнести это вслух. Как я могла по доброй воле принять человека, который разбил ей сердце? Как могла допустить, чтобы она страдала, глядя на то, как он и его девушка, выставляя напоказ свои отношения, ходят по нашему дому?

Мы испепеляли друг друга взглядом. Мне стало трудно дышать, и я, чтобы успокоиться, выставила вперед руку. Лиза от боли и возмущения крепко сжала губы.

— Знаешь что, Кэтлин? Иногда я тебя совсем не понимаю.

— Что ж, ты и не должна меня понимать, — вежливо ответила я, смахивая несуществующие крошки со стола. — Ты занимайся своим делом, а я буду заниматься своим отелем.

Не припоминаю, чтобы мы хоть раз поругались за все пять лет, что она жила в Сильвер-Бей, так что, думаю, тогда эта сцена потрясла нас обеих. Я чувствовала, что меня зовет отцовская фляжка, но я бы не стала доставать ее при Лизе. Мне не хотелось, чтобы она последовала моему примеру и напилась, после чего могло произойти катастрофическое «свидание» с Грэгом.

В итоге она резко развернулась и, не сказав больше ни слова, ушла.

Я заставила себя промолчать. Я не могла сказать ей, что в действительности стоит за моим решением, потому что знала: она это не примет и плохо среагирует даже на малейшее предположение о том, что, как я подозревала, было правдой. Дело было не только в деньгах. Дело было в том, что я больше, чем другие, понимала, как этот молодой человек попал в такую ситуацию. И что еще важнее — наживка. Несмотря на все, что произошло, я нутром чувствовала: пока Майк Дормер остается с нами, у нас есть шанс на выживание.

14

Майк

Обычно люди, выгуливающие собак, останавливались, чтобы помахать мне рукой. Я успел привыкнуть к нашим маленьким проявлениям вежливости по утрам и стал ловить себя на том, что высматриваю знакомые лица. Но однажды утром они меня не узнали. «Возможно, это из-за слишком низко натянутой шапочки», — подумал я. И только на следующее утро, когда я приветственно поднял руку, а они отвернулись, до меня дошло, что я стал врагом общества номер один.

Это распространилось и на местный гараж, когда я подъехал туда заправиться, и на кассу в супермаркете. И на небольшое кафе морепродуктов возле пристани, куда я зашел выпить чашечку кофе, — там на то, чтобы ко мне наконец подошли, потребовалось сорок минут ожидания и несколько напоминаний.

Ванесса была полна оптимизма.

— О, всем не угодишь, Майк, всегда найдутся недовольные, — небрежно сказала она. — Помнишь тот школьный проект в Лондоне? Людям в доме напротив все не нравилось, пока они не обнаружили, насколько подорожали их квартиры.

Мне хотелось возразить Нессе, что тогда все было по-другому. Мне было все равно, что те люди думали обо мне. К тому же Ванессе не приходилось сталкиваться с Лизой, которая вела себя так, словно я не существую, либо демонстрировала неприязнь.

Как-то я застал ее одну в кухне — Ванесса тогда была наверху — и сказал:

— Я поговорил с твоей тетей. Я постараюсь остановить это. Мне очень жаль.

Лиза так на меня посмотрела, что у меня слова в горле застряли.

— Чего тебе жаль, Майк? Что ты жил здесь, притворяясь не тем, кто есть, что ты вот-вот уничтожишь нас или что ты... что ты двуличная свинья...

— Ты сама сказала, что не хочешь отношений...

— Ты не сказал, что они у тебя уже есть.

Как только Лиза это произнесла, она сразу закрылась, словно поняла, что сказала лишнее. Но я знал, что она чувствует. Тот момент я прокручивал в голове, как закольцованную кинопленку. Я мог бы повторить каждое слово из тех, что мы тогда сказали друг другу. Потом я вспомнил о том, как часто в этой жизни бывал двуличным. В такие моменты я обычно звонил Деннису или находил себе какую-нибудь административную задачу, которую необходимо было решить для успешного воплощения проекта. В этом вся прелесть бизнеса, бизнес — убежище от миллионов практических проблем. Занимаясь бизнесом, ты всегда знаешь, на каком свете находишься.

Я рассказал Ванессе, почему считаю, что проект неправильно продвигать по согласованному плану. Она мне не поверила, тогда я взял ее на прогулку на «Моби I» с группой туристов. Йоши и Ланс были вежливы, но я ощущал почти физический дискомфорт оттого, что они больше не разговаривали со мной по-свойски, и мне не хватало колких шуточек Ланса. Я перестал быть одним из них. Я это понимал, и они тоже.

Это ощущение немой неприязни преследовало меня, пока мы шли по заливу, пока я не понял, что даже туристы из Кореи на верхней палубе знали, за что я в ответе.

— Осталось только взять гарпун и прицепить на ветровку табличку «Убийца китов», — сказал я, когда молчаливый бойкот стал совсем уж невыносимым.

Ванесса сказала, что я все принимаю слишком близко к сердцу.

— Почему тебя должно волновать, что они думают? — спросила она. — Еще несколько дней, и ты никогда больше их не увидишь.

— Меня это волнует, потому что я хочу сделать все правильно, — ответил я. — И я думаю, что мы можем сделать это правильно. С этической и с коммерческой точки зрения.

Я понимал, насколько важно, чтобы Ванесса была на моей стороне, учитывая, что нам предстояло увлечь Денниса новым проектом.

— Этический бизнес, говоришь? — Ванесса приподняла одну бровь, но не списала со счетов мою идею.

А потом, словно в ответ на мои мольбы, «Моби I» вышел в открытое море, и мы все услышали по внутренней радиосвязи взволнованный голос Йоши.

— Леди и джентльмены, — сказала она, — если вы прямо сейчас посмотрите в окна по левому борту, вы сможете увидеть горбатого кита. Кит, вероятно, движется в нашем направлении, поэтому мы отключаем двигатель и будем надеяться, что он подойдет ближе.

Голоса туристов на верхней палубе стали громче. Я подтянул шарф к самым глазам и показал Ванессе туда, где заметил выпущенный китом фонтан. Я внимательно наблюдал за ее реакцией, потому что понимал: этот момент может быть решающим — и молился, чтобы и кит понял, как важно произвести на нее впечатление.

А потом, как по сигналу, кит выпрыгнул из воды всего в каких-то сорока футах от нас. В прыжке он повернул к нам свою древнюю голову и снова ушел под воду. У Ванессы, как и у меня, перехватило дыхание, на ее лице отразился неподдельный детский восторг. В эту секунду я увидел в ней ту девушку, которую любил до своего приезда в Австралию. Я взял ее за руку и крепко сжал, она сжала мою руку в ответ.

— Теперь понимаешь, что я имел в виду? — спросил я. — Видишь, это же просто невероятно!

— Но план уже одобрен, — ответила она, когда наконец смогла оторвать взгляд от воды. — И это твоих рук дело.

— Сам не могу в это поверить, — сказал я. — Видел же, к чему это может привести. Не хочу быть виноватым, если что-то здесь нарушится.

Кит еще раз выпрыгнул из воды, уже гораздо дальше от нас. Он больше не проявлял любопытства — ему надо было продолжать свой путь на север. Какое-то время туристы рядом с нами висли на поручнях в надежде, что кит появится еще раз, а потом вернулись на пластиковые лавки и принялись болтать и сравнивать снимки со своих камер.

Я представил, как Ланс выдохнул с облегчением: еще один тур по наблюдению за китами прошел успешно.

Представил, как они с Йоши, возможно, в этот момент обсуждают маршрут миграции китов, болтают по радио с другими командами и решают, куда идти дальше.

«Если Ванессу зацепит, — думал я, — у нас будет шанс заставить это работать».

Я позволил себе расслабиться и огляделся кругом: вдалеке — береговая линия и, как часовые на подходе к суше, несколько необитаемых островков. У нас над головами взмывали к небу и пикировали вниз птицы, а я пытался припомнить, что мне говорили про них ребята из команд преследователей. Скопы, бакланы, белогрудые морские орлы... Море вокруг поднималось и опускалось, с одного борта оно сверкало на солнце, с другого было темнее и заметно враждебнее. Я больше не чувствовал себя здесь чужим. Пусть у преследователей были проблемы с деньгами, пусть они не были уверены в завтрашнем дне и сидели на диете из дешевого печенья, но я им завидовал.

Именно в этот момент Ванесса заговорила. Ее шляпа была надвинута на глаза так, что мне трудно было увидеть их выражение.

— Майк?

Я обернулся. У Нессы в ушах были серьги с бриллиантами, которые я подарил ей на тридцатилетие.

— Я знаю: что-то происходит, — осторожно начала она. — Я знаю, что потеряла частичку тебя. Но я буду притворяться, будто ничего не произошло, что все в порядке — ты не изменился, и это просто такая реакция на то, что ты женишься.

У меня слегка участился пульс.

— Несса, — сказал я, — ничего не произошло...

Она махнула рукой, чтобы я замолчал, и посмотрела прямо на меня. В ее глазах была боль, и я возненавидел себя за то, что заставил ее страдать.

— Не надо ничего объяснять, — сказала Ванесса. — Я не хочу, чтобы ты думал, будто должен что-то мне говорить. Если ты считаешь, что у нас все может сложиться, что ты можешь любить меня и быть со мной честным, то я хочу, чтобы все осталось, как было. Я хочу, чтобы мы поженились, забыли бы про все это и шли дальше.

Снова заработали двигатели, и я почувствовал, как палуба завибрировала под ногами. Лодка развернулась на сто восемьдесят градусов, одновременно усилился ветер, и Ланс начал что-то говорить по внутренней связи, так что я не был уверен — может, она сказала что-то еще.

Ванесса снова повернулась к морю и выше подняла воротник куртки.

— Хорошо? — спросила она и повторила: — Хорошо?

— Хорошо, — ответил я и придвинулся ближе к ней.

Ванесса позволила себя обнять. Как я уже говорил, она умная, моя девушка.

Пять дней, что оставались до отъезда в Сидней, мы с Ванессой практически не выходили из номера. Мы заперлись не для того, чтобы дни напролет заниматься любовью, как, наверное, думали Кэтлин и Лиза. Нет, мы сидели плечом к плечу над моим ноутбуком и прорабатывали различные варианты проекта, который устроил бы и отца Ванессы, и венчурных капиталистов. Это была непростая задача.

— Если сможем придумать УТП[1], у нас все получится, — сказала Ванесса, а я мысленно поблагодарил

1 Уникальное торговое предложение (*англ.* unique selling point, USP).

Бога за то, что он наделил ее талантом маркетолога. — Если убрать водные виды спорта, киты и будут уникальным торговым предложением. Нам остается только придумать такой способ, чтобы не оставить в стороне наблюдателей за китами. То есть не заменять их, что первое приходит в голову. Должен быть какой-то другой способ предоставить туристам возможность наблюдать за морскими обитателями.

Ванесса связалась с Национальными парками и с людьми из Службы охраны дикой природы, переговорила с ними по поводу дельфинов. Все, как один, ответили, что не могут предложить людям вариант общения с морскими обитателями лучше того, который у них уже есть.

— Может, попробовать что-то радикальное? Что-нибудь вроде платформы на входе в залив с подводной смотровой площадкой?

— Слишком дорого. Да и люди из судоходства наверняка будут против. Можно было бы построить новую пристань с рестораном наверху и смотровой площадкой внизу, — предложил я.

— А что ты увидишь практически у самого берега? — возразила Ванесса, покусывая кончик авторучки. — Мы можем разработать какую-нибудь радикальную идею спа.

— Твой отец не одобрил спа-идею.

— Ну или можем вообще отказаться от этого проекта и подыскать новое место. Я не вижу, как можно без водного спорта использовать этот отель в его нынешнем состоянии. Что еще выделит его на общем фоне доступных мест отдыха? Ничего. Только не на рынке лакшери.

— Теннис? — предложил я. — Конные прогулки?

— Новое место, — сказала Ванесса. — У нас пять дней на то, чтобы найти на побережье участок для проекта в сто тридцать миллионов фунтов.

Мы посмотрели друг на друга и рассмеялись. Эта идея в озвученном варианте казалась еще смехотворнее, чем в качестве простой задумки.

Но Ванесса Бикер не зря была дочерью своего отца. Спустя час мы сошлись на том, что это верное направление. Ванесса воспользовалась старой телефонной книгой Кэтлин и в течение следующих четырех часов переговорила практически с каждым агентом по продаже земельных участков от Кэрнса до Мельбурна.

— Не могли бы вы прислать мне несколько фото?

Эту просьбу я постоянно слышал в паузах между моими собственными переговорами, а уже потом шли другие вопросы:

— Вы не скажете, этот участок моря подходит для подобного проекта?

— У вас обитают млекопитающие и другие животные, на существование которых может повлиять данный проект?

— Они заинтересованы в продаже?

— Они готовы к переговорам?

К концу второго дня у нас было два возможных варианта.

Номер один: уже готовый отель в часе езды от Брисбена. Плюсы: защищенная бухта, которую вполне можно использовать для водных видов спорта. Минусы: этот участок и вполовину не был так хорош, как Сильвер-Бей, и там уже хватало пятизвездочных отелей.

Номер два: полчаса от Бандаберга, то есть участок более доступный, но опять же третий по цене.

— Отцу это не понравится, — сказала Ванесса, а потом улыбнулась как ни в чем не бывало и добавила: — Но все в наших силах, да? Надо только постараться. Я хочу сказать, мы ведь уже кое-чего достигли.

— Не мы, а ты, — уточнил я и с нежностью убрал волосы с ее лица. — Ты — звезда.

— Не забывай об этом, — ответила она.

Не знаю, но мне показалось, что у нее дрогнул голос.

В ту ночь мы занимались любовью первый раз с тех пор, как Ванесса приехала в Сильвер-Бей. Не могу сказать точно, в чем было дело, но, учитывая влечение, которое мы всегда испытывали друг к другу, что-то в наших отношениях изменилось. Ни Ванесса, ни я не были, как прежде, уверены в ответной реакции. Эту неуверенность мы оправдывали усталостью или излишком выпитого вина. Я вдруг стал думать о том, что стены отеля слишком уж тонкие.

Мы поужинали в городе и не торопясь возвращались в отель. Шли по берегу, держась за руки. Вино, луна, то, что я, возможно, смогу спасти Сильвер-Бей от того, что сам же на него и накликал, — все это растопило возникшую между нами холодную стену.

«Я чуть все не испортил», — говорил я себе, пока мы молча возвращались в отель. Чуть, но не все. Мы еще можем спасти проект, можем спасти китов и можем спасти наши отношения. Ванесса узнала что-то новое обо мне, я — о ней. Она дала мне второй шанс.

Вернувшись в номер, мы не стали включать свет и разделись. Молча. Как будто по телепатической связи договорились, что эта ночь все решит. Мы приблизились друг к другу. Я смотрел на силуэт Ванессы и любовался ее чувственной красотой. Когда мы легли на старую кровать, мой мозг сфокусировался на физических ощущениях: телесный контакт, ее руки умело изучают меня, из ее губ вырываются тихие стоны удовольствия. Я пробежал пальцами по ее груди, по ее коже. Зарылся лицом в ее волосы. Я помнил ее запах, помнил ее, то, как она изгибается в ответ на движение моих рук. И наконец я вошел в нее, забыл обо всем и, судорожно глотая воздух, освободился.

А потом мы лежали так тихо, словно в темноте номера нас окружило нечто тягостное и печальное.

Я потянулся к ее руке и спросил:

— Ты как?

— Прекрасно, — ответила она после некоторой паузы. — Просто чудесно.

Я смотрел в темноту и слушал. Волны накатывали на песок, где-то хлопнула дверца машины, завелся двигатель, а я думал о том, чего, я это понимал в глубине души, мне не хватает. Я думал о том, что потерял.

Уезжали мы в субботу. Рано утром я спустился вниз, чтобы рассчитаться с Кэтлин. Половину я оплатил наличными, потому что понимал, что так ей будет удобнее, чем карточкой.

— Я буду на связи, — сказал я, — все быстро меняется. Действительно быстро.

Кэтлин пристально посмотрела на меня и сказала:

— Надеюсь.

После этого она, не считая, положила деньги в жестяную банку и убрала ее в стол. Я подумал, что этот жест означал, что она хоть и не на все сто, но все-таки мне доверяет. Это было такое облегчение — хоть что-то хорошее случилось!

— А Лиза... Лиза здесь? — спросил я, когда понял, что Кэтлин сама не станет поднимать эту тему.

— Лиза вышла в море на «Измаиле».

— Ну, тогда передавайте ей привет, — как можно непринужденнее попросил я, а сам буквально кожей чувствовал присутствие Ванессы, которая уже спустилась вниз и стояла у меня за спиной.

Кэтлин ничего на это не ответила. Она пожала руку Нессе и сказала:

— Счастливого пути. И хорошей вам свадьбы.

Поднимаясь в номер за багажом, я подумал о том, что слова Кэтлин можно понимать по-разному, но ни одна из трактовок не была пожеланием счастья именно для меня. Я шел обратно по знакомому коридору и тут услышал музыку. Ханна еще была в отеле. С тех пор как проект перестал быть секретом, она мало со мной разговаривала, и это ее детское молчание служило подтверждением того, что я поступил неправильно.

Я остановился у ее двери и постучал. Спустя какое-то время она открыла, и в коридор вырвалась волна музыки.

— Вот подумал, надо бы попрощаться, — сказал я.

Ханна не ответила.

— Да и... я зашел, чтобы отдать тебе это. — Я протянул ей конверт. — Твоя зарплата. Отличные получились фотографии.

Ханна взглянула на конверт. Когда она заговорила, в ее интонации мне слышалась нотка извинения:

— Мама не разрешила брать у тебя деньги.

— Что ж, тогда я оставлю конверт на столике в холле. Если тебе и правда нельзя взять их, то, надеюсь, ты сделаешь взнос в какой-нибудь благотворительный фонд для дельфинов. Я знаю: ты их любишь.

Внизу зазвонил мобильный Ванессы, я кивнул, как будто этот звонок оправдывал мой уход.

Ханна стояла в дверях и внимательно на меня смотрела.

— Майк, почему ты нас обманывал?

Я шагнул к ней и ответил:

— Не знаю. Наверное, я совершил большую ошибку, но я постараюсь ее исправить.

Ханна посмотрела себе под ноги.

— Взрослые тоже совершают ошибки, — продолжал я, — но я постараюсь все исправить. Надеюсь, ты... надеюсь, ты мне веришь.

Ханна подняла голову, и по ее лицу я вдруг понял, что она уже давно выучила этот урок и то, как я поступил, только усилило ее уверенность в том, что мы, взрослые, часто поступаем неправильно и всегда можем испортить жизнь ни в чем не повинной девочки.

Мы молча стояли друг против друга: маленькая девочка и делец из лондонского Сити. Я сделал вдох и потом, почти инстинктивно, протянул Ханне руку. После самой долгой паузы в моей жизни она наконец пожала ее. А когда я уже подошел к лестнице, она вдруг меня окликнула:

— Майк! А как же твой телефон? Он ведь еще у нас.

— Оставь себе. — Я был рад, что появился шанс подарить ей хоть что-то. — Ты найдешь ему хорошее применение, Ханна. Я в тебя верю.

Когда я спустился вниз, Ванесса уже ждала меня в машине. На ней была свежая блузка и костюм из немнущейся ткани — походная экипировка, так она это называла, на коленях — портплед (чтобы переодеться перед посадкой в Лондоне), а сверху кашемировый кардиган. Я в шутку спросил, кто ее там встречает, а она ответила, что, если меня больше не волнует собственный внешний вид, это еще не значит, что она тоже должна перестать следить за собой. Думаю, на эти слова ее вдохновили мои джинсы, из которых я не вылезал последние дни. А мне было в них комфортно, и надевать в полет костюм казалось даже глупо.

Кэтлин проводила нас до «холдена».

— Ну, счастливо, — попрощалась она, скрестив руки на груди.

Теперь она уже была совсем не та Кэтлин, которая принимала меня пять недель назад.

— Я не подведу вас, Кэтлин, — тихо сказал я, а она чуть откинула голову, как будто только так и могла мне ответить.

Кэтлин говорила, что Лиза вышла в море на «Измаиле». Я подумал, что, возможно, будет даже лучше, если я больше ее никогда не увижу. Как она сама сказала, вряд ли я мог сообщить что-то, что она хотела бы услышать.

А потом, когда мы уже проезжали мимо Китовой пристани, я посмотрел в зеркало заднего вида. В конце дороги стояла стройная светловолосая женщина, ее силуэт четко вырисовывался на фоне ярко-синего моря. Руки она держала в карманах, а у нее в ногах лежала собака. Она смотрела, как наш белый «холден» медленно, но верно уезжает от отеля по прибрежной дороге.

Полет домой по удовольствиям ничем не отличался от всех двадцатичетырехчасовых полетов. Мы сидели рядом, спорили о том, какой терминал лучше, менялись едой с подносов, кому что нравилось — не нравилось, и посмотрели несколько фильмов, название которых я сейчас не вспомню, но тогда был рад возможности отвлечься. В какой-то момент я заснул, а когда проснулся, увидел, что Ванесса просматривает список статистических данных, и в очередной раз испытал благодарность за то, что она решила выступить на моей стороне.

Приземлились мы около шести утра, а к тому времени, когда прошли паспортный контроль, было уже почти семь.

Даже в этот час и в это время года, которое не очень удачно называется лето, в аэропорту Хитроу было полно людей и атмосфера была серой. По пути к багажной карусели я помассировал затекшую шею и подумал, что все чувствуют себя не очень, когда возвращаются из-за границы. Задержки и несъедобная пища — это то, с чем мы вынуждены мириться в перелетах.

С доставкой багажа возникли проблемы. Не выражая сожаления, голос через репродукторы объяснил это нехваткой кадров: за последний час приземлилось четыре самолета, а команда грузчиков была всего одна. А потом добавил, что у нас будет «небольшая задержка».

— Умираю, хочу кофе, — вздохнула Ванесса. — Здесь где-то должно быть кафе.

— А мне бы узнать, где у них туалет, — сказал я.

Еще до посадки Ванесса подправила прическу и освежила макияж, но все равно выглядела очень усталой. Она никогда не спала в самолетах.

— Кафе будет после таможни. Присмотри за багажом, — попросил я и быстрее, чем может себе позволить уставший человек, ушел на поиски туалета.

За последний месяц я привык быть один, и целая неделя бок о бок с Ванессой и днем и ночью практически без перерывов далась мне нелегко. Еще усугублялось все тем, что большинство людей не желали с нами общаться. Посидеть вечером с преследователями китов мы уже не могли. Конечно, попробовать можно было, но я боялся, что Грэг, эта ходячая пороховая бочка, станет из-за своих догадок наскакивать на Ванессу. И не был уверен в том, что мы с Нессой сможем держать себя в руках, если он по-простецки выложит всю правду.

Во время прогулки по визгливому линолеуму Хитроу я впервые за последние восемь дней был сам по себе, и мне стало легче на душе.

«Ты все сделал правильно, — говорил я себе, хотя мне и было неприятно чувствовать себя предателем интересов компании. — И ты все сделаешь правильно».

Я вернулся к багажной карусели. Мое лицо еще было влажным, после того как я умылся под краном в туалете. Подойдя ближе, я увидел, что транспортер работает, на нем крутится только наш багаж, но Ванесса, как ни странно, не забирает его.

— Ты, наверное, устала, — сказал я и метнулся к нашим чемоданам.

А когда я, запыхавшись под грузом багажа (моя девушка не понимала, что значит путешествовать налегке), вернулся, Несса смотрела на мобильник.

— Только не твой отец, — уже совсем без сил сказал я. — Только не сейчас.

Мог же он дать нам время добраться до дома и принять душ?

Перспектива решающего совещания, пусть и в присутствии Ванессы, внушала мне ужас, мне просто нужен был перерыв, чтобы подготовиться и взять себя в руки.

— Нет, это не отец, — ответила Ванесса и побледнела, что было совсем для нее несвойственно. — Это твой телефон. Сообщение. От Тины.

После этого она сунула телефон мне под нос и пошла к выходу.

В следующий раз я увидел Ванессу спустя примерно двадцать восемь часов на совещании в конференц-зале с Деннисом. Он к этому времени уже был на своих двоих и энергетически готов порвать любого соперника.

— Что происходит, парень? — повторял он, пролистывая папку с моими заметками по поводу застройки. — Что происходит?

Офис стал чужим для меня, а Сити был таким шумным и людным, что я уже не мог списать свои негативные ощущения на банальную смену часовых поясов. Закрыв глаза, я видел безоблачный горизонт Сильвер-Бей, открыв — серый тротуар, вонючие водостоки и автобус номер сто сорок один, изрыгающий фиолетовые выхлопы. И офис. В «Бикер холдингс» я когда-то ориентировался лучше, чем в собственном доме, а теперь офис компании казался мне угрожающего вида серым монолитом. Я даже не смог сразу войти — некоторое время топтался у входа.

А потом возник Деннис, он заслонил собой все, и у меня уже не было возможности думать о чем-то другом.

— Так что все-таки происходит? Думаешь, сделал гениальный кульбит? Могу тебе сообщить: венчурные ребята просто счастливы. Счастливы до усрачки, как хрюшки из пословицы.

За время, что Деннис провел в лежачем положении, он прибавил в весе, стал еще крупнее, и лицо у него раскраснелось, в общем, не сравнить с поджарыми обветренными людьми, с которыми я общался последний месяц.

— Паршиво выглядишь, — сказал Деннис. — Давай-ка организуем по чашке кофе. Пошлю кого-нибудь из девочек, они нам принесут настоящий, а не это растворимое пойло.

В короткие перерывы, когда мы выходили из зала заседаний, я присаживался рядом с Ванессой. Она намеренно не встречалась со мной взглядом, сидела и смотрела на пустой блокнот большого формата. На ней был костюм, который она называла «мой пауэр сьют»[1].

— Мне жаль, — пробормотал я, — это не то, что ты думаешь. Правда. Давай встретимся после совещания, и я все тебе объясню.

— Не то, что я думаю, — повторила Ванесса и начала рисовать в блокноте бессмысленные загогулины. — Эта ее радость по поводу твоего возвращения, по-моему, все объясняет.

— Несса, пожалуйста. Не надо было тебе читать мои сообщения. Дай мне хотя бы пять минут. После того, как все это закончится. Всего пять минут.

— Хорошо, — наконец согласилась она.

— Отлично. Спасибо. — Я крепко сжал ее руку и постарался собраться для решения предстоящей задачи.

Я отчитывался о том, чем был занят в Австралии, а Деннис внимательно слушал. Он, Даррен, наш бухгалтер, и Эд, руководитель проектов, делали заметки, пока я высказывал свои соображения по поводу влияния застройки на экологию выбранного района. Я рассказал им, в чем была моя ошибка и о том, почему процесс планирования, если дело дойдет до публичных разбирательств, может привести к обратным результатам, как это раньше случилось с жемчужной фермой.

— И в заключение: я считаю, что, хотя сама идея проекта и УТП выбраны правильно, — тут я посмотрел на Ванессу, — наш план ошибочен в силу следующих причин, вот посмотрите.

1 *Пауэр сьют* (*англ.* PowerSuite) — программа для очистки, обслуживания и ускорения работы компьютера.

Я раздал всем фотокопии, которые сделал в то утро: список альтернативных вариантов района застройки, а также анализ затрат, которые мы понесем в том случае, если будем настаивать на первоначальном варианте проекта.

— Мы уже нашли новые места и переговорили с тамошними агентами. Основываясь на проведенных исследованиях, я считаю, что эти варианты гораздо лучше, учитывая фактор антирекламы и новое УТП, которое можно назвать ответственным и дружественным по отношению к местному населению. — Я указал на стол. — Ванесса была там со мной. Она видела все своими глазами, видела китов и прочувствовала, насколько важно не вмешиваться в их среду обитания. Она согласна с тем, что для нашего проекта больше подходят эти два альтернативных варианта. Я понимаю, что придется согласиться на неустойки в связи с временными потерями, понимаю, что придется продать данный участок, но я уверен: если вы возьмете меня на встречу с представителями «Вэлланс», я смогу убедить их в правильности нового плана застройки.

— Твою ж мать, — сказал Деннис, просматривая мои данные. — Вот так поворот ты предлагаешь. — Он с шипением вдохнул сквозь зубы и пролистал две последние страницы из моего отчета. — Это обойдется в двадцать процентов от всего бюджета проекта.

Однако он не отмахнулся от моего плана, и это вселяло надежду.

— Но при застройке в первоначально выбранном месте мы потеряем стоимость С94. А здесь если вы посмотрите на правую колонку, то увидите — в результате цифра окажется незначительной. Это менее рискованный вариант. Поверьте.

— Менее рискованный, говоришь? — спросил Деннис и повернулся к Ванессе. — Все под откос, да? Ты правда думаешь, что нам следует перенести проект в другое место?

Ванесса посмотрела на отца, а потом медленно повернулась ко мне. В ее глазах был холод.

— Нет, — сказала она. — Я все тщательно обдумала. Я считаю, что мы должны продолжать действовать на выбранном поле.

15

Лиза

Сегодня я видела кита, одного из последних в этом сезоне. Это была самка, появилась вместе с детенышем прямо у правого борта. Они плавали в чистой синей воде и смотрели на нас, как будто в целом мире не было ничего интереснее. Она подплыла ближе, чем следовало бы, так близко, что я разглядела каждую зазубрину на ее хвостовом плавнике и детеныша, который устроился под брюхом матери и чувствовал себя там в полной безопасности. Туристы были в восторге, они фотографировали, снимали на видео и повторяли вслух, что никогда это не забудут. Они говорили, что слышали о том, что у меня есть дар находить китов, и теперь сами в этом убедились и обязательно рекомендуют меня всем своим друзьям. Но меня это не радовало. Мне хотелось крикнуть ей, чтобы она увела своего малыша подальше отсюда. Мысленно я все еще видела того выбросившегося на берег детеныша. Я не хотела, чтобы она так нам доверяла.

Наверное, то, что сделал Майк, не должно было меня потрясти. И все-таки это было для меня шоком. Я действительно думала, что после всего, через что мне пришлось пройти, я без труда вычислю такого типа, как он. И теперь мне не давала покоя мысль, что я в нем обманулась. Я и без того мало спала, а теперь еще просыпалась среди ночи, к воспоминаниям об уже совершенных мной ошибках прибавилось еще одно.

В первые дни, сразу после отъезда Майка, я злилась не на него, а на себя. За свою глупость, за то, что расслабилась и допустила ситуацию, которая угрожала нашей безопасности. И возможно, за то, что позволила себе, пусть и ненадолго, поверить, что моя жизнь может измениться, хотя уже давно решила, что сближаться с людьми не имею права.

А вообще я злилась на всех: на Майка за то, что он нас обманывал; на людей из совета, которые согласились на его проект, не подумав о китах; на Кэтлин за то, что она позволила ему остаться, и я была вынуждена жить под одной крышей с его надушенной подругой с кольцом невесты на пальце, которая расхаживала по отелю, как будто ничего такого не случилось; ну и на Грэга за то, что он... за то, что он был таким идиотом. Он все время болтался у отеля, злился на меня и одновременно вроде как ждал, что я его прощу. Дошло до того, что мы орали друг на друга при каждой встрече. Думаю, мы оба тогда были на взводе, и ни у меня, ни у Грэга не хватало сил на то, чтобы проявить великодушие.

Не знаю почему — со мной уже давно такого не бывало, — но в ту неделю, когда Майк со своей подругой жили в отеле, мне стоило больших усилий, чтобы встать с кровати. Потом он уехал, но легче мне почему-то не стало.

И еще Ханна. Она сказала мне, с некоторым вызовом, что Майк заплатил ей за фотографии, и показала коричневый конверт с купюрами. Я не успела и слова произнести, как она заявила, что передаст эти деньги Национальным паркам на спасение заблудившихся китов и дельфинов. Она уже с ними переговорила, денег оказалось достаточно, чтобы купить дополнительные носилки для дельфинов, и даже еще останется. Как я могла ей запретить? Я видела, что где-то в глубине души моя дочь хотела защитить Майка, и за это я ненавидела его еще больше.

Ханна как-то притихла. Она перестала спрашивать о поездке в Новую Зеландию и больше времени проводила у себя в комнате. Когда я спросила, не случилось ли чего, она ответила, что у нее все хорошо. Очень вежливо так ответила, как бы давая понять, что мое присутствие нежелательно. А я по ней скучала. По ночам, когда она прокрадывалась ко мне в комнату и засыпала рядом со мной, я обнимала ее, словно хотела восполнить все те моменты, когда ее не было рядом. Так постепенно в ту зиму мы стали отдаляться друг от друга. Преследователи китов по вечерам часто собирались у отеля, будто, сидя вместе за столом, острее чувствовали то, что могли потерять. Ланс, нервно затягиваясь сигаретой, сообщил мне, что Йоши думает о том, чтобы продолжить научную карьеру. Бывшая Грэга в конце концов отказалась от своих претензий на «Сьюзен», но он вел себя так, будто это не было его настоящей победой. Думаю, после того как они прекратили споры из-за лодки, у Грэга в мозгу освободилось место для мыслей о том, что он потерял, а самоанализ не был его коньком.

Снос старого дома Булленов начался в конце августа. За ночь вокруг участка возвели проволочный забор, из города приехали подрядчики со своими доисторическими желтыми машинами и сровняли все с землей. Спустя всего семьдесят два часа забор исчез, и на месте старого дома и сарая осталась только распаханная бульдозерами земля. Когда я выходила в залив и возвращалась обратно, я смотрела на этот участок, и он напоминал мне рану в земле, трагичное черное «О», означающее протест.

Небо было непривычно серым и скучным, и это только усугубляло общее подавленное настроение. Когда приморский город окутывает серая атмосфера, из него уходит вся радость. Гостей стало меньше, хозяева местных мотелей, чтобы отбить выручку за счет торговли в выходные дни, снизили расценки. Мы втянули головы в плечи и старались не слишком об этом задумываться. И все время по заливу продолжали курсировать диско-лодки. Они словно прослышали о постройке нового отеля и решили, что теперь им все можно. Дважды, когда я выходила к Брейк-Ноус-Айленду, эти трехпалубные лодки проходили вдоль береговой линии, на борту было полно пьяных туристов, а музыка из репродукторов могла оглушить весь океан. По иронии судьбы одна из лодок рекламировалась в местной газете как судно, которое способно предоставить туристам все радости наблюдения за китами. Я позвонила в эту газету и высказала все, что о них думаю из-за размещения подобной рекламы. Кэтлин, узнав об этом, прямо сказала, что, если я буду продолжать в таком духе, заработаю себе язву.

Это странно, но со стороны казалось, что Кэтлин смирилась с уготованной судьбой. В любом случае после нашей нервной беседы у нее в офисе мы практически не разговаривали. Я не понимала, почему она так охотно согласилась на то, чтобы Майк соскочил с крючка, а она мне ничего не объяснила. Ночь за ночью Кэтлин уходила спать в свою часть дома, а я без сна лежала в своей маленькой комнате в конце коридора, слушала море и думала о том, сколько еще дней смогу его слушать, прежде чем мы с Ханной вынуждены будем собрать вещи и уехать из Сильвер-Бей.

В начале сентября городской совет объявил, что будут проведены обсуждения плана застройки и каждый сможет высказать свое мнение по этому поводу. Мало кто в Сильвер-Бей верил, что наше мнение кто-нибудь учтет. В предыдущие годы мы не раз были свидетелями застроек в соседних заливах и бухтах: в девяти случаях из десяти застройки продолжались, несмотря на жесткие протесты местного сообщества. Учитывая количество преимуществ и выгодных предложений, которые сулила компания Майка, я не сомневалась в том, что эти слушания обернутся пустой болтовней.

К тому же среди местного населения не было единства. Так получилось, что город разделился: были те, кто обвинял преследователей китов в том, что они излишне драматизируют ситуацию; многих, казалось, вопрос с китами вообще никак не волновал; а некоторые указывали на то, что наша деятельность и есть, по сути, вторжение в среду обитания китов. Последний довод было трудно опровергнуть, тем более что мы все чаще стали сталкиваться с лодками, у которых был менее жесткий кодекс поведения, и они постепенно начинали вести себя в наших водах как хозяева.

Владельцы кафе и управляющие магазинов были заинтересованы в росте туристической и деловой активности в городе, но пока это было нереально, и я им даже сочувствовала. Нам всем надо было зарабатывать на жизнь, и я лучше многих понимала, что сезон сезону в смысле заработка рознь.

Были и мы, преследователи китов, а с нами рыбаки и те, кто просто радовался жизни на берегу залива, где появлялись киты и дельфины, а также те, кто не хотел, чтобы Сильвер-Бей превратился в людный и шумный курортный город. Но у меня было ощущение, что именно наши голоса игнорировали, как будто нас вообще не хотели слышать.

Газеты освещали дебаты с каким-то нездоровым удовольствием: для них это была самая громкая история со времени большого пожара в пабе в восемьдесят четвертом году. Они опровергали обвинения в предвзятости, которые сыпались на них с разных сторон, и без конца связывались с планировщиками, застройщиками и представителями городского совета, чтобы те разъясняли и разъясняли свою позицию, пока им самим не опротивел звук собственного голоса. Дважды я видела в газетах имя Майка и, хоть и злилась на себя за это, читала все, что он говорил. Оба раза он говорил о необходимости компромиссного решения. И оба раза я отчетливо слышала в голове его голос и не переставала удивляться: как можно наговорить столько слов и в то же время почти ничего толком не сказать?

Давайте я расскажу вам кое-что о горбатых китах. В первый раз я увидела горбача, когда мне было восемь лет. Это было в каникулы. Мы с мамой и тетей Кэтлин вышли в море на рыбалку. Мама рыбалку не любила, но не хотела оставлять меня на лодке с тетей. Как она в шутку сказала, ее старшая сестра, как только на горизонте появится крупная рыба, способна позабыть обо всем на свете, и она не хочет, чтобы я плюхнулась в воду, пока Кэтлин затягивает на борт свой улов. Теперь я думаю, что мама просто хотела больше времени проводить с сестрой — к тому времени они уже несколько лет жили на разных континентах и обе тяжело переживали разлуку.

Мне очень понравились те каникулы. Мне нравилось ощущение безопасности, нравилось, что у меня появилась семья, о которой я раньше и не знала. В Англии мы жили без отца. Мама называла Рэя Маккалина легкомысленным, а тетя использовала более смачное словечко, но мама, когда это услышала, покачала головой, дескать, такие слова не следует говорить в моем присутствии. Меня растили женщины: мама в Англии, а когда кончились деньги, тетя Кэтлин и бабушка в Австралии. Мою бабушку я помнила смутно, ее образ из детства был расплывчатым, а тети Кэтлин, наоборот, очень четким. Бабушка была из тех женщин, которых ничего в жизни не интересует, они готовят, растят детей, а когда этот долг перед семьей выполнен, как-то теряются. Женщина своего времени, сказала бы о ней Кэтлин. Мои обрывочные воспоминания о бабушке связаны с двумя приездами в Австралию, когда я была еще маленькой девочкой. Я ощущала ее присутствие где-то в дальних комнатах отеля, она была доброй, смотрела бесконечные мыльные оперы по телевизору или задавала мне вопросы, которые еще рано было задавать девочке моего возраста.

Все, кто мог еще помнить те давние времена, говорили, что Кэтлин — дочь своего отца. Она всегда была чем-то занята, потрошила рыбу или тайком водила меня в Музей китобоев, а это для восьмилетней девочки казалось верхом свободы. Моя мама была на целых пятнадцать лет моложе, но казалась более взрослой, она одевалась с иголочки, пользовалась косметикой и всегда была идеально причесана. А Кэтлин, в рваных брюках, непричесанная, острая на язык, с ее историями про акул, была для меня олицетворением свободы. Статус богини окончательно закрепился за Кэтлин в мой второй приезд, когда она взяла нас с мамой на рыбалку и нам нанес визит нежданный гость.

Кэтлин подробно объясняла назначение разных «мушек» и прикрепляла их к леске, и вдруг не дальше чем в десяти футах от нас из воды беззвучно появилась огромная черно-белая голова. У меня перехватило дыхание, а сердце заколотилось так, что я даже испугалась, что это чудище его услышит.

— Тетя Кэтлин, — шепотом позвала я.

Мама спала на койке, слегка приоткрыв накрашенные губы. Помню, у меня тогда мелькнула мысль, что, наверное, лучше спать, когда тебя собираются убить, так ты не узнаешь, что происходит.

— Что это? — срывающимся голосом спросила я.

Я правда думала, что это чудище собирается нас съесть. Я видела зубы (так я думала) и огромный глаз, который словно бы нас оценивал. До этого я уже видела старые гравюры с морскими чудищами и в музее разломанный корпус «Мауи II» — доказательство того, как они не любят людей. То существо было таким большим, что могло проглотить нас, как маленькую рыбешку.

Но тетя только глянула мельком через плечо и снова вернулась к своим наживкам.

— Это, милая моя, всего лишь горбатый кит. Не обращай на него внимания, он просто любопытничает. Скоро он уплывет.

После этого тетя больше не смотрела на кита, словно он был обычной чайкой. И действительно несколько минут спустя огромная голова снова ушла под воду и кит уплыл.

Вот что я в них люблю: несмотря на их мощь, силу и устрашающий вид, киты самые добрые существа на свете. Они приходят, чтобы посмотреть на вас, а потом уходят. Если вы им не понравитесь, вы это легко поймете. А если они подумают, что дельфинам достается слишком уж много внимания, они могут зайти в залив и из ревности переключить внимание пассажиров на себя. В их поведении порой бывает что-то детское, они могут вредничать и озорничать. Киты словно не могут устоять перед искушением, им обязательно надо посмотреть, что там такое происходит.

В давние времена китобои называли горбачей «веселыми китами». Я, когда пять лет назад начала вывозить в море туристов, смогла убедиться, что это прозвище очень им подходит. Один раз я вызвала по радио других ребят, потому что увидела кита, который плавал брюхом кверху и помахивал при этом плавником. А в другой раз наткнулась на горбача, который целиком вертикально выпрыгнул из воды и сделал оборот на триста шестьдесят градусов, как какая-нибудь веселая громадная балерина — пируэт, просто потому, что ему так хотелось.

Я уверена, что определение «веселая» не для меня, но Кэтлин как-то сказала, что, видно, я чувствую такую связь с китами, потому что они по натуре одиночки. У них нет союзов «самка — самец», во всяком случае длятся они недолго. Самцы не исполняют родительские обязанности. Кэтлин не упомянула о том, что самки не моногамны — тогда ей уже не надо было мне об этом говорить, — но как матери они достойны восхищения. Я видела, как самка горбача, чтобы вытолкать своего детеныша на глубину, рисковала сама оказаться на берегу. Я слышала, как их песни любви и потери разрывали тишину океана, и рыдала вместе с ними. В этих песнях можно услышать всю радость и боль матери, которая неразрывно связана со своим ребенком.

После смерти Летти в моей жизни был период, когда я думала, что уже никогда не буду счастлива. Ничто не может заглушить боль потери ребенка, ее невозможно измерить, она так велика и так невыносима, что не высказать словами. Это неотступающая физическая боль, каждый раз, когда начинаешь думать, будто сможешь двигаться дальше, она возникает снова и, как волна прилива, забирает тебя с собой.

А если ты винишь себя в смерти ребенка, дни, когда у тебя получается приподнять голову над водой, случаются еще реже. В те первые дни мне было тяжело вспоминать о том, что у меня было два ребенка. Сейчас я могу сказать Ханне спасибо за то, что осталась жива, но в первые недели, когда мы только приехали в Сильвер-Бей, я была совершенно опустошена и ничего не могла ей дать. Не могла ни приободрить, ни согреть, ни приласкать. Я словно оказалась заперта в каком-то недоступном месте, меня пожирала боль, и там было так жутко, что я даже боялась подпускать Ханну слишком близко к себе.

Вот тогда я увидела в море мою единственную возможность освободиться от этой боли. Я смотрела на него не как на нечто красивое и успокаивающее в своем постоянстве, нет, оно было для меня как тайник с виски для алкоголика. Алкоголик наслаждается знанием о том, что у него есть этот тайник, и тем, что спрятанный виски сможет принести ему облегчение. Летти не было рядом, и это не могло принести облегчения, только не в тот момент, когда я просыпалась от своих наполненных кошмарами снов. Я чувствовала ее рядом, прижимала к себе, вдыхала медовый запах ее волос, а потом вдруг просыпалась и кричала оттого, что знала, где она на самом деле. Я слышала в тишине ее голос, в моем мозгу звучало эхо последних криков нашей разлуки. Я обнимала пустоту, и эта пустота, несмотря на то что вторая дочь оставалась со мной, превращалась в бездну.

Кэтлин была не дура. Когда я заинтересовалась ее лодкой, она, наверное, сразу догадалась, что у меня на уме. Из-за депрессии я не понимала, насколько могут быть очевидны мои мысли для окружающих.

Как-то днем мы бросили якорь за мысом, Кэтлин отвернулась от меня и с горечью в голосе сказала:

— Ну давай, вперед.

Я, ничего не понимая, смотрела ей в спину. День был ясный, помню, я тогда почему-то подумала, что, наверное, Кэтлин не пользуется солнцезащитным кремом.

— Что значит — вперед?

— Прыгай. Ты ведь это задумала?

Я считала, что у меня уже все атрофировалось и я не смогу ничего почувствовать, но эти ее слова были как удар под дых.

Кэтлин повернулась и пристально посмотрела мне в глаза:

— Ты уж прости, что я не буду смотреть. Не хочу врать твоей дочери о том, что случилось с ее мамой. Если не буду смотреть, смогу сказать, будто ты упала за борт.

Я даже закашлялась. Воздух вырывался из моей груди, я не могла произнести ни слова.

— Эта маленькая девочка уже многое испытала, — продолжила Кэтлин. — Когда она узнает, что мама не любила ее достаточно для того, чтобы продолжать жить, это ее добьет. Так что, если собираешься это сделать, делай сейчас, пока я не вижу. Не хочу еще полгода жить на нервах и постоянно думать о том, как ее от этого уберечь.

Я стояла и мотала головой. Говорить я не могла, только все качала головой, будто так пыталась сказать Кэтлин и даже самой себе, что не собиралась делать то, о чем она подумала. Так я приняла решение жить дальше. Мое тело приняло это решение за меня, а часть моего разума задавала вопрос: как? Как можно жить с такой болью? В тот момент даже думать о том, что предстоит жить дальше с этой болью внутри, было невыносимо.

И вот тогда я увидела их. Семь китов. Их блестящие от воды тела поднимались и опускались вокруг лодки. В их грациозных движениях был свой ритм, плавный и неизменный, он рассказывал нам об их путешествии. Сделав круг вокруг лодки, они нырнули. Каждый появился еще на мгновение, а потом исчез под водой.

Это зрелище отвлекло меня от самых жутких мыслей в моей жизни. Но потом, когда мы вернулись домой, я обняла мою бедную печальную девочку и поняла, что при всем моем скептическом отношении ко всякого рода знакам появление тех китов было посланием. Это послание было о жизни, смерти и непрерывности, о ничтожности материальных вещей и, возможно, о том, что все когда-нибудь заканчивается. Когда-нибудь я снова встречусь со своей Летти, пусть даже я больше не могла выбирать, когда именно это случится.

Ханна иногда, когда мы были одни в темной комнате, говорила мне: если Бог есть, он все обязательно поймет. А я прижимала дочь к себе и думала: возможно, только то, что она просто живет, и есть доказательство того, что это может быть правдой.

После того дня на лодке я всегда легко находила горбатых китов. Кэтлин любила говорить, что у меня на них чутье, и, как бы странно это ни звучало, в этом была доля правды. Я действительно следовала своему чутью, когда вглядывалась в далекие волны в надежде, что одна из них вдруг превратится в нос кита или в плавник, и в девяти случаях из десяти они позволяли мне себя увидеть.

Но вот к концу зимы что-то произошло. Сначала это были хлопки. Кит, когда хочет предупредить когонибудь, принимается взбивать воду хвостовыми плавниками или иногда просто бьет по воде хвостом. В результате сигнал эхом проходит по воде тысячи миль. Мы не часто такое видели, потому что старались лишний раз не тревожить китов, но вдруг я стала замечать, что сигналы посылает каждый из тех немногих, которые показывались на поверхности воды.

А потом на две недели раньше, чем это обычно происходит по графику их миграции, киты исчезли. Возможно, виной тому было интенсивное судоходство в том сезоне, а может, они как-то уловили, что атмосфера в заливе меняется, и решили больше не удостаивать нас своим появлением. В любом случае те из нас, кто работал на Китовой пристани, постепенно стали замечать, что находить китов становится все труднее и труднее, причем даже в сезон, когда они обычно появлялись на поверхности два-три раза за прогулку. Сначала никто из нас не хотел признаваться в этом перед другими ребятами. Найти кита первым — дело чести для преследователей. Только такие, как Митчелл Дрэй, вечно висели у других на хвосте. Когда мы начали об этом говорить, каждый понял, что его печальный опыт не уникален. К середине сентября дела пошли настолько плохо, что оба «Моби» временно перестали выходить в открытое море и вместо этого катали туристов по заливу, демонстрируя им дельфинов. Прибыль от таких прогулок была меньше, но зато риск разочарования тоже снизился, и, что немаловажно, не надо было выплачивать компенсацию.

Затем и дельфины стали куда-то исчезать. Порой их было так мало, что каждого, оставшегося в заливе, мы уже узнавали по особым приметам, и риск спугнуть последних значительно увеличился. К началу октября каждый день в море выходила только я на «Измаиле», да и то без особой надежды на результат.

Темное море раскачивало «Измаил», оно казалось темным даже в самые ясные дни. Киты ушли, и с ними будто бы ушло все, что я любила. Я не могла поверить в то, что так много морских млекопитающих просто взяли и покинули нас, что они вот так вдруг захотели и изменили график, по которому столетиями мигрировали на север. Из-за событий, которые произошли в последние недели, я была немного не в себе и однажды, когда вышла в море одна, без туристов, вдруг обнаружила, что ору на китов как последняя дура. Я стояла, вцепившись в штурвал, а мой крик отскакивал от волн, его не слышали те, к кому я обращалась, те, кто укрылся на глубине от ставшего недружелюбным мира.

— Что, черт возьми, мне делать? — кричала я так громко, что Милли подскочила на мостике и стала беспокойно поскуливать.

Но я чувствовала, что в этом есть и моя вина, что я подвела их, как подвела когда-то своих детей. Мой крик подхватывал ветер, и он затихал где-то вдалеке.

— Что, черт возьми, мне делать?

В последнюю среду сентября в четыре после полудня позвонил Джо Джо и сказал, что у мистера Гейнса был сердечный приступ. Моя тетя Кэтлин была сильной женщиной, ее не зря звали Леди Акула. Тогда я в первый раз в жизни увидела, как она плачет.

16

Майк

Назвать одну из комнат в квартире Моники спальней для гостей можно было только условно. Эта комната и близко не была готова к встрече гостей, а спальней ее можно было назвать только потому, что, помимо четырнадцати картонных коробок, двух электрогитар, горного велосипеда, сорока девяти пар туфель, комода из сосны шестидесятого года, постеров в рамочках со всякими рок-группами, о которых я никогда не слышал, и моей игрушечной железной дороги, там была еще складная кровать.

— Я освобожу тебе место, — пообещала Моника, когда я решил, что надолго останавливаться в отеле неразумно с финансовой точки зрения, и осторожно попросился пожить у нее.

Но в мире Моники выражение «освободить место» вовсе не означало, что она выбросит коробки или перенесет велосипед в коридор. Нет. Вместо этого она сдвинула пару мешков с одеждой ровно настолько, чтобы можно было расставить складную кровать.

Вот на этой кровати я и лежал ночь за ночью. Пружины впивались мне в спину сквозь худой матрац, запах старых кожаных туфель сестры насквозь пропитал пыльную комнату, а я все думал о том, в какой запутанный клубок превратил свою жизнь, которая до этого была довольно хорошей.

Например, моя бывшая невеста. Ненависть ко мне подвигла ее лично ускорить застройку в Сильвер-Бей, которой я пытался противостоять. Ванесса прислала мне письмо, не рукописное, конечно, в котором сообщала, что меньшее, чего она от меня ожидает, — это то, что я позволю ей выкупить мою половину дома. То же самое касалось и машины. Так что дома у меня больше не было. Ванесса пообещала, что выкупит все по рыночной цене, хотя я не собирался проверять, какая нынче эта рыночная цена, и без лишних разбирательств согласился. Эти разбирательства показались мне настолько неуместными, что я с радостью пошел на все условия Нессы, пусть даже она могла повести в счете тысяча к одному.

Я продолжал ходить на работу, но уже как живой мертвец. То есть я сохранил свою позицию партнера, но больше не выступал в роли консультанта по всем важным для компании контрактам, не говоря уже о том, что мои рекомендации и распоряжения больше не имели веса даже для секретарш. С того момента, как Ванесса выступила против меня на совещании по проекту «Сильвер-Бей», мой авторитет был подорван раз и навсегда. Меня перестали приглашать на ключевые «совещания» в пабе, посланные на мое имя сообщения пересылались другим сотрудникам. Деннис меня игнорировал. Даже Тина перестала считать меня привлекательным — видимо, почуяла, что мой статус упал. У меня осталось два варианта решения этой проблемы: драться за свою работу, то есть сметать всех, кто встанет на моем пути, ради того, чтобы снова стать Большим Членом нашей компании (утонченное определение от Денниса), или уйти и сдать то, что осталось от моей репутации, конкурентам. Ни то ни другое меня не привлекало.

И самое худшее: я сидел на совещании с представителями «Вэлланс», перечитывал копии документов и видел, как в тысяче миль от Лондона медленно, но неуклонно продвигается проект, который может разрушить Сильвер-Бей и жизни тех, кто живет в отеле на берегу залива. Сайт обновился — заброшенный участок Булленов расчистили бульдозерами. Было слушание, которое, в чем мы не сомневались, прошло «на раз». Я понимал, что Деннис оставляет меня на позиции только из-за «Вэлланс», — они могли задергаться, если бы он в решающий момент потерял своего ключевого сотрудника.

А еще я понимал, что, для того чтобы после этой сделки выжить в профессиональном смысле, должен хитрить. Но я был деморализован, не мог использовать свои аналитические способности ради спасения карьеры, не знал, как поступить, меня парализовало чувство вины.

Ночь за ночью я лежал без сна на складной кровати в окружении обломков чужой жизни и ждал, когда ко мне вернется способность трезво мыслить.

Одно для меня было ясно: Ванесса порвала со мной, когда выступила за первоначальный вариант проекта. Она взглянула на меня, и каждый атом еще теплившейся любви испарился. Ее враждебность подействовала на меня как ушат холодной воды.

— Черт, но ты не можешь сваливать на нее всю вину, — сказала Моника и передала мне бокал вина.

Одним из условий моего проживания в ее квартире была сборка шкафа с выдвижными ящиками, который она купила несколько недель назад. Так что в тот момент я сидел посреди груды досок ДВП и полиэтиленовых пакетов с немыслимым количеством шурупов. Ради эффективности сборочных работ мне пришлось отказаться от выпивки на пару бокалов раньше.

В тот месяц я прилично закладывал. Честно говоря, я почти все время был подшофе, но не настолько, чтобы об этом кто-то догадывался. Я не Грэг, который, как выпьет, начинает бузить, я пью аккуратно. Третья бутылка виски ушла постепенно. Бокал вина превратился в полторы бутылки. Не то чтобы я зависимый, но разрыв отношений обычно выбивает мужчин из колеи. Мы не делимся с подружками, не анализируем бесконечно поведение наших бывших партнеров. Мы не принимаем терапевтические ванны, не зажигаем ароматические свечи, чтобы смягчить свои страдания, и не читаем в журналах сентиментальные истории, которые помогают жить дальше. Мы идем в паб или сидим с бутылкой перед телевизором.

— Я ее и не виню, — сказал я. — Я знаю, что сам во всем виноват.

— Мой брат — серийный любовник, каково? Эй, смотри, вон шуруп, ты его чуть не посеял.

— Я не серийный любовник.

— Тогда ловелас. — Моника хихикнула. — Серийный ловелас.

Я не смог сдержаться и тоже рассмеялся. Это звучало так глупо.

— Вот, — сказала Моника, она сидела на ковре по-турецки и показывала на меня дымящейся сигаретой, — видишь? Ты ее не любил по-настоящему, иначе ты бы не смог смеяться. Я была права.

— У тебя нет сердца.

Но возможно, она была права. Не секрет, мне было плохо, я чувствовал, что виноват, и был сам себе противен, но я знал, что пью не из-за того, что потерял Ванессу. Я пил, потому что перестал понимать, кто я. Я потерял не только что-то материальное (квартира, машина, почти все в «Бикер холдингс»), я потерял то, что, как мне казалось, и есть я, — дар аналитика, драйв, стратегический фокус на решение проблем. Азарт. Но я не был уверен, что мне нравятся те черты характера, которые проявились в последнее время.

А еще причиной того, что я пил, была мысль, которая перевешивала все остальные: я неумышленно разрушил жизнь трех человек, а у них не было возможностей отвоевать ее обратно.

— Что я наделал? Моника, как теперь это остановить? — спросил я и бессильно уронил отвертку на пол.

— Почему это так важно? — Моника подняла отвертку и начала изучать инструкцию. — Если бы ты этого не сделал, ты бы лишился работы.

Я посмотрел на лежащие передо мной доски, в общем-то, они не были настоящими досками, потом оглядел крохотную квартирку, в которой царил хаос и куда сквозь стены проникал звук проезжающих по улице машин. Мне стало тоскливо.

— Потому что важно, — ответил я.

— Микки, что, черт возьми, там произошло? Ты уехал как принц на белом коне, а вернулся вообще никакой.

Я рассказал ей все. И странное дело, проговаривая вслух свою историю, я начал понимать, что происходит. На это потребовалось два часа времени и еще несколько бокалов вина, но я сидел с сестрой в ее тесной, неприбранной квартире в Стоквелле[1] и говорил до самого рассвета. Я рассказал Монике о Кэтлин и отеле, о Ханне, Лизе и преследователях китов, и пока я о них рассказывал, их лица оживали у меня перед глазами. На секунду мне показалось, будто я вернулся туда, где легко дышится, я слышал шум волн и кожей чувствовал соленый морской бриз. Я рассказал Монике о смерти Летти, о выбросившемся на берег детеныше кита, о звуках, которые услышал, когда Лиза опустила в воду гидрофон. А когда я дошел до того момента, как силуэт светловолосой женщины исчезал в зеркале заднего вида, то наконец понял.

— Я влюбился, — сказал я.

Это признание само собой сорвалось у меня с языка. Я прислонился спиной к дивану и словно в забытьи повторил:

— Я влюбился.

— Аллилуйя, — сказала Моника и затушила сигарету. — Теперь я могу идти спать? Ты как приехал, я все ждала, когда же до тебя это дойдет.

Деннис, когда зевал, издавал такой же звук, как собака ранним утром. Уникальный звук, что было странно в нашей ситуации, так как я знал, что это у него такая тактика. Деннис зевал для пущего эффекта, когда конкурирующая фирма проводила презентацию своего проекта или когда кто-нибудь хотел сказать то, что он не желал слышать. А такое случалось часто.

Итак, он откинулся в своем кожаном кресле и зевнул столь широко, что я мог бы пересчитать все пломбы из амальгамы в его верхней челюсти.

1 *Стоквелл* (*англ.* Stockwell) — район Лондона.

— Извини, Майк. Так что, ты говоришь, хочешь сделать?

— Я увольняюсь, — сказал я просто, стоя напротив него.

Вообще-то, я подготовил целую речь, репетировал бессонной ночью несколько часов, но, когда дошло до дела, решил, что хватит и этих двух слов.

— Что?

— Я написал заявление. Предупреждаю заранее.

Деннис резко прекратил зевать. Он посмотрел на меня исподлобья и снова откинулся в кресле.

— Не глупи. К весне мы добьем сделку с Картером. Ты же вел ее с самого начала.

Я пожал плечами:

— Меня не волнует сделка с Картером. Надеюсь, ты разрешишь мне уйти прямо сейчас. Я бы с радостью отказался от зарплаты.

— Хватит валять дурака, парень. У меня нет времени.

— Я абсолютно серьезен.

— Днем поговорим. А сейчас исчезни. Я жду звонок из Токио.

— Днем меня здесь не будет.

В этот момент Деннис понял, что я не шучу. Было видно, что он раздражен, как будто я пытаюсь что-то у него выбить.

— Дело в деньгах? Я же говорил, что в январе пересмотрю твою зарплату.

— Дело не в деньгах.

— В пакет будет включен пункт частной страховки здоровья. Пластическая хирургия, если тебе это интересно. Тебе даже не потребуется платить взносы.

Мне вдруг захотелось ослабить галстук и расстегнуть воротничок сорочки.

— Это из-за Ванессы? Ты думаешь, что я хочу тебя выжить?

— Ты хочешь, чтобы я ушел, но это не из-за Ванессы. Послушай, я знаю: ты не хочешь, чтобы я ушел, пока «Вэлланс» не определились.

— А кто говорит, что «Вэлланс» не определились?

— Я не дурак, Деннис.

Деннис взял со стола ручку и обвел взглядом офис, как будто раздумывал, что бы такого сказать, потом остановил взгляд на мне.

— Да сядь ты, ради бога, не маячь.

В ту осень Лондон трудно было назвать приятным местом: небо было низким и мрачным, дождь шел стеной, вода скапливалась в лужах на неровных тротуарах и заползала вверх по брючинам. Порой тучи опускались так низко, чуть ли не на крыши домов, я даже начал опасаться, что у меня разовьется клаустрофобия.

«А вообще, — думал я, глядя в окно, — это мог бы быть любой сезон, если учитывать, сколько времени я провожу на улице».

Зимой я иногда надевал пальто, летом мог надеть легкую рубашку, но, когда день за днем проводишь в помещении с кондиционерами и двойным остеклением, а на работу и с работы ездишь либо на метро, либо в такси, времена года пролетают, не требуя особой адаптации.

Я сел. Снаружи сигналили машины, были слышны какие-то крики. Деннис — большой любитель перебранок, обычно он бросал все дела и подходил к окну, чтобы понаблюдать за происходящим на улице. Но сейчас он сидел за столом и смотрел на свои руки. Ждал. Думал.

— Послушай, Деннис, мне жаль, что так получилось с Ванессой, — первым заговорил я. — Я никогда не хотел причинить ей боль.

Тут Деннис сменил манеру поведения. Он расправил плечи и наклонился ко мне. Лицо его на секунду смягчилось.

— Несса это переживет, — сказал он. — Найдет себе кого-нибудь получше. Мне бы разозлиться на тебя, учитывая, что она моя дочь, но я отлично знаю, что Тина за штучка. Пару раз чуть сам не пошел по этой дорожке. Да вот только мать Ванессы владеет всеми нашими активами, и это удержало. — Деннис усмехнулся. — Плюс она сказала, что в случае чего расплющит мои яйца пресс-папье.

Деннис глубоко вздохнул и бросил мне ручку через стол.

— Черт, Майк. Как до такого дошло?

Я поймал ручку и положил ее обратно на стол напротив Денниса.

— Я тебе уже говорил, я не могу участвовать в этом проекте.

— Из-за мерзких рыб?

— Дело не только в китах. Там все важно. Мы... Если мы будем продолжать, мы разрушим жизни людей.

— Раньше тебя это никогда не волновало.

— Возможно, зря.

— Ты не можешь защитить людей от прогресса. И ты это знаешь.

— А кто сказал, что это прогресс? В любом случае некоторые люди нуждаются в защите.

— Это же не завод по переработке ядерных отходов, Майк, это всего лишь чертов отель.

— Но последствия могут быть такими же.

Я видел, что Деннис не верит моим словам. Он покачал головой и поставил несколько крестиков в своем блокноте, потом посмотрел на меня:

— Не делай этого, Майк. Я признаю, что после возвращения вывел тебя из круга, но ты стал таким благочестивым, аж тошно, а я могу доверять тебе, только если ты на сто процентов со мной.

— Я с тобой Деннис, но не за этот проект.

— Ты же понимаешь, что мы зашли слишком далеко, возвращаться уже поздно.

— Нет, не поздно. Мы нашли два новых места. Оба варианта реальные, и ты это знаешь.

— И оба намного дороже первого.

— Не намного, если компенсировать С94. Я проверял.

— Работа над проектом будет продолжаться, хочешь ты этого или нет.

Деннис не хамил, он скорее извинялся, а я вдруг понял, что дело не в бизнесе, дело в Ванессе. Он не мог пойти публично против дочери — это было бы уже слишком.

— Извини, Майк, но все задействовано по первоначальному плану.

— Тогда я увольняюсь. — Я встал и протянул Деннису руку. — Мне действительно жаль, Деннис. Ты даже не представляешь насколько.

Он не пожал мне руку, и я пошел к двери.

— Черт, да это же просто смешно! — От злости Деннис дал петуха. — Ты не можешь разрушить свою карьеру из-за каких-то рыб. Перестань, парень. Мы же друзья, или как? Мы сможем через это пройти.

Я остановился у двери. Странно, но по голосу Денниса я слышал, что он чувствует то же, что и я, — сожаление даже более сильное, чем то, что я чувствовал после разрыва с Ванессой.

— Мне жаль.

Я открыл дверь, и тут он снова заговорил:

— Ты же не будешь со мной воевать из-за всего этого, Майк. — Это был и вопрос и утверждение одновременно. — Можешь уходить, если считаешь нужным, но не пытайся сорвать мою сделку.

Вообще-то, я надеялся, что он не станет об этом просить.

— Не могу сидеть сложа руки и наблюдать за тем, что там происходит, — ответил я сдавленным голосом.

— Если будет надо, я тебя уничтожу, — сказал Деннис и кивнул для большей убедительности.

— Я знаю.

— Я тебя в дерьме изваляю, ославлю на весь Сити. Тебе больше никто и нигде не предложит достойную работу.

— Я знаю.

— И не надейся, что я передумаю. Я способен на многое.

Что-что, а это я знал лучше других.

Мы молча смотрели друг на друга.

— Вот дерьмо. — Деннис подошел ко мне и заграбастал в медвежьи объятия.

Тина по интеркому сообщила, что поступил ожидаемый звонок из Токио.

С Моникой я встретился в баре неподалеку от офиса ее газеты. Она выскочила сделать глоточек, но предупредила, что должна будет вернуться и продолжить работу над статьей. Я все еще прокручивал в голове разговор с Деннисом, поэтому скорее из вежливости, чем из искреннего интереса, поинтересовался, о чем статья. Моника рассказала что-то бессвязное о мошенничестве с земельными участками и субсидиях Евросоюза, а потом вдруг разозлилась.

— Ненавижу истории, связанные с финансами, — буркнула она. — Тратишь недели на то, чтобы разобраться со всеми этими цифрами, а когда наконец статья выходит, оказывается, что всем все равно, потому что людям это неинтересно.

— Хочешь, помогу? — предложил я. — Я не профессиональный бухгалтер, но в таблице деловых операций могу разобраться.

Моника даже немного растерялась.

— Может быть. — На ее лице мелькнула улыбка. — Если совсем увязну, возьму материалы домой, и ты сможешь посмотреть.

Должен признаться, что одним из неожиданных плюсов крушения моей личной жизни было то, что мы с сестрой, к нашему общему удивлению, обнаружили, что нравимся друг другу. Я по-прежнему считал ее слишком саркастичной, амбициозной и неорганизованной. Но также начал понимать, что за ее сарказмом прячется незащищенность. Амбициозность Моники появилась из-за того, что я, ее старший брат, поднялся по карьерной лестнице быстро и легко, а родители, теперь мне было за это стыдно, неосознанно жестоко использовали мой успех против нее. Еще я стал догадываться, что Моника могла бы влюбиться в какого-нибудь парня сильнее, чем сама от себя ожидала, и чем дольше она живет одна, тем больше вероятность того, что она уже не впустит никого в свою жизнь. Если бы мы раньше так были близки, если бы в дальнейшем могли оставить эту заветную дверь открытой, я мог бы поговорить с ней об этом. Однажды.

— Принес фотографии?

Я достал из кармана небольшой бумажный пакет и передал его Монике. Она начала просматривать снимки, слегка наклоняя их к свету.

— Я уже думала об этом, — сказала она, — и считаю, что у тебя есть шанс, если предать информацию о проекте гласности. «Вэлланс» дорожат своей репутацией, плохая реклама им не нужна. Для того чтобы им противостоять, тебе надо найти эффектную фигуру на пост номинального руководителя общественного движения, одного человека с ораторскими способностями на роль представителя от общественности, а после этого ты должен начать работать на двух уровнях: на местном и государственном.

— Это как?

— На местном уровне: буклеты, постеры, местные газеты. Постарайся создать почву для протеста, и дальше все само пойдет. Для работы на государственном или даже международном уровне тебе потребуется пара хороших историй, которыми бы заинтересовались телевизионщики. Можно привлечь экспертов в области защиты дикой природы или использовать какие-нибудь новые научные исследования. Ты найдешь. Там ведь есть что-то вроде общества защиты китов? Вот они тебе и помогут.

Я начал конспектировать предложения Моники. Такой я ее еще не видел, ее советы были очень ценными.

— Общество защиты китов, — повторил я себе под нос. — И дельфинов тоже?

Моника остановилась на одной из фотографий, которые сделала Ханна: Лиза стоит на Китовой пристани. Она слегка наклонила голову набок и улыбается прямо в камеру. Так она часто улыбалась своей дочери, было видно, что ее переполняют самые теплые чувства. Волосы, что необычно, распущены, а в ногах лежит собака и с обожанием смотрит на свою хозяйку.

— Это она?

Я кивнул, но не смог ничего сказать.

— Симпатичная. Похожа на ту девушку из заповедника в телике.

Я представления не имел, о ком она говорила.

Моника подтолкнула ко мне стопку фотографий, а ту, что с Лизой, положила сверху.

— Вот ее и надо вывести вперед. Сделай из нее лицо кампании. Она хорошо выглядит, фотогеничная, а большинство людей ожидают увидеть какого-нибудь грубого, закостенелого спасителя человечества. Поставь ее и старую леди рядом, и твои шансы увеличатся. Может, стоит попробовать сделать что-нибудь в духе «Относительных ценностей»[1] в «Санди таймс». Ты, кажется, говорил, что о ней когда-то писали в газетах?

— Да, думаю, что смогу найти эти материалы в интернете.

— Если с тех пор о ней ничего не писали, из этого может получиться отличная история. Я уже говорила о местном радио? О господи. Слушай, первое и главное, что ты должен сделать, — это пресс-релиз. Разошлешь по всем новостным организациям, и жирно выдели свои контактные данные. А потом, братишка, тебе потребуется стать жестче. Ты выйдешь вперед и примешь бой.

— Я?

Моника удивленно посмотрела на меня.

1 *«Относительные ценности»* («Relative Values») — пьеса Ноэля Коуарда, в 2000 году по пьесе был снят фильм «Голубая кровь».

— Я просто хотел узнать, что они могут сделать в этой ситуации.

— Ты не будешь им помогать?

— Ну, я буду отсюда, из Лондона, делать все, что могу.

Моника не смогла скрыть своего разочарования.

Бармен спросил нас, не желаем ли мы еще чего-нибудь выпить, и мне показалось, что Моника его даже не услышала. Потом она взглянула на часы и отказалась.

— И он тоже больше ничего не желает, — добавила она, кивнув в мою сторону.

— Я не желаю?

Когда бармен отошел, Моника с укором сказала:

— Ты говорил, что любишь ее.

— Но это не значит, что она меня любит, — сказал я и сделал последний глоток из своего бокала. — Она меня ненавидит. Это я знаю из достоверного источника.

Моника приподняла брови. Точно так же она делала в детстве, когда хотела сказать, что от мальчишек нет толка, и доказать мне свое превосходство. Так она говорила мне, что я в который раз все неправильно понял, но ничего другого она от меня и не ожидала. И как в детстве, мне захотелось повалить ее на пол, сесть сверху, чтобы хоть так доказать, что главный среди нас я.

Вот только в этот раз, как бы меня это ни злило, я должен был согласиться с тем, что сестра права. Моника откинулась на спинку стула и скрестила руки на груди.

— Микки, какого черта ты здесь рассиживаешь?

— Потому что я тупой парень, который не может решить, как спасти свою жизнь?

Сестра покачала головой.

— О нет, — сказала она и улыбнулась. — Ты принял решение. Ты слишком тупой, чтобы понять это.

Впервые в сознательном возрасте я не стал подыскивать наиболее выгодный вариант перелета: не соотносил расстояние между кресел с ценой на билет или призовые мили с качеством подаваемой в полете еды. Я просто забронировал место на ближайший рейс в Сидней. А потом, даже толком ничего не обдумав, сложил в чемодан все самое необходимое, и сестра отвезла меня в аэропорт.

— Все хорошо, — сказала Моника, когда мы стояли у секции сдачи багажа, и чуть ли не с любовью поправила лацканы моего пиджака. — Правда. Ты все правильно делаешь.

— Она не захочет со мной разговаривать, — сказал я.

— Тогда, мой маленький Микки, тебе придется над этим поработать.

В полете я все больше и больше нервничал. Когда мы сели на дозаправку в Гонконге, нервы у меня расшалились так, что это уже никак нельзя было списать на смену часовых поясов. Я пытался думать о том, что скажу ей при встрече, но любой вариант начала разговора получался неадекватным. Вообще-то, само мое присутствие было бы там неуместным. Моника осталась в тысячах миль позади, и мои смутные мечты о страстной встрече таяли, как след от самолета в голубом небе.

Я не выполнил данное Кэтлин обещание, не остановил застройку. Проект набирал скорость. Несмотря на мои чувства к Лизе, я все еще оставался, как она меня назвала, двуличной свиньей. Порвал бы я с Ванессой, если бы она не прочла сообщение от Тины и сама не порвала со мной? Можно было успокаивать себя тем, что мы все равно рано или поздно расстались бы, но если я не мог разобраться в себе, как я мог быть уверен в том, что это абсолютная правда?

Слова, которые я репетировал для встречи с Лизой, тонули в хоре других голосов.

Голос Ханны как серебряный колокольчик: «Майк, почему ты нас обманывал?» Потом ее мама обвиняла меня в том, что все, что я говорил, было ложью. Я вспоминал лицо Ванессы, когда она прочитала сообщение в моем телефоне, и понимал, что больше не хочу причинить еще кому-то такую боль.

Сидя в самолете, который летел на восток, я еще до того, как закончился первый фильм, обнаружил, что сам не знаю, что делаю. Вряд ли можно было надеяться на то, что Кэтлин и Лиза захотят принять мою помощь. Пусть даже я знал, что следует предпринять, чтобы противостоять застройке. В городе не было людей, которые радовались бы встрече со мной, так что я даже не предполагал, где остановиться.

Сестра предупреждала меня, что лучше воздержаться, но я все равно весь полет пил, потому что только так мог расслабиться, ну и руки надо было чем-то занять. Иногда я проваливался в сон, и чем ближе мы были к цели, тем сильнее у меня крутило кишки от внутреннего напряжения.

Спустя примерно тридцать часов я вышел из взятой напрокат машины, на которой приехал из Сиднея в Сильвер-Бей. Я стоял на ярком солнце и изо всех сил старался побороть в себе желание забраться обратно в машину и уехать в аэропорт.

Единственный раз я видел, как плачет моя мама, это когда она бросила в голову папе заветную фарфоровую статуэтку пастушки. Пастушка, естественно, разбилась — никакая фарфоровая статуэтка не выживет после такого броска. Но мама после того броска опустилась на пол и, бережно собрав осколки, заплакала, как будто случайно стала свидетелем какой-то страшной автокатастрофы. Помню, я стоял тогда в дверях, меня потрясла такая несвойственная для мамы реакция, мне было неприятно. Отец находился рядом с диваном и молчал. Висок у него был в крови. Со стороны казалось, что он готов признать свою вину в том, что случилось.

У отца была небольшая инжиниринговая фирма, родители управляли ей в стиле хиппи: каждый имел право голоса и доход старались делить справедливо. Удивительно, но десять лет дела у фирмы шли очень даже хорошо. Фирма росла, у родителей появился коммерческий энтузиазм, и они решили открыть второе предприятие в часе езды от первого. В связи с этим нам тоже надо было переехать. Родители вложили все свои деньги в бизнес и поэтому очень обрадовались, когда нашли большой загородный дом за весьма скромную ренту, а скромной она была, потому что дом был в плачевном состоянии. Система горячего водоснабжения работала как хотела, и половина комнат из-за сырости была непригодна для жилья, но в те времена такие дома не были редкостью, а центральное отопление не считалось необходимым условием для жизни. Мы прожили в том доме пять лет, и мы с сестрой любили его. Мы бродили по дому, как по лесу, разбивали лагерь в необжитом крыле, и нас совсем не волновала расползающаяся по стенам плесень и то, что приспособленных под жилье комнат становилось все меньше. Мои родители были слишком заняты на работе, поэтому сделали только минимальный ремонт.

В итоге владельцы дома объявили однажды, что не собираются продлевать договор аренды. Отец решил: не беда, — видимо, родители уже были готовы купить собственное жилье.

Но потом они наткнулись на так называемый мелкий шрифт (важная информация, напечатанная мелким шрифтом на неприметном месте в контракте, полисе и т. п.). Оказалось, что отец подписал пункт «обновление и ремонт». Получалось, что он согласился восстановить дом до того состояния, в котором он не был уже несколько десятков лет.

— Это же смешно, — возмущался отец. — Когда мы въехали, этот дом был практически непригоден для жилья.

Но адвокат в ответ просто указал ему на мелкий шрифт и сказал, что отцу надо было внимательнее читать договор. Ему следовало сделать фотографии дома, чтобы зафиксировать состояние жилища на начало аренды, а спорить с напечатанным и подписанным бессмысленно. Адвокат огласил сумму, которая требовалась на ремонт дома, и мои родители поняли, что разорены. Статуэтка пастушки пострадала первой.

Мы переехали в мрачный маленький дом. Теперь у нас с сестрой была одна спальня на двоих, нас перевели в школу, которая нам не нравилась, и мы несколько лет кряду проводили каникулы в одолженном у кого-нибудь трейлере в недорогих приморских городках. И все эти годы фарфоровая статуэтка была для меня символом того, что может случиться, когда сталкиваешься с мошенниками, когда не ты контролируешь сделку и если веришь, что люди по природе своей честны.

Теперь я смотрю на вещи иначе.

Отец восстановил свое дело, выработал эффективную стратегию и создал еще более удачную компанию. Возможно, из-за тех первых в нашей жизни потерь мы с сестрой выросли гибкими и целеустремленными.

Наши родители продолжали жить вместе. Пастушку с огромным трудом склеили и вернули на каминную полку.

— Это нам всем урок, мелочи тоже бывают важны, — сказала как-то мама, с любовью поглаживая трещинки на статуэтке.

Это прозвучало глупо, но теперь-то я понимаю, что она говорила не о мелком шрифте.

Я три раза постучал в заднюю дверь и только потом увидел записку.

Ланс/Йоши, хозяйничайте. Мы в больнице, скоро вернемся. Пожалуйста, запишите, что брали, в книгу. Л.

Я с минуту подержал записку в руке, у меня даже дыхание перехватило — записку написала она, — потом посмотрел в сторону пристани. Там покачивалась на швартовых только одна лодка — «Измаил». В четверть одиннадцатого утра можно было предположить, что Кэтлин с Лизой вернутся не скоро. Я посидел несколько минут на одной из лавок у отеля, а потом пошел в гриль-бар Макивера и заказал чашку кофе. Мой организм не хотел кофе, он говорил мне, что, несмотря на видимость дня, еще поздняя ночь. Я выпил только половину, оставшийся кофе темно-коричневым кругом остывал в бледно-голубой кружке.

— Ты тот англичанин? — обратился ко мне здоровяк в грязном фартуке, владелец бара.

— Да, — ответил я.

Не было нужды спрашивать, какого англичанина он имел в виду.

— Тот самый парень из девелоперской компании, верно? Тот, который был в газетах?

— Я пришел сюда просто выпить кофе. Если хочешь поспорить из-за проекта, то я, пожалуй, пойду.

Я убрал бумажник в карман и потянулся за своим чемоданом.

— Да что ты, приятель, я не собираюсь с тобой ругаться. — Макивер подхватил тарелку и вытер ее кухонным полотенцем, которое было еще грязнее, чем его фартук. — Я жду не дождусь, когда построят новый отель. Больше народу — больше работы.

Я промолчал.

— Знаешь, что бы там, в газетах, ни писали, не все здесь против застройки. Многие, как я, думают, что городу не помешают инвестиции.

Наверное, глядя на мое лицо, Макивер решил, что я ему не верю. Он подошел к моему столику и тяжело уселся на стул напротив меня.

— Я очень уважаю ребят, которые занимаются китами. Грэг — мой старый приятель. Но, черт, я считаю, что они слишком много шума поднимают из-за этих китов. Старые рыбины плавают мимо нашего залива миллион лет, и пара-тройка гидроциклов ничего не изменят. Да, конечно, они пока притихли, но они вернутся, это точно.

— Притихли?

Макивер показал большим пальцем в сторону пристани:

— Ребята там все стонут, говорят, что они ушли. Как будто рыбы понимают, что тут затевается. Ты сам посуди!

— Ушли? О ком ты? — Мне трудно было уследить за ходом его мыслей.

— Киты. Они больше не появляются. Ребятам пришлось раньше закрыть сезон. Теперь они в море не выходят, катают туристов по заливу, дельфинов показывают. По мне, так они ничего не теряют. Два тура на дельфинов по времени то же самое, что один на китов. Не понимаю, чем они недовольны.

Я какое-то время молча обдумывал то, что мне рассказал Макивер, потом повернулся к нему и попросил:

— Принеси мне выпить, хорошо?

Я понял, что перед следующим разговором мне лучше выпить чего-нибудь покрепче.

Макивер уперся обеими руками в стол — каждая как здоровый окорок — и встал.

— Приятель, я думаю, что из-за вас, ребята, у меня скоро дела пойдут в гору. Так что выпивка за счет заведения.

Дорога обратно к отелю «Сильвер-Бей» заняла у меня чуть ли не час. Раньше я пробегал это расстояние меньше чем за десять минут. Пешком можно было пройти за двадцать. Но на меня давила смена часовых поясов и совокупность больших порций скотча, которыми меня угостил новый лучший друг Дэл из гриль-бара морепродуктов Макивера. Так что, несмотря на плавный изгиб береговой линии, идти по прямой было довольно сложно. Несколько раз я садился на чемодан и крепко задумывался о том, как лучше продолжить свой путь. До отеля было рукой подать, но он почему-то не приближался, как мираж в пустыне. Один раз мне в голову пришла мысль окунуться в море — вода манила и была намного теплее, чем в день моего отъезда из Сильвер-Бей, — но я знал, что по какой-то причине крайне важно выглядеть элегантно. Кроме того, я забыл, как снимаются туфли.

Дважды после передышки я продолжал путь и только спустя несколько минут вспоминал, что забыл на песке чемодан. Приходилось возвращаться. Ручка у меня постоянно выскальзывала, я об него спотыкался, песок был везде: в носу, в волосах, в туфлях, но я продолжал крепко держать перед собой бумажник, чтобы он всегда был у меня в поле зрения. Родители еще в детстве внушили мне, что в чужой стране надо всегда следить за своим бумажником.

Добравшись до отеля, я почувствовал себя так, будто поставил мировой рекорд. Единственное, что не дало мне впасть в эйфорию, — это то, что я забыл, почему было так важно туда добраться. Я бросил чемодан у дверей и тупо уставился на записку. Записка плавала у меня перед глазами, и я пару раз ее прихлопывал, чтобы остановить.

Потом вдруг я почувствовал страшную слабость в ногах и решил, что необходимо прилечь. Лавки были слишком узкие, я даже не был уверен в том, что смогу на них усидеть, а песок в этой части пляжа был с галькой. В моей памяти всплыл полумрак экспозиции Музея китобоев, и я, спотыкаясь, побрел в его сторону. Я решил, что прикорну там минут на сорок, а потом уж вспомню, зачем вообще притащился к отелю.

Проснулся я от чьих-то криков. Сначала эти крики были частью сна: я сидел в самолете, и стюардесса старалась всех разбудить, потому что, пока мы не похлопаем крыльями, самолет не взлетит. Постепенно, продравшись сквозь помутнение разума, я осознал, что, хотя стюардесса испарилась, крик стал громче и за плечо она меня трясет очень даже сильно.

— Отстаньте, — пробормотал я, пытаясь от нее отмахнуться, — не хочу я арахис.

Но когда я разлепил глаза и привык к свету, я понял, что лицо стюардессы мне знакомо. Прямо надо мной стояла Лиза Маккалин, и полы ее желтой штормовки хлопали, словно крылья какой-то огромной птицы.

— Не могу в это поверить! — кричала она. — Как раз то, что нам сейчас нужно! Чертов Майк Дормер объявился, да еще пьяный. От тебя воняет, знаешь ты об этом? От тебя несет виски. И с какой стати ты решил заявиться сюда, как к себе домой?

Я медленно закрыл глаза, и мне почему-то стало удивительно спокойно. И самое странное: перед тем как закрыть глаза, я увидел за спиной Лизы Кэтлин, и она улыбалась.

17

Кэтлин

Майк сказал, что я должна выйти вперед. Сказал, что обсудил это со своей сестрой, которая журналист и понимает в таких делах. Он объяснил, что нам надо развернуть компанию в СМИ, а я должна стать главной фигурой репортажа или статьи «Леди Акула пытается спасти китов», ну или что-то в этом роде. И еще он сказал, что СМИ — наш реальный шанс усилить противостояние застройке. Необходимо, чтобы информация о застройке вышла за границы Сильвер-Бей, тем более многих местных не особенно волновал этот вопрос.

Я сказала ему, что не хочу снова заваривать эту кашу и уж тем более не хочу стать главной героиней в какой-нибудь газете. Майк посмотрел на меня как на сумасшедшую.

— Но это принесет вам полезную для дела известность.

— Это может заинтересовать несколько местных жителей, и то ровно настолько, насколько может заинтересовать семидесятипятилетняя женщина, которая однажды поймала акулу. Лучше оставить все как есть, — предложила я.

— А я думала, тебе семьдесят шесть.

Я строго посмотрела на Ханну. В ее возрасте такой взгляд заставил бы меня прикусить язык, но, кажется, нынешнее поколение не реагирует на подобные вещи.

— Кэтлин, я сказал тебе, что попробую все исправить, я делаю все, что могу. Но мы должны разработать стратегию, и, поверь мне, на данный момент обращение в СМИ для нас единственный выход.

У Майка на восстановление ушло три дня. Он, конечно, еще выглядел усталым, но к нему вернулась эта его особая сдержанность и профессионализм. Он снова стал тем Майком, каким я знала его в дни нашего знакомства. Если уж на то пошло, он стал более серьезным. Когда мы с Лизой волокли его под руки из музея, он с некоторым пылом сообщил, что вернулся, чтобы спасти нас. Позже я ему сказала, что трудно всерьез воспринимать человека спасителем, если он пьяный лежит на полу в мокрых туфлях и с водорослями в носу. Мне показалось, что его это очень сильно зацепило.

— Но это правда. Я консультировался со специалистом в этой сфере.

Майк был в отглаженной сорочке, как будто бы он думал, что из-за этого мы станем относиться к нему более серьезно.

— Послушай, я знаю, ты желаешь нам добра, и я ценю, что ты счел нужным вернуться и помочь нам. Но я уже сказала, я не хочу снова становиться Леди Акулой. Эта история преследует меня всю жизнь, я не хочу привлекать ничье внимание.

— Я думал, что вы можете этим гордиться.

— Это говорит только о том, как мало ты знаешь.

— Да, тебе следовало бы этим гордиться, я бы гордилась, если бы убила акулу, — радостно сказала Ханна.

Что удивительно, она вообще была рада видеть Майка, и уж конечно больше, чем ее мама.

— Не думаю, что следует гордиться тем, что кого-то убил, пусть даже акулу, — пробормотала я.

— Хорошо, тогда используйте смерть акулы, чтобы спасти китов, — предложил Майк.

— Я не собираюсь снова становиться Леди Акулой. Я сыта этим по горло, с меня хватит. — Я поджала губы и понадеялась, что он наконец закроет эту тему.

— Тогда Лиза, — сказал Майк.

Лиза сидела за столом и очень внимательно читала газету. Она вела себя так, будто Майка не существует. Но я-то заметила, что она теперь больше времени проводила в кухне, а не у себя в комнате или на «Измаиле».

— Что — Лиза? — спросила она, не отрывая взгляд от газеты.

— Ты станешь лицом кампании.

— Почему я?

— Ну... здесь не так много женщин-капитанов. Ты очень много знаешь о китах. И ты... — Тут, надо отдать Майку должное, он закашлялся и покраснел. — Ты симпатичная женщина. Мне рассказали, как это работает, и...

— Нет, — резко оборвала его Лиза.

Я замерла возле раковины и ждала, что она скажет дальше.

Немного помолчав, она сказала, как будто оправдываясь:

— Я не хочу, чтобы Ханна... Не хочу выставлять Ханну на всеобщее обозрение.

— А я — «за», — объявила Ханна. — Мне бы понравилось, если бы про меня написали в газетах.

— Это единственный способ остановить застройку, — стоял на своем Майк. — Вы должны привлечь на свою сторону общественность. Как только люди узнают, что...

— Нет.

Майк внимательно посмотрел на Лизу:

— Почему ты такая упрямая?

— Я не упрямая.

— Я думал, что ты на все готова ради китов.

— Не смей говорить, что мне следует делать ради китов. — Лиза швырнула газету на стол. — Если бы не ты, это все вообще бы не началось и мы не оказались бы в таком дерьме.

— Лиза... — попробовала вставить я.

— Ты действительно в это веришь? — перебил меня Майк. — Ты правда думаешь, что это место навсегда останется нетронутым цивилизацией?

— Нет... Но до сих пор здесь было тихо. У нас было бы больше времени... — Лиза осеклась.

— Что значит — «больше времени»?

В кухне стало тихо. Ханна подняла голову от своих тетрадок, а потом снова занялась уроками.

Лиза посмотрела на меня и едва заметно покачала головой.

Но Майк видел, я поняла это по выражению его лица. Он был разочарован. Чтобы как-то разрядить обстановку, я начала убирать со стола. Майк и Лиза, кажется, это оценили и подали мне свои чашки.

— Послушайте, — наконец сказал Майк, — одна из вас должна что-то сделать. Вы обе или каждая по отдельности имеете возможность остановить этот проект. Но даже сейчас эта возможность очень невелика. Я сделаю все, что смогу, чтобы помочь вам, и, поверьте, я не могу сделать больше, чем уже делаю. Но вы тоже должны как-то поучаствовать.

— Нет, — сказала Лиза. — Делай как знаешь, но ни Ханна, ни я не станем появляться на публике. Я сделаю все, что попросишь, но только не это. Так что давай закроем эту тему.

С этими словами она встала из-за стола и вышла из кухни, Милли побежала следом.

— И что ты собираешься делать? — крикнул Майк. — Будешь палить из ракетницы по гидроциклам, как тогда по лодкам?

Ханна собрала со стола свои тетрадки и ручки, с извиняющимся видом улыбнулась Майку и пошла за матерью.

Я услышала, как он глубоко вздохнул.

— Майк, я подумаю над твоим предложением, — сказала я, но не искренне, а скорее по доброте душевной, слишком уж он расстроился.

Майк смотрел вслед Лизе, как смотрит голодный, когда у него отбирают последний кусок хлеба, его чувства были настолько очевидны, что я отвернулась.

— Хорошо, — сказал Майк. — Переходим к плану «Б». — Он кисло мне улыбнулся и перевернул страницу в блокноте. — Теперь мне всего лишь надо разработать план «Б».

Очень скоро я поняла, что Майк ради того, чтобы вернуться в Сильвер-Бей, бросил все. Он признался, что у него больше нет работы, нет девушки и, по всей вероятности, адреса.

— Но я платежеспособен, — заверил он меня, когда попросил сдать ему старый номер. — Мой банковский счет... Ну, в общем, о деньгах я могу не волноваться.

За прошедший месяц Майк изменился: исчезла его «гладкость», появилась неуверенность. Теперь он больше был склонен задавать вопросы, а не утверждать, и его эмоции были как на ладони, не прятались под обманчиво мягкой оболочкой. Еще Майк стал много пить, поэтому я взяла на себя труд указать ему на это.

— Заметно? — тихо спросил он. — Наверное, я так пытаюсь отвлечься.

— Очень хорошо понимаю, — сказала я. — Помогает, но ненадолго.

Новый Майк Дормер нравился мне еще больше прежнего. Я позволила ему остаться в том числе и по этой причине. Одной из многих, о которых я собиралась рассказать Лизе.

Тем временем каждая диско-лодка, каждый никчемный оператор, который хоть один раз видел большую сардину, теперь подавал себя как организаторов экотуров. Они начали действовать на территории, которую команды преследователей считали своей. Они словно оценивали нас, пытались понять, какой кусок бизнеса смогут отхватить. От ребят из береговой охраны я узнала, что уже идут разговоры об увеличении протяженности пристани, чтобы и другие лодки могли пришвартовываться. Дважды диско-лодки заходили в наш залив, и Ланс подал на них жалобу в Национальные парки, он обвинил их в том, что киты исчезли. Официально ему ответили, что, возможно, глобальное потепление повлияло на график и маршруты миграции китов. Преследователи китов на это не купились, Йоши переговорила с некоторыми своими старыми друзьями из ученых кругов, и они сказали, что причина скорее местного происхождения. Дельфины еще появлялись в заливе. Каждую стаю окружали две-три лодки, пассажиры с камерами свешивались через поручни, и начиналось фотографирование. Все это заставило меня задуматься о том, что и дельфины, которые теперь стали единственным «аттракционом» для туристов, тоже могут почувствовать, будто их выживают.

Не знаю, что послужило тому причиной, возможно тревога за китов или возвращение Майка (последнее она, конечно, не признала бы), но мне удалось уговорить Лизу, и она разрешила дочери учиться ходить под парусом. Я отвезла Ханну в Саламандра-Бей, и когда увидела ее на открытой воде, у меня даже сердце екнуло: я поняла, что она не первый раз самостоятельно управляет динги. Уже потом Ханна с улыбкой призналась, что я права. Мы решили не говорить об этом матери.

— Как ты думаешь, мама разрешит мне выходить в залив на «Гордости Ханны»? — спросила она, когда мы ехали обратно домой, а довольная Милли тем временем пускала слюни ей на плечо. — Ну, когда учителя скажут, что я уже точно готова?

— Смотри, чтобы она не стащила твой сэндвич, — сказала я и хлопнула Милли по носу.

День был чудесный, но с запада надвигался грозовой фронт.

— Не знаю, милая. Я думаю, мы не должны торопиться.

— Грэг говорит, что она не разрешит, просто чтобы ему насолить.

— Он так тебе сказал?

— Он так Лансу сказал, просто они не знали, что я все слышала.

Я решила, что надо будет переговорить с Грэгом.

— То, как твоя мама относится к Грэгу, не имеет отношения к нашему делу, — сказала я. — Ты получишь свою лодку. Но, как я тебе уже говорила, надо потерпеть.

Я притормозила, чтобы поздороваться со старым Хендерсоном, который возвращался на велосипеде с рыбного рынка, а когда снова повернулась к Ханне, она задумчиво смотрела в окно.

— А я могу изменить название лодки? — спросила Ханна, а сама будто бы что-то разглядывала вдалеке.

— Зачем?

— Просто подумала, что могу изменить название, если лодка моя. Если мне разрешат выходить на ней в залив.

— Наверное, да, — ответила я.

Но на самом деле в это время я думала о том, что приготовить на ужин. Наступили времена, когда я уже не знала точно, сколько преследователей стоит ожидать вечером. Еще подумала о том, что надо было спросить старого Хендерсона, что особенного он видел на рынке.

— Может, ты и не захочешь его менять, — продолжила я. — Вообще-то, говорят, что это плохая примета.

— Я хочу назвать свой динги «Дорогая Летти».

Я так резко затормозила, что Милли чуть не кувыркнулась мне на колени.

Какое-то время мы обе молчали, а потом я увидела, что у Ханны на глаза навернулись слезы.

— Мне что, даже нельзя произносить ее имя?

Позади нас резко притормозил фургон, я в знак извинения подняла руку, и он поехал дальше. Когда фургон исчез из виду, я повернулась к Ханне и погладила ее по щеке. Мне оставалось только надеяться, что она не заметила, что своим вопросом выбила меня из колеи.

— Милая, ты можешь говорить все, что хочешь. Прости. Просто ты застала меня врасплох.

— Она моя сестра, — глотая слезы, сказала Ханна. — Была моей сестрой. И я хочу, чтобы мне разрешили о ней говорить. Хотя бы иногда.

— Я знаю.

Милли заскулила и начала перебираться на колени к Ханне. Она не любила, когда кто-нибудь плакал.

— Я подумала, что, если у моей лодки будет ее имя, я смогу произносить его, когда захочу, и никто не будет из-за этого дергаться.

Я смотрела на свою двоюродную внучку и мучительно подыскивала слова, которые могли бы облегчить ее боль.

— Я хочу, чтобы можно было говорить о Летти и не бояться, что мама сорвется, или расплачется, или еще что-нибудь.

— Это хорошая идея, правда, Ханна, ты здорово придумала, только я не уверена, что такое возможно. Твоей маме нужно еще очень много времени.

Когда мы приехали домой, я медленно поднялась в свою комнату и достала из ящика стола фотографию Лизы с ее девочками. Один край карточки, там, где я решительно отрезала изображение того человека, был неровный. Я знала: Лиза считала, что единственный способ защиты — это похоронить Летти. Только так она могла продолжать жить дальше, и только так они с Ханной могли чувствовать себя в безопасности.

Но на самом деле все было не настолько просто. Они не могли похоронить Летти тогда и не могли сделать это сейчас.

А притворяться, будто все обстоит иначе, — это вообще не жизнь.

Каждый день я навещала Нино Гейнса. Привозила свежую пижаму, причесывала его, а когда удавалось собраться с духом, даже брила. Поймите, я делала все это не из жалости, просто больше было некому. Да, конечно, Фрэнк мог бы поухаживать за Нино, или Джон-Джон, или жена Джон-Джона, но молодые вечно заняты, у них своя жизнь. В общем, я сама вызвалась и проводила в палате Нино по несколько часов в день. Я читала ему газеты — те статьи, которые, как мне казалось, могли бы его позабавить, — и временами ругала от его имени медсестер.

Я должна была к нему ездить, потому что была уверена в том, что ему плохо там одному. Запах дезинфицирующих средств забирался ему в нос, его старое сильное тело подключили к пикающим мониторам и бог знает чем подкармливали через трубки. Нино Гейнс был создан для жизни на воле. Он, словно исполин, шагал вдоль рядов виноградника, изредка снимал шляпу, наклонялся, чтобы лучше рассмотреть какую-нибудь гроздь, и бормотал себе под нос что-то о восковом налете на листьях или о кислотности. Я старалась не видеть его таким, каким он стал: слишком большой для больничной койки и в то же время как-то уменьшившийся в размерах. Как бы я ни пыталась убедить себя в обратном, было ясно, что он не спит.

Родные Нино были рады, что я с ним сижу. Сами они приезжали и оставляли еду, которая постепенно скисала на столике возле его кровати, еще принесли фотографии, на случай, если он откроет глаза, и музыку, на случай, если он сможет слышать. Они перешептывались, держали его за руку, собирались в кучку с докторами и обсуждали лечение, их успокаивали показатели электроэнцефалограммы, судя по которым мозг у Нино был в полном порядке. Я и без этих показателей об этом знала. Я разговаривала с Нино о виноградниках, о том, что Фрэнк сказал, что скоро появятся первые цветы. Рассказала ему о том, что какой-то покупатель от супермаркета специально приезжал аж из самого Перта. Он прослышал, как хороши его вина, и хотел заключить договор о поставках. Я рассказала Нино о намечающемся слушании, о беспрецедентном количестве общественных протестов, включая заявление от детей из начальной школы Сильвер-Бей, которые посчитали, что киты для них важнее, чем новый школьный автобус. Я рассказала ему о Майке, о том, что тот часами сидит в своем номере на телефоне и делает все возможное, чтобы остановить застройку. Призналась ему, что, несмотря на все то, что он на нас навлек, втайне полюбила этого молодого человека. Рассказала, что во взгляде Майка появилась настороженность и мне казалось, что это следствие того, что он очень требовательно относится к себе. Призналась, что, когда Майк смотрел на мою племянницу, я чувствовала, что правильно поступила, разрешив ему остановиться в моем отеле.

Я рассказала Нино о том, что ушли киты, о том, как туго теперь приходится бедным дельфинам, о племяннице, которая настолько не ожидала возвращения Майка Дормера, что теперь, судя по всему, не знала, куда себя девать. Она выходила одна на «Измаиле», и казалось, это должно было ее успокоить, но возвращалась совсем дерганая. За столом в кухне Лиза игнорировала Майка и в то же время ругала дочь, если девочка вела себя так же, она злилась на нас обеих за то, что мы позволили ему остановиться в отеле, и уверяла меня в том, что он ей безразличен. А когда я не выдержала и сказала ей, что она отказывается признать очевидное, у нее хватило наглости ответить: «Чья бы корова мычала».

В общем, Лиза вела себя как дура, а Нино — как старый дурак. Он лежал неестественно тихо на больничной койке с этими подключенными к нему трубками, молчал и не шевелился, просто позволял мне рассказывать обо всех своих трудностях, как будто ему было плевать на все на свете. Порой я теряла надежду. Его неподвижность иногда выводила меня из себя. Однажды медсестра застала меня, когда я орала на Нино: «Очнись же ты, наконец!» Я так орала, что медсестра пригрозила, что позовет доктора.

Но когда я была в палате одна, я наклонялась к нему и прикасалась щекой к его старой руке, к той, к которой не были подсоединены эти трубки, и только Нино Гейнс мог почувствовать мои слезы.

Дождь лил весь день, а к вечеру превратился в шторм. Мой отец обычно называл такую погоду «старый добрый шторм», а мама в ответ ворчала: «Шторм как шторм». Но я понимала, что имел в виду отец. Погода, кроме шуток, была библейская: от ударов грома клацали зубы, а молнии били в море, как во время урагана в Дарвине[1]. Вернувшись из больницы, я связалась с береговой службой. Мы всегда волнуемся из-за смерчей над водой, которые с виду похожи на указующий перст Господа, но на деле они скорее рука дьявола. Дежурный сказал мне, что беспокоиться не о чем, потому что худшее уже прошло мимо Сильвер-Бей. Я закрыла ставни, развела огонь в камине, и мы с Лизой и Ханной устроились перед телевизором. Ханна не отрываясь смотрела какую-то свою лю-

1 *Дарвин* — город в Австралии, столица Северной территории.

бимую программу, а мы с Лизой сидели, погрузившись в собственные мысли. Ветер бушевал вокруг отеля, лампочки мигали, как будто хотели напомнить нам, что все в руках Господа. Где-то в четверть седьмого я услышала какой-то шум в холле. Я вышла из комнаты и увидела Йоши, Ланса и Грэга. Они в своих штормовках принесли с собой холодный воздух, их лица блестели от влаги. Ланс неловко топтался в луже, которая образовалась от его ботинок.

— Кэтлин, ты не против, если мы у тебя тут остановимся на пару минут? Вот подумали, надо бы немного выпить, перед тем как отчалить домой, — сказал он.

— Вы все это время были в море? Вы с ума сошли?

— Кое-кто не проверил метеосводку, — ответила Йоши и взглянула на Ланса. — Мы решили, что стоит выйти подальше, к Кагури-Айленду, посмотреть, есть ли там еще киты, и тут началось.

— Да нормально. У нас же не было туристов, — сказал Грэг. — Волны чуть нас отбрасывали, но ничего. Ветер вообще всю дорогу был против нас. В любом случае мы не все время были в море, и все лодки пришвартованы, «Измаил» закрепили еще на пару узлов.

— Вы лучше проходите и садитесь, — пригласила я. — Ханна, подвинься. Я сейчас подам суп.

Я суетилась, как будто ребята причинили нам неудобства, но на самом деле была рада, что они пришли. В последнее время отель пустовал, так что с ребятами было как-то уютнее.

— Нашли хоть одного? — Лиза отложила газету в сторону.

— Нет. — Йоши порылась в карманах и достала расческу. — Говорю тебе, Лиза, происходит что-то странное. И дельфинов сегодня тоже не было. Если и они уйдут, нам всем худо придется.

Лиза пыталась остановить Йоши взглядом, но было уже поздно.

— Куда уйдут? — спросила Ханна.

— Дельфины нашли себе место, где спрятаться, пока погода не улучшится, — уверенно ответила Лиза. — Они скоро вернутся.

— Они, наверное, за скалами прячутся, в той маленькой бухте, — предположила Ханна.

— Да, малявка, скорее всего, там, — сказал Ланс. — Господи, какое наслаждение, — добавил он, сделав первый глоток пива.

Йоши заглянула в кухню из-за притолоки и попросила:

— А вообще-то, Кэтлин, можно мне чашку чая? Согреться бы не помешало.

Я поняла, что пик шторма миновал, и позволила себе немного расслабиться. Еще маленькой девочкой я привыкла отсчитывать секунды между ударами грома и молниями и так вычисляла, насколько далеко ушел шторм. К тому моменту я точно знала, что худшее происходит далеко в море, и могла сконцентрироваться на разговоре ребят. До сих пор помню ураган сорок восьмого, у наших берегов потерпели крушение два крейсера, тогда мой отец и другие мужчины полночи подбирали в море уцелевших. Мертвых они тоже подбирали, но я об этом узнала только спустя несколько лет, когда мама призналась, что тела складывали в музее, и они там лежали, пока власти их не увезли.

Грэг сел рядом с Лизой. Он что-то ей пробормотал, она в ответ неопределенно кивнула. А потом он хищно прищурился и резко спросил:

— Какого черта он здесь делает?

В дверях стоял Майк, он держал в руках пачку бумаги и явно не ожидал увидеть в гостиной столько народу.

— Он платит за постой, Грэг, как и любой другой гость.

Я не рассказывала Грэгу о том, что Майк вернулся, потому что считала, что он и без меня об этом узнает. Судя по делано безразличному выражению лица Лизы, она тоже так про себя решила.

Грэг собрался сказать что-то еще, но я на него выразительно посмотрела. Он громко фыркнул и откинулся на спинку дивана рядом с Лизой.

Майк подошел ко мне и тихо сказал:

— Кажется, что-то с телефонной линией, у меня нет выхода в интернет.

— В сильный дождь так часто бывает, — ответила я. — Потерпи, и все наладится. Дождь до утра закончится.

— И чем же ты занят? Пытаешься разрушить еще чей-нибудь бизнес? — Грэг испепелял Майка взглядом.

— Отстань от него, — резко оборвала его Лиза.

— А почему ты его защищаешь? Как ты вообще можешь терпеть его рядом, после всего, что он сделал? — От возмущения Грэг сорвался на неприятные писклявые нотки.

— Я его не защищаю.

— Да ты его за ухо должна выволочь отсюда.

— Если бы это как-то тебя касалось... — начала Лиза.

— Я пытаюсь все исправить, — сказал Майк. — Это понятно? Я больше не работаю на «Бикер холдингс». И я хочу остановить эту застройку.

— Да уж, ты хочешь...

— На что, черт возьми, ты намекаешь?

— А откуда ты знаешь, что он не подсадная утка? — спросил Грэг, повернувшись ко мне.

Такая мысль мне и в голову не приходила.

— Его боссы знают, что у нас тут зреет протест. Что им мешает заслать его сюда, чтобы он все тут разнюхал?

Майк шагнул к Грэгу и ровным голосом спросил:

— Ты сейчас назвал меня лжецом?

Я почувствовала, что атмосфера начинает сгущаться, и затаила дыхание.

— «Ты сейчас назвал меня лжецом»... — повторил Грэг, передразнивая английский акцент Майка.

— Так, я достаточно выслушал, с меня хватит...

— Да, я назвал тебя лжецом. А еще могу назвать предателем, дешевкой, вонючей конторской крысой, спекулянтом...

И тут Грэг нанес удар, его левый кулак вылетел вперед и по скользящей пришелся Майку в голову. Майк пошатнулся, и Грэг снова размахнулся, но к этому моменту между ними встал Ланс и недобро зарычал. Майк в секунду собрался и сжал кулаки.

— Назад! — заорал Ланс на Грэга, потом развернулся и оттолкнул Майка, и так получилось, что на приставной стол. — Остынь ты, ради бога!

У меня сердце так забухало, что даже голова закружилась. Я оцепенела, мне казалось, что комната сжимается вокруг мужчин, мебель рушится и все орут друг на друга.

Майк прикоснулся к лицу, увидел на пальцах кровь и ринулся к Грэгу.

— Ах ты, подонок...

Йоши закричала.

— Хватит! Вы жалкие, вы, оба. — Лиза встала между ними и подняла руки вверх. — Убирайся! Слышишь меня? Я не потерплю этого в моем доме. Не потерплю, — повторила она и толкнула Грэга к выходу из гостиной.

— А что я такого сделал? — возмущался он, пока Лиза с Лансом подталкивали его в сторону кухни.

— Я не обязан выслушивать от тебя это дерьмо! — крикнул Майк.

Только когда их развели по разным комнатам, я смогла восстановить дыхание.

— Господи боже, — сказал Ланс, вернувшись в гостиную.

Майк тряхнул рукой и стал промакивать скулу носовым платком. Потом он наклонился, чтобы поправить приставной столик, а в это время на кухне Грэг и Лиза начали хором кричать друг на друга.

И вот тогда я заметила Ханну. Она забилась в угол маленького диванчика и прижимала к себе Милли.

— Милая, — сказала я, стараясь, чтобы мой голос звучал как можно спокойнее, — все хорошо. Просто из-за этого шторма все перенервничали.

— Они не будут снова драться? — Карие глаза Ханны стали круглыми от страха. — Пожалуйста, не разрешай им драться.

Я подняла голову и увидела, что Майк смотрит на Ханну. Было видно, что он сам в ужасе от того, как подействовала на Ханну их с Грэгом стычка.

— Ханна, все хорошо, — сказал Майк. — Все кончилось, ты ничего не бойся.

Ханна смотрела на него, как будто перестала узнавать.

— Правда, Ханна, — сказал Майк и присел перед ней на корточки. — Прости меня. Я просто сорвался на секунду, но это все не всерьез.

— Я не дурочка, — сказала Ханна, на ее лице одновременно отражались и злость и страх.

Мы все переглянулись.

— Давай так, я тебе сейчас это докажу. — Майк передал мне Ханну, встал и пошел к кухне. — Грэг? — позвал он, а я почувствовала, как Ханна вздрогнула.

— Грэг? — еще раз позвал Майк и исчез из виду.

Через секунду они уже вдвоем появились в дверях.

— Вот смотри, — сказал Майк и протянул Грэгу руку. Я видела, что этот жест ему дорого стоил. — Мы друзья, правда. Как Кэтлин сказала, из-за этого шторма мы все немного разнервничались.

— Ага, — сказал Грэг и тряхнул руку Майка. — Ничего страшного не случилось. Извини, малышка.

Ханна посмотрела на меня, потом на маму. Кажется, улыбка Лизы ее приободрила.

— Да, а теперь мы пойдем. — Майк тоже попробовал улыбнуться. — Мне очень жаль, прости, ладно?

— И меня, — сказал Грэг. — Я сейчас ухожу. И, Лиза, — со значением добавил он, — ты знаешь, где меня найти.

Я видела, что Лиза хочет что-то ему сказать, но тут зазвонил телефон, и она зашагала в коридор, чтобы ответить.

— Кэтлин. Ханна. — Грэг как-то сдулся. — Мне правда очень жаль, что так получилось. Милая, я бы никогда в жизни не стал тебя пугать. Ты же знаешь, что...

Я сжала ее плечики, но малышка так и не хотела ничего отвечать.

И тут вдруг Лиза ворвалась в комнату, на ходу надевая штормовку. О стычке Майка и Грэга все сразу забыли.

— Это был Том, — сдавленным от волнения голосом сказала Лиза. — Он говорит, что в залив дрейфуют блуждающие сети.

18

Майк

Все в комнате пришло в движение, а я стоял в центре и прижимал к щеке носовой платок. Мне хотелось спросить, что это такое — блуждающие сети, но все вели себя так, будто их звала на марш барабанная дробь, и только один я ее не слышал.

— Я пойду с вами, — сказала Кэтлин, натягивая перчатки. — Постою у руля, пока вы будете резать.

Йоши уже надела штормовку.

— Кто-нибудь позвонил в береговую охрану? — спросила она.

Ланс прижал мобильник к уху и ответил:

— Сигнал не проходит.

— Ты останешься дома, милая, — сказала Лиза Ханне.

— Нет. — Прежняя испуганная Ханна исчезла без следа. — Я хочу помочь.

— Нет, — строго сказала Лиза. — Ты останешься здесь. Там небезопасно.

— Но я хочу помочь...

— Тогда оставайся, и, когда связь восстановится, ты всех обзвонишь. Позвони в Национальные парки, в Фонд китов и дельфинов, всем, кого вспомнишь. Пусть они пришлют людей сколько смогут, хорошо? Все номера — в книжке на столике в коридоре. — Лиза опустилась на колени и посмотрела дочери в глаза. — Очень важно, чтобы ты это сделала, Ханна. Нам потребуется как можно больше людей.

Ханна вроде немного успокоилась.

— Хорошо.

Кэтлин вернулась в гостиную, на ней была штормовка, в руке большой фонарь.

— Я забросила гидрокостюмы в машину. Запасной фонарь... У всех есть резаки?

Грэг натянул на голову вязаную шапку.

— У меня в сарайчике есть запасные. Сбегаю принесу. Ланс нас подвезет, так будет быстрее.

Я посмотрел на Лизу и снова, как в первый приезд, почувствовал себя чужаком, от которого нет никакого толка.

— Я могу хоть что-то сделать?

Мне хотелось поговорить с ней наедине, извиниться за себя и за Грэга и тоже как-то поучаствовать, быть полезным, но она уже была где-то далеко.

— Оставайся здесь, — сказала Лиза и взглянула на Ханну. — Будет лучше, если кто-то останется дома. И не выпускай собаку. Как там погода, Кэтлин? — Она заправила волосы под шапку и выглянула за дверь.

— Бывало и получше, — ответила Кэтлин. — Но с этим нам ничего не поделать. Ладно, идем. Держим связь по радио.

Когда все ушли, Ханна мне объяснила, что большущие рыболовные сети с грузилами внизу и буйками наверху где-то за много миль от берега дрейфуют в сторону нашего залива. Их называют «стена смерти», в австралийских водах использование таких сетей карается законом, в результате их часто скидывают за борт, бывает, что их отрывает от судна владельца и они начинают дрейфовать сами по себе. Со временем их переполняют тела погибших морских обитателей, и они опускаются на дно.

— Нам рассказывали об этих сетях в школе, — объяснила мне Ханна. — Только я никогда не думала, что они приплывут сюда. — Малышка закусила губу. — Надеюсь, с нашими дельфинами все будет хорошо.

— Я уверен, что твоя мама и все остальные сделают все, чтобы так и было, — сказал я. — Давай займись делом, тебе ведь надо всех обзвонить?

Телефонная линия восстановилась, и сигнал по мобильному тоже стал проходить. Я сделал себе чашку чая и слушал, как Ханна оставляет сообщение на автоответчиках и переговаривается с теми, кто в этот час был на связи. Помню, я удивился, как эта девочка в свои одиннадцать лет умудряется сохранять самообладание в такой ситуации. С другой стороны, мне не приходилось встречать ее ровесницу, которая бы столько знала о дельфинах.

Гром и вспышки молний ушли от берега, но дождь лил как из ведра. Потоки воды стекали по окнам и тарабанили по плоской крыше над верандой. Я подкинул пару поленьев в камин и пошел в кухню, а Милли все это время смотрела то на меня, то на дверь.

— Получилось с ними связаться? — спросил я, когда Ханна вошла в кухню.

— Почти со всеми. Я думаю, береговая охрана уже подключилась, — ответила она и добавила, глядя в окно: — Мне так хочется помочь.

— Ты уже помогла. Кто-то должен был всех обзвонить.

— Нет, по-настоящему, — сказала Ханна и показала на мою скулу. — У тебя будет синяк.

Я улыбнулся:

— Ну и поделом.

Ханна потянулась к Милли, которая настороженно подняла морду.

— Я посмотрела из окна наверху. В заливе много лодок, все повключали огни.

— Ну вот, я же говорил, все будет хорошо. Все вышли на помощь.

Но Ханна, казалось, меня не слышала.

А потом я услышал трель со второго этажа. Мой мобильник. У меня мелькнула мысль, что это может быть Лиза, она ведь могла звонить, пока телефон в отеле был занят.

— Сейчас вернусь, — сказал я и через ступеньку побежал наверх.

Но когда добежал до своей комнаты и взял телефон, там была совсем не та история сообщений. Я пару секунд смотрел на имя, которое высвечивалось на экране телефона, а потом нажал на «ответ».

— Алло?

Пауза.

— Ванесса?

— Майк.

Я смотрел в окно, на огни лодок, которые пытались пробиться сквозь непроглядно-черную ночь, и даже не представлял, о чем говорить.

— Вот узнала, что ты уволился, — сказала Несса, ее было так хорошо слышно, как будто она говорила из соседней комнаты.

Я сел в кожаное кресло.

— Уже неделю назад. Я... ну... я не подавал заявления.

Теперь казалось, что это было в другой жизни.

— Я уезжала и ничего не знала. Отец мне не сказал.

— Надо было тебе позвонить, — виновато произнес я. — Но...

— Да.

Потом была долгая пауза, первой заговорила Ванесса.

— Я не хотела участвовать в этом, — сказала она. — Не когда она там... и ты.

Я закрыл лицо ладонью и сделал глубокий вдох:

— Мне жаль, Несс.

И снова тишина. Я чувствовал в этой паузе боль, и мне стало совсем плохо.

— Я хотел тебе сказать... Это было глупо, я кретин. Но я хочу, чтобы ты знала: это было только один раз, и мне даже не выразить словами, как я об этом сожалею. Правда.

Еще одна пауза. Наверное, Ванесса обдумывала мои слова.

— Почему ты уволился?

Я нахмурился:

— Что ты имеешь в виду?

— Тебя отец вынудил уйти? Я совсем не хотела, чтобы ты потерял работу. То есть я знаю, что пошла против тебя на том совещании... но я просто хотела... мне просто было так...

— Это не из-за твоего отца, — сказал я. — Это мое решение. Я посчитал, что так будет лучше... принимая во внимание... ну, ты понимаешь... — Внизу залаяла собака, и я сбился. — Вообще-то, он просил меня остаться.

— Я рада, — сказала Несса. — Меня это мучило. Майк?

— А?

Милли, судя по громкости, лаяла возле входной двери. Я подумал, что надо бы спуститься, но тогда из-за ее лая я бы не слышал Нессу, а мне было важно, чтобы мы с ней все между собой уладили — Ванесса, я...

— Что там за шум?

Теперь Милли скребла лапами и скулила. Я подумал, что мог вернуться кто-то из преследователей китов, встал и вышел из комнаты. Но парадная дверь была закрыта.

— Это собака, — рассеянно ответил я.

— У тебя же нет собаки, — сказала Ванесса.

— Это не моя собака. — Я прикрыл трубку ладонью и позвал: — Ханна?

— А ты где? — спросила Ванесса.

Я не смог сразу ответить.

— Майк?

— В Австралии.

В тот момент я понял, что гробовая тишина существенно отличается от всех других видов тишины. Она растягивалась, набирала вес, а потом лопнула под тяжестью неозвученных вопросов.

— В Австралии? — слабым голосом переспросила Несса.

— Я должен был вернуться, — ответил я, а сам перевесился через лестничные перила. — Несс, я же тебе говорил, что этот проект — ошибка, я приехал, чтобы попробовать ее исправить. Мне надо идти... здесь кое-что происходит... Ты прости меня, ладно? Я виноват, мне жаль, что так все получилось. Мне надо идти.

Я отключил телефон и побежал вниз. Милли кидалась на дверь и лаяла как бешеная.

— Ханна? — снова позвал я и заглянул в кухню в надежде, что она объяснит мне, в чем дело.

Но в кухне Ханны не было, и в гостиной, и в ее комнате, и во всех остальных тоже. И в холле у телефона. И куртки Ханны на вешалке тоже не было, разговор с Ванессой выбил меня из колеи, и я не сразу понял, что это может означать.

Я глянул на пустой крючок, потом на собаку, которая продолжала лаять и смотрела на меня так, будто я должен был что-то предпринять. У меня сжалось сердце.

— О боже! — воскликнул я и схватил с вешалки штормовку.

Потом отыскал поводок и прицепил его к ошейнику Милли.

— Ладно, девочка, — сказал я, открывая дверь, — покажи мне, куда она пошла.

Шторм, может, и ушел от берега, но дождь все еще лил как из ведра, и шум воды заглушал все звуки. Я бежал за Милли вниз по дорожке, полностью утонувшей в воде. Не припоминаю, чтобы когда-нибудь попадал под такой дождь. Джинсы и ботинки в секунду вымокли, я звал Ханну, и вода заливала мне рот, сухой оставалась только моя верхняя часть под штормовкой.

Милли натянула поводок, ее мокрое тело было похоже на блестящий снаряд; если бы не я, она бы пулей унеслась по темной тропе.

— Спокойно! — скомандовал я, но мой крик унес ветер.

Я бежал и на ходу вспоминал, где на дорожке были выбоины. К пристани подъезжали машины, свет фар размывали потоки дождя. Подбежав ближе к берегу, я увидел огни лодок. Они подпрыгивали на волнах примерно в сотне футах друг от друга, но я не мог разглядеть, чем там заняты люди.

— Ханна! — кричал я, хоть и понимал, что это бесполезно.

Оставалось уповать на то, что Милли знает, что ищет, и не приведет меня к Лизе.

Собака затормозила возле больших сараев, там преследователи хранили свои инструменты и снаряжение. Некоторые были открыты, как будто преследователи так торопились выйти в море, что даже не позаботились о сохранности своего имущества. Милли забежала в один из них и начала скрести когтями по бетонному полу.

— Ханна?

Дождь глухо стучал по плоской крыше и струями стекал через щели в водостоки. Под потолком висела тусклая лампочка, я разглядел контурную карту на стене, на которой были отмечены глубокие места в заливе. В сарае находились пластиковые канистры разных размеров, деревянные ящики с инструментами, тросы, буйки и свернутый в рулоны брезент.

— Ханна?

Еще на стене я заметил лицензию в рамке. Грэг Донахью. Это был сарай Грэга. Я вспомнил обрывок разговора о маленькой лодке, которой нельзя пользоваться Ханне. Эта лодка хранилась в сарае Грэга.

— Черт возьми, — сказал я, поняв наконец, что к чему.

Милли, видимо, пришла к тому же выводу и рванулась к берегу. Я бежал следом, крепко ухватившись за поводок, и изо всех сил старался не поддаться панике. Вот только глядя на то, в каких условиях работали лодки, трудно было сохранять самообладание. Огромные волны обрушивались на берег, это были монстры по сравнению с теми, мимо которых я с таким удовольствием бегал по утрам. В заливе, примерно на расстоянии полмили от берега, подпрыгивали лодки, выли выскакивающие из воды моторы, я стал различать за шумом дождя обрывочные крики людей. Милли напряглась у меня в ногах, а я смахивал воду с лица и пытался разобрать, что происходит в заливе. Я понятия не имел, где в этой непроглядной темноте может быть маленькая девочка, но отлично понимал, что даже опытным взрослым там приходится несладко.

— Ханна!

Я побежал к пристани, тонкий луч от фонаря метался передо мной по темному берегу. Футов через сто я натолкнулся на двух мужчин, которые сталкивали к воде небольшую моторную лодку. Оба были в спасательных жилетах.

— Мне нужна ваша помощь, — задыхаясь, сказал я. — Там ребенок, девочка... я думаю, она одна вышла в море.

— Что? — переспросил один из них и шагнул ко мне.

Я узнал одного из местных, с которым сталкивался, когда он выгуливал собаку, в мой первый приезд.

— Парень, ты лучше ори, я тебя не слышу.

— Девочка. — Я показал в сторону залива. — Она могла взять динги и выйти в море. Она еще совсем ребенок.

Мужчины переглянулись, потом посмотрели на свою лодку.

— Хватай жилет, — крикнул один из них.

Я не представлял, где оставить Милли, поэтому подтолкнул собаку в лодку, а сам помог столкнуть судно на воду.

— Ханна Маккалин, — крикнул я, когда заработал мотор. — Девочка из отеля.

Я направил фонарь на воду, другой рукой вцепился в борт, чтобы сохранить равновесие. Мужчина прицепил свой фонарь на нос лодки.

Если бы я так не волновался за Ханну, я бы наверняка испугался. Я всегда старался избегать рискованных ситуаций и уж точно предпочел бы оказаться где угодно, но только не в лодке, которая прыгала вверх вниз на огромных волнах, словно шейкер в руках бармена.

— Видишь что-нибудь? — прокричал мужчина в синей кепке.

Я отрицательно покачал головой. К этому времени меня уже трясло от холода.

— Смотри, где сети, — крикнул другой. — Если винт зацепится, точно увязнем.

Я понял их план: начать от пристани и по дуге обойти все лодки в заливе, чтобы убедиться, что среди них нет динги Ханны. Я сидел, ухватившись за борт, от качки кишки выворачивало наизнанку, а луч от фонаря без толку скакал по черной воде. Мы подошли ближе к другим лодкам, казалось, половина жителей Сильвер-Бей вышли в море. В воде мелькали люди в гидрокостюмах, другие в штормовках подавали им из лодок кусачки и ножницы. Они нас не замечали. Все были заняты решением своей задачи и старались удерживать лодки на месте.

— Охренеть, какая здоровая, — крикнул мужчина в синей кепке.

Я понял, что это он о сети, но сам ее не видел. Мы добрались до следующей лодки. Ханны там не было. Я начал думать, что мог ошибиться, возможно, та маленькая лодка больше не хранилась в сарае Грэга, а Ханна была еще дома и я все неправильно понял. Но потом я вспомнил, как вела себя Милли — она напряглась и явно искала Ханну, — и решил довериться ее чутью. Нельзя было полагаться на то, что Ханна осталась на берегу.

Когда мы прошли мимо седьмой лодки и направились к устью залива, я начал ощущать присутствие блуждающих сетей. Мы прошли между одним из «Моби» и большим катером, и в свете их огней я увидел на волнах что-то похожее на спутанные сети, а в сетях — какие-то неясные силуэты, но разглядеть, что именно было в сетях, я не смог.

А потом залаяла Милли, она буквально захлебывалась от возбуждения. Кто-то закричал.

Милли подскочила на месте и вся напряглась. Я обвел фонарем воду вокруг лодки и крикнул парням, чтобы они заглушили мотор. Они послушались, и я различил тоненький испуганный крик Ханны, а потом мой фонарик на секунду выхватил из темноты раскачивающуюся на волнах маленькую лодку и вцепившуюся в ее борт детскую фигурку. Мужчины завели мотор и направили лодку туда, куда я им показывал.

— Ханна! — закричал я.

Милли так разошлась, что за ее лаем даже шум мотора был едва слышен.

— Ханна!

Фонарь на носу лодки наконец осветил бедную девочку, и я смог ее разглядеть. Лицо было искажено от страха, руки судорожно цеплялись за борт динги, мокрые волосы прилипли к лицу.

— Все хорошо! — крикнул я, хотя совсем не был уверен в том, что она меня слышит.

— Помогите! — рыдая, кричала Ханна. — Руль запутался в сетях. Я не могу двигаться.

— Все хорошо, милая. — Я смахнул воду с лица. — Мы идем к тебе. — Мотор затих, я повернулся к мужчинам и закричал: — Ближе! Надо подойти ближе!

Один из мужчин крепко выругался и крикнул в ответ:

— Не могу. Так мы сами застрянем в сетях. Я вызову по радио спасательный катер.

— Мы можем бросить ей веревку?

— Если руль застрял в сети, это ей не поможет.

Крик Ханны разрывал мне сердце.

— Я ее вытащу, — крикнул я и сбросил туфли.

— Ты уверен, что справишься?

— Черт, а что еще мы можем сделать?

Я скинул штормовку, а один из мужчин передал мне кусачки. Второй в это время затянул на мне тесемки спасательного жилета.

— Смотри сам не запутайся, — посоветовал он. — Я постараюсь тебе подсветить. Плыви, куда я показываю, понял? За лучом.

Вода была просто ледяной, даже спасательный жилет не спасал. Меня накрыло волной, я чуть не захлебнулся, соленая вода щипала глаза. С трудом вынырнув на поверхность, я попытался понять, куда надо плыть, и прицепил кусачки на запястье. Еще одна волна перекатилась через меня, и я поплыл.

Расстояние до Ханны составляло приблизительно сорок футов, но этот заплыв был самым тяжелым в моей жизни. Течение тянуло меня назад, волны накрывали с головой. Я хватал ртом воздух, опускал голову и греб туда, где должна была быть девочка. Позади меня кричали мужчины, а крики Ханны становились все громче.

Времени на страх у меня не было. Я как автомат работал руками, преодолевал одну волну за другой и говорил себе, что, несмотря ни на что, с каждым гребком приближаюсь к Ханне.

Когда до маленькой лодки оставалось десять футов, я увидел, что Ханна в спасательном жилете, и мысленно поблагодарил за это Бога.

— Ханна! — закричал я, и она потянулась ко мне через борт лодки. — Ты должна плыть.

И вот тогда я это увидел. Луч от фонаря с нашей лодки прыгал по воде, он стал ярче, — наверное, лодка подошла ближе. Волны вытянули на поверхность обмотавшуюся вокруг руля динги сеть, и я на мгновение увидел то, что не забуду никогда в жизни. Рыбы, морские птицы, животные, которые, возможно, были мертвы уже не одну неделю, запутались в практически невидимой сети. Это было похоже на плавучую стену смерти. Я увидел маленькую морскую черепаху, большую чайку с содранными перьями, наверное это был альбатрос, и самое жуткое — дельфина. Дельфин был у самой поверхности, его глаз был открыт, а тело плотно обмотано сетью. Я не специалист по морским животным, но все равно понял, что дельфин еще жив. И Ханна тоже его увидела. Она свесилась через борт динги и пронзительно закричала. Подплыв ближе, я увидел в глазах девочки ужас. Я протянул к ней руку, а сам мысленно молился, чтобы не прикоснуться к скрытой под водой разлагающейся массе тел.

— Ханна! — закричал я. — Ты должна плыть. Давай прыгай.

Луч фонаря ушел в сторону и снова вернулся. Я увидел лицо Ханны. Белая как мел, она смотрела на воду. Малышка рыдала, теперь она знала, что плавает под ней, она забыла обо мне, ее словно парализовало.

— Ханна, прыгай! — умолял я.

У меня окоченели руки и ноги, опоры никакой не было, и я не мог забраться к ней в лодку. Я наткнулся на что-то твердое и непроизвольно поджал ногу.

— Ханна!

А потом за шумом дождя, за собственными криками, за лаем собаки я услышал, как она взвыла от отчаяния:

— Бролли!

Это было похоже на ад. Надеюсь, больше в своей жизни я не столкнусь ни с чем подобным.

Ханна протянула ко мне руку, я развернулся, и луч фонаря снова осветил где-то в пятидесяти футах от нас блуждающую сеть с ее жутким уловом. Я с содроганием представил ее размеры и сколько рыб и животных беззвучно гибнет под водой, пока преследователи китов и другие пытаются их освободить.

— Ты должен ее спасти! — кричала мне Ханна. — Спаси ее!

— Ханна, мы должны плыть к лодке! — кричал я.

Но малышка уже была близка к истерике.

— Освободи ее! Пожалуйста, Майк. Освободи ее!

Времени спорить не было. Я набрал полную грудь воздуха и, когда луч от фонаря осветил воду впереди, сжал кусачки в руке и нырнул.

Самым удивительным была внезапно окружившая меня тишина. После шума дождя, ветра и криков Ханны я почувствовал странное облегчение, оказавшись под водой. Потом в поле моего зрения появился силуэт запутавшегося в сети дельфина. Я рванулся к нему и только тогда осознал, что сеть в любую секунду может потащить ко дну и меня. Я накинулся на сеть с кусачками, она сопротивлялась и уходила в сторону. Потом нейлоновые ячейки начали слабеть. Дельфин задергался —

наверное, почувствовал новую угрозу и вышел из ступора. Над нами кружило светлое пятно от фонаря, спинной плавник дельфина был почти полностью срезан, сеть оставила кровоточащие порезы по всему его телу. Я закрыл глаза, чтобы не видеть, как мертвые рыбы и трупы животных и птиц поднимаются все ближе. Сеть извивалась и грозила и меня сделать частью своего жуткого улова.

Откуда-то издалека до меня доносился приглушенный крик Ханны:

— Майк!

В этот момент поддалась последняя ячейка, и дельфин поплыл в темноту, туда, где, как я надеялся, была чистая вода. Я вынырнул на поверхность и взвыл от облегчения.

— Ханна! — закричал я и поднял над головой кусачки.

Наконец, бледная от страха, она соскользнула через борт динги прямо ко мне в руки и уткнулась в меня лицом, чтобы больше не видеть то, что нас окружало.

Убедившись в том, что я освободил дельфина, Ханна притихла и молчала до самого берега. Она только спросила, не видел ли я там малыша, а когда я сказал, что не видел, зарылась лицом в мокрую шею Милли.

Волны то поднимали лодку, то бросали ее вниз, я прижимал к себе Ханну и старался унять колотившую меня дрожь, но, обменявшись взглядом с мужчинами в лодке, понял, как сильно нам повезло.

Когда мы причалили к берегу, Лиза уже бежала навстречу. На ней был гидрокостюм, глаза ее стали черными от страха. Она даже не видела меня, так отчаянно стремилась обнять свою дочь.

— Мам, прости меня, — сквозь слезы бормотала Ханна, ее побелевшие от холода ручки обхватили шею матери. — Я просто хотела им помочь.

— Я знаю, знаю. Любимая, я знаю...

— Но Бролли... — Ханна заплакала навзрыд. — Я видела...

Кто-то подал Лизе одеяло, она укутала в него дочку и стала качать ее, как маленького ребенка. На берегу собралась небольшая толпа. Люди стояли на темном песке, который освещали только фары машин.

— О Ханна, — все повторяла Лиза.

То, что я услышал в ее срывающемся голосе, едва не подкосило меня.

— Мне так жаль, Лиза, — сказал я, когда она наконец смогла оторваться от дочери.

Кто-то накинул и мне на плечи одеяло, но меня все равно трясло от холода.

— Я только на пять минут поднялся наверх и...

Лиза беззвучно мотала головой, в темноте я не мог понять — прощает она меня или предупреждает, чтобы я не подходил ближе. А возможно, она трясла головой, потому что просто не могла понять, как взрослый мужчина не смог в течение каких-то пятнадцати минут уследить за одиннадцатилетней девочкой.

— Я думаю, с динги можно попрощаться, — сказал кто-то. — Сети обмотали руль. Не удивлюсь, если ее уже затянуло ко дну.

— Мне плевать на эту лодку. — Лиза прижалась щекой к щеке дочери, и Ханна заплакала еще сильнее. — Все хорошо, малышка, теперь ты в безопасности, — говорила Лиза, и трудно было понять, кого она больше успокаивает — дочь или себя.

Мне так хотелось обнять их обеих. Меня охватило чувство, которое я испытал, когда боролся с блуждающей сетью. Я понимал, что упустил последний шанс с Лизой и что из-за моей невнимательности она чуть не потеряла самое дорогое в своей жизни.

У меня защемило сердце, я опустил голову. Тут кто-то крикнул, что одна из больших лодок угодила в сеть, и несколько человек побежали по берегу к пристани.

Какая-то женщина протянула мне кружку со сладким чаем. Чай был обжигающе горячим, но я не обращал на это внимания. А потом рядом со мной появилась Кэтлин.

— Давай-ка отведем тебя домой, — сказала она и положила жилистую руку с узловатыми пальцами мне на плечо.

Из темноты вдруг выскочил Грэг.

— Лиза? — кричал он на бегу. — Лиза? Я только что услышал. С Ханной все в порядке?

Он был испуган, и в его страхе было что-то собственническое, но в тот момент меня это не разозлило, наоборот, я впервые почувствовал к нему симпатию.

— Прости, — сказал я в темноту, надеясь, что Лиза все-таки меня услышит, а потом развернулся и в компании незнакомых людей пошел в сторону отеля.

Только где-то к часу ночи я почувствовал, что начинаю согреваться. Кэтлин запретила мне забираться в горячую ванну, о которой я так мечтал, вместо этого она отпаивала меня горячим чаем, пока я не взмолился, чтобы она наконец оставила меня в покое. Кэтлин развела огонь в моем номере — до этого я думал, что камин служит исключительно для декоративных целей — и, пока я дрожал под пуховыми одеялами, принесла микстуру собственного приготовления: лимон, мед, что-то пряное и бренди в равных количествах.

— Не стоит рисковать, — сказала она, подоткнув одеяло, словно я был маленький ребенок. — Ты удивишься, когда узнаешь, что может случиться после купания в таком море.

Кэтлин подбросила еще одно полено в камин и собралась уходить.

— Как там Ханна? — спросил я.

— Спит, — ответила Кэтлин, стряхивая невидимые пылинки с брюк. — Малышка совсем измучилась, но она в порядке. Дала ей такой же настой, как тебе, только без бренди.

— Она... она была в шоке от того, что там увидела.

Лицо Кэтлин сразу стало суровым.

— Такого я никому не пожелаю, — сказала она. — Но мы сделали все, что могли. Знаешь, ребята освободили кита, недалеко от Хиллмана. И они еще работают. Страшно подумать, что бы натворила эта сеть, если бы ребята ее не заметили...

У меня перед глазами снова возникла эта картина: темная вода, мертвые рыбы, альбатрос, израненный дельфин... И я уже не в первый раз за прошедшие часы попытался отогнать воспоминания прочь. Я думал о том, что Лиза, возможно, сейчас там, бросается в черную холодную воду и пытается разрезать блуждающую сеть.

— Кэтлин, — тихо сказал я, — мне так жаль...

Но она не дала мне договорить.

— Тебе надо отдохнуть. Я серьезно. Ныряй под одеяло и постарайся заснуть.

В конце концов нечеловеческая усталость взяла верх и я подчинился.

Меня разбудил какой-то шум. Годы жизни в Лондоне приучили меня ночью реагировать на любые посторонние звуки. Еще в полусне я приподнялся на локте и, моргая, стал вглядываться в темноту комнаты.

В первые секунды я не соображал, где нахожусь, но тлеющие красные угли в камине помогли все вспомнить. Я сел, одеяла свалились на колени, глаза постепенно привыкали к темноте.

Кто-то стоял возле моей кровати.

— Что...

Лиза Маккалин наклонилась и прижала палец к моим губам.

— Не говори ничего, — шепнула она.

Я даже подумал, что все-таки сплю. Ее силуэт был едва различим, а мой сон постоянно прерывался, я задыхался, у меня перед глазами вставала стена мертвых рыб. Но теперь в тепле и темноте я почувствовал запах моря, ее рука, когда она ко мне прикоснулась, была чуть шероховатой от соли. А потом Лиза придвинулась ближе, я почувствовал ее дыхание и чуть не потерял сознание, когда ее мягкие губы коснулись моих.

— Лиза, — сказал я, но сам не был уверен, произнес ли ее имя вслух, или оно просто заполнило все мои мысли.

«Лиза».

Она молча скользнула ко мне под одеяло, ее руки и ноги все еще были прохладными и влажными от ночного воздуха. Ее пальцы пробежали по моему лицу, остановились на секунду на скуле, куда ударил Грэг, а потом зарылись мне в волосы. Она обезоружила меня жадными поцелуями. Я чувствовал на себе ее легкое тело, она стянула через голову рубашку. Я слышал, как трещат угли в камине. Ее холодная кожа подействовала на меня, как контрастный душ, и я остановил ее. Я взял ее лицо в ладони, попытался заглянуть ей в глаза и понять, в какую пучину она меня увлекает.

— Лиза, — сказал я, — я не понимаю.

Она замерла надо мной. Я скорее чувствовал, чем видел, что она смотрит на меня.

— Спасибо, — прошептала она. — Спасибо за то, что вернул мне дочь.

Она была вся наэлектризована; казалось, каждая клетка ее тела пульсирует от напряжения — это было похоже на вырвавшуюся на свободу стихию. Много недель я представлял себе, как это у нас с ней произойдет, я представлял, как буду ласкать эту грустную женщину, как нежными поцелуями прогоню ее печаль. Но такого я не ожидал. Меня обнимала совсем другая женщина, она была страстная, волнующая, живая. Ее тело было гладким, как угорь, она двигалась, как без устали набегающие на берег волны, она отдалась мне легко, вся без остатка.

Так она благодарила? Я хотел спросить ее об этом в последние секунды, пока еще не потерял способность думать. Или это была реакция на то, что случилось в тот вечер? Где-то в глубине моей памяти всплыли слова Кэтлин, что Лиза очень тяжело переживает гибель морских животных.

«И раз или два раза в год этот бедолага начинает думать, что у него есть шанс».

Я хотел заговорить, но губы Лизы слились с моими, ее кожа согрелась, а потом буквально обожгла меня, я наконец почувствовал, как внутри нарастает тепло, и лишился не только способности говорить, но и думать.

Когда я проснулся, Лизы со мной не было. Но даже еще не до конца проснувшись, я понял, что заранее знал, что так все и будет. Я зажмурился от утреннего солнца и позволил воспоминаниям о прошедшей ночи медленно войти в мое сознание.

Она отдалась мне. Я смотрел в ее переливающиеся глаза, словно заглядывал в душу. И когда она впустила меня, она позволила мне быть тем мужчиной, которым я всегда хотел быть. С ней я стал тем мужчиной, которым готовился стать всю свою жизнь: сильным, уверенным, полным страсти, а не бледной имитацией влюбленного. Я стал тем, кто способен защитить ее, заботиться о ней, подарить ей радость, осуществить ее желания. Я чувствовал себя как двадцатилетний, как молодой парень; казалось, я голыми руками могу разрушать кирпичные стены.

Привыкнув к солнечному свету, я рывком сел. Я не знал, радоваться тому, что мне подарили, или грустить, потому что больше у меня этого не было.

Я был настолько уверен в том, что проснусь в одиночестве, что только спустя несколько минут понял: в комнате есть кто-то еще. У окна в кожаном кресле сидела Лиза. Она передвинула его от стола к окну. Лиза была в джинсах, она подтянула колени к подбородку и обхватила их руками. Я взглянул на часы. Четверть шестого.

Я смотрел на Лизу и хотел, чтобы это длилось вечно. Но я понимал: когда она заметит, что я проснулся, мне придется притвориться, будто это не так. Неожиданно для себя я почувствовал, что мне жаль Грэга. Теперь я, как и он, знал, как это — любить недоступную женщину.

— Доброе утро, — тихо сказал я.

«Пожалуйста, только не отдаляйся, — мысленно умолял я. — Прошу, не показывай мне, что жалеешь о том, что случилось».

Лиза медленно повернулась ко мне. Она встретилась со мной взглядом, и я понял: чем бы ни были заняты в тот момент ее мысли, они были не обо мне.

«Как такое может быть?» — спрашивал я себя, ведь наши тела сливались в одно целое и у меня было такое чувство, что ее кровь течет в моих жилах.

— Майк, — сказала Лиза, — ты говорил, что знаешь, как работают СМИ.

Я немного растерялся, но постарался не подать виду.

— Ну да.

— Если тот, кто сделал что-то плохое, признается... в том, о чем никто не знает... Об этом сразу напишут в газетах, да?

Я провел рукой по волосам.

— Извини, я не совсем понимаю...

— Я расскажу тебе о том, как умерла Летти, — голос Лизы звучал тихо и чисто, как колокольчик, — а ты скажешь мне, как правда об этом может кого-то спасти.

19

Лиза

Нитразепам, торговое название «могадон». Сорок две таблетки в пузырьке. Таблетки, которые помогут мне заснуть. Все абсолютно легально и оправданно, учитывая мою послеродовую депрессию и стрессы, которые приходится испытывать, когда поднимаешь молодую семью. Доктор с готовностью прописал мне эти таблетки. Вообще-то, он не стал разбираться в моем случае и был рад принять пациента, чьи проблемы не требовали сложных решений. Он знал меня уже какое-то время — наблюдал во время беременности, был знаком с моей свекровью, с отцом ребенка и знал, откуда я родом.

— Мне нужно восстановить сон, — сказала я. — Хоть ненадолго. Я знаю, что смогу с этим справиться.

Доктор, ни секунды не мешкая, выписал мне рецепт и снова переключил внимание на монитор, чтобы подготовиться к приему следующего пациента. Спустя несколько минут я стояла на парковке возле аптеки и смотрела на этикетку на пузырьке. Снотворное. При неправильном употреблении создает угрозу для жизни. Я держала пузырек в руке и чувствовала голод и какое-то странное возбуждение. Эти таблетки должны были вернуть меня к жизни.

Спустя время, когда я только начала жить в Австралии — жить по-настоящему, а не существовать, как в первые недели, — Кэтлин заставила меня обратиться к доктору, чтобы он выписал мне какое-нибудь снотворное. Меня еще преследовали кошмары, они были такими жуткими, что иногда я даже боялась опустить голову на подушку. Во сне я видела испуганное лицо Летти, слышала, как она кричит мое имя, и я молила Бога об избавлении. Австралийский доктор первым делом предложил мне те же таблетки, только под другим названием. Когда я прочитала в рецепте, что именно он мне выписал, я неуверенно шагнула в его сторону и потеряла сознание.

Люди, которые считали себя мудрыми, говорили мне, что я из неполной семьи, но для меня моя семья всегда была полной. Я никогда не чувствовала, что мне чего-то не хватает, моя мама могла заменить обоих родителей любому ребенку. Она была сильной, ее материнская любовь не знала границ, она твердо решила дать мне достойное образование, чтобы я не повторила ее собственные ошибки. Мама следила за каждым моим шагом, подгоняла, ругала и обожала. Пусть нас нельзя было назвать ни богатой, ни полной семьей, я никогда не ощущала недостатка в чем-либо. Даже по детским меркам я всегда считала, что мне повезло в жизни. Мама работала на низкооплачиваемых работах неполный рабочий день, только чтобы быть рядом со мной. Она часто работала, пока я спала, и теперь я удивляюсь: как у нее получалось по утрам готовить завтрак и смешить меня.

Мы жили в коттедже в деревне, недалеко от Лондона. Этот коттедж сдавала маме в аренду женщина, на которую она когда-то работала. В радиусе полумили от дома у меня была куча друзей и полная свобода действий. Мы дважды ездили в Австралию, из-за чего я среди сверстников приобрела статус эксперта по глобальным вопросам. Однажды мама даже пообещала мне, что мы уедем в Австралию и будем жить там с тетей Кэтлин. Но я не думаю, что она была близка со своими родителями, во всяком случае, она никогда не рассказывала о них ничего хорошего. А когда дедушка умер, у нее появились личные причины, чтобы не переезжать жить на другой конец света: ее последняя работа или мужчина, в которого она была влюблена.

Потом было слишком поздно. У мамы обнаружили рак, и болезнь прогрессировала очень быстро. Она похудела. Сначала это было предметом гордости, а затем, когда мама поняла, что худеет не потому, что внимательно следит за количеством потребляемых калорий, это стало предметом тревоги. Последний «хороший человек» — разведенный мужчина, проживающий в часе езды на поезде, — нашел оправдания, чтобы не приезжать часто; когда же лечение стало тяжелым и малоприятным, а эмоциональные потребности мамы возросли, он и вовсе исчез. Возможно, из-за его исчезновения мама, которая была независимой до самого последнего дня, не написала тете Кэтлин, что умирает. Это было единственное неверное решение за всю ее материнскую карьеру. Уже потом я узнала, что она приготовила тете посмертное письмо.

В любом возрасте тяжело потерять маму, но я, ко всему прочему, была совершенно не готова к самостоятельной жизни в семнадцать лет. Я видела, как моя гордая, красивая мама слабела и становилась все меньше. Я видела, как она теряла вкус к жизни и под действием морфия уходила в забытье. Сначала я все свое время посвящала уходу за мамой, а потом, когда ею занялись сиделки, я поняла, о чем она боялась мне сказать, и устранилась. Я отказывалась верить в то, что происходит. Пока мамины друзья шепотом говорили о том, какая я смелая и сильная, я сидела дома, смотрела на не знающие милосердия счета и хотела оказаться на месте любого другого человека, только не на своем.

Мама умерла темной ноябрьской ночью. Это было мучительно. Я была с ней и просила, чтобы она перестала извиняться, я говорила ей, что со мной все будет хорошо, что я знаю, как она меня всегда любила.

— Там, в синей сумке, деньги, — хриплым голосом сказала мама в один из последних моментов, когда еще была в сознании. — Потрать их на дорогу к Кэтлин. Она о тебе позаботится.

Только когда я заглянула в ту сумку, там было меньше ста фунтов, на эти деньги я бы и в Шотландию не смогла бы перебраться, не говоря уж об Австралии. Сейчас я думаю, что это из гордости я не сообщила Кэтлин о своем бедственном положении. И я, чего и следовало ожидать, сошла с пути истинного. Бросила школу, устроилась работать укладчицей. Потом выяснилось, что этого заработка недостаточно для оплаты аренды. Задолженность росла, и в конце концов мамина приятельница с извиняющимся видом сказала, что не может позволить мне остаться в нашем коттедже.

Моя жизнь превратилась в хаос. Я продала мамины украшения, вырученных денег едва хватало на пропитание. Я жила в сквоте и открыла для себя ночные клубы; работала за стойкой в баре и по вечерам старалась выпить столько, чтобы, придя домой, не думать о том, как я одинока. Какое-то время я была готом, а когда мне исполнился двадцать один год, забеременела от одного из многих мужчин, которые останавливались в том сквоте в Виктории. Это был здоровый такой парень, я даже не знала его фамилию. Он готовил отличное рагу из чечевицы, а в те вечера, когда у меня было достаточно денег, чтобы очень сильно напиться, он гладил меня по волосам и называл малышкой.

Как только я поняла, что беременна, все изменилось. Не знаю, может, дело было в гормонах или я унаследовала рассудительность матери, но инстинкт самосохранения взял верх. Я подумала о том, о чем не хотела думать целых четыре года, а еще о том, что сказала бы мама, если бы увидела, как я живу. Я не собиралась избавляться от ребенка. Я была рада, что у меня снова появится семья, появится родной человек.

В общем, я перестала красить волосы в яркие цвета, устроилась работать помощницей матери в семью, а когда родилась Ханна, друзья этой семьи взяли меня на работу в магазин при багетной мастерской. Их устраивало, что я работаю до половины первого, меня тоже, так как я забирала Ханну из яслей днем. Время от времени я писала Кэтлин, посылала ей фотографии, она всегда сразу отвечала и вкладывала в конверт несколько фунтов «для малышки». Тетя писала, что гордится мной, что я сумела самостоятельно наладить свою жизнь. Жизнь моя не была легкой или стабильной в финансовом смысле, но она определенно была счастливой. Думаю, мама, как говорила Кэтлин, была бы рада за меня. А потом как-то в магазин зашел Стивен Вилье. Он заказал лепную позолоченную раму с темно-зеленым паспарту. И моя жизнь, та, которую я построила сама, изменилась навсегда.

Понимаете, я была одинока. Я знала, что мне повезло — меня приняли в семью, которая была готова терпеть моего ребенка. Я наблюдала за ними, когда они собирались за обеденным столом, шутили, сидя у телевизора, и дети толкали пятками своего доброго папу в уютном старом джемпере. Я завидовала им, даже когда они ругались. Мне тоже хотелось, чтобы у меня был человек, с которым я могла бы поругаться.

Ханна превращалась из ласкового, мяукающего котенка в сияющую нежную девочку, и я хотела для нее того же. Я хотела, чтобы у нее был любящий папа, который кружил бы ее за руки в саду, носил бы ее на плечах и в шутку ворчал бы из-за ее подгузников. Мне хотелось, чтобы у меня был человек, с которым я могла бы поговорить о ней, который бы, возможно, спорил со мной о том, как ее надо кормить, и думал бы о школе или о новых туфельках.

Очень быстро я поняла, что мужчин не привлекают женщины с ребенком, во всяком случае, тех, кого я знала, не привлекали. Их не интересует, почему ты не можешь встретиться с ними в пабе, а предлагаешь в воскресенье устроить пикник на лужайке в парке. Они не считали очаровательной мою прекрасную светловолосую девочку, для них она была помехой. Когда Стивен Вилье наткнулся на меня в супермаркете, он не только приветливо посмотрел на Ханну, но и предложил помочь с коляской, чтобы мне было удобнее делать покупки. Что тут скажешь, естественно, он меня очаровал.

Вначале Стивен мне напоминал отца в той семье, с которой я жила. Он тоже предпочитал дорогие, якобы поношенные вещи, но на этом их сходство заканчивалось. Стивен не был крупным мужчиной, но казался высоким. В нем была врожденная властность, этим качеством обладают люди, в присутствии которых ты держишься почтительно, хотя сам и не понимаешь почему. Было странно, что Стивен в свои годы не был женат. Глядя мне в глаза, он сказал, что это потому, что еще не встретил подходящую кандидатуру. Он жил с мамой в чудесном доме в Вирджиния-Уотер. Дом был окружен аккуратно подстриженной живой изгородью, и в каждой спальне была ванная комната. Стивен удивился, когда я пришла в восторг от его владений, — он был из тех людей, для которых собственная жизнь — норма, а жизнь других не интересует.

Учитывая его происхождение и финансовое состояние, я долго не могла понять, что он во мне нашел. Я одевалась в благотворительных магазинах. Конечно, я уже не была такой дикаркой, но все равно мне было далеко до гламурных денежных девиц, с которыми он рос. Я ничего не могла ему предложить. Но теперь, когда я смотрю на фотографии того времени, я понимаю, что его во мне привлекало. Я была красивой и, несмотря на все, через что мне пришлось пройти, довольно наивной и неискушенной, а это всегда привлекает мужчин. Еще у меня не было друзей или родственников, готовых поддержать меня, и по этой причине мной легко было управлять. Я по-прежнему пребывала в эйфории после рождения Ханны и готова была делиться своими чувствами и своей любовью со всеми, кто меня окружал. Я считала, что Стивен — мой спаситель, и все мои поступки говорили ему об этом. Возможно, он и сам так себя воспринимал.

Сразу после первого нашего секса я рассказывала ему о своей жизни, об ошибках, которые совершила, а он прижимал меня к себе, целовал в макушку и говорил, что с ним я в безопасности. Когда ты одинока и уязвима, а мужчина говорит тебе, что с ним ты в безопасности, в этом определенно есть что-то от обольщения. Стивен говорил мне, что хочет быть со мной и что я его миссия. Он меня одурманил, я была влюблена и так ему благодарна, что не услышала в этой фразе ничего странного.

Спустя шесть недель после нашего знакомства Стивен попросил моей руки. Я переехала в его дом. Мой стиль в одежде стал более традиционным — Стивен ходил со мной по магазинам, — а прическа более аккуратной, как и полагалось невесте такого человека. Я с удовольствием занималась домашним хозяйством и, следуя кратким наставлениям моей будущей свекрови, постепенно адаптировалась. Не все шло гладко, но мы с Ханной учились жить под крышей этого дома. «Пора взрослеть», — говорила я себе, и мне даже нравилось преодолевать определенные трудности.

Месяца через четыре я поняла, что беременна. Вначале Стивен был в шоке, но довольно быстро пришел в себя и даже чувствовал себя счастливым. Летти родилась шестнадцатого апреля на рассвете. Я смотрела, как Стивен и Ханна воркуют над ее кроваткой, и благодарила Бога за то, что у меня появилась своя семья. Настоящая.

Честно говоря, Летти не была самой красивой малышкой на свете, — вообще-то, она была похожа на щенка шарпея на несколько месяцев дольше, чем следовало бы, — но она была всеобщей любимицей. Стивен любил ее простой, незатейливой любовью отца, бабушкина любовь была беспокойной и суетливой. Я наблюдала за ними, и мне хотелось, чтобы и Ханне досталось немного их любви. А по характеру Летти была добродушной и жизнерадостной, как все детишки.

Может быть, из-за недостатка сна или из-за того, что я, как всякая мама, ежесекундно была занята новорожденным ребенком, но я не сразу, а только спустя несколько месяцев после рождения Летти поняла, что Стивен практически не замечает Ханну. До этого я думала, что он ее любит, а то, что он иногда был к ней невнимателен, так это не специально, мужчины все такие. Понимаете, мне не с чем было сравнивать. Воспитывала меня мама, с дедушкой я почти не общалась и не знала, какие мужчины в семье. Стивен был хорошим кормильцем — так любила говорить его мама. Дисциплина, вот что он ценил. Когда Ханна, как любой двухлетний ребенок, порой закатывала истерики или капризничала из-за еды, Стивен злился и посылал ее в постель. А малышка Летти была такой очаровательной, так стоило ли удивляться, что на ее фоне поведение Ханны довольно часто вызывало раздражение?

Теперь я понимаю, что с появлением второй дочери я перестала замечать, что происходило вокруг. Мы видим только то, что хотим видеть. Но сердцем я должна была все чувствовать. Мне следовало раньше обратить внимание на то, что моя дочь стала вести себя тише не только потому, что привыкала к младшей сестричке. Я должна была заметить, что свекровь и Стивен стали с ней строже, а иногда просто-напросто придирались. И первым делом я должна была понять, что происходит, по поведению этой женщины.

Мать Стивена так и не смогла простить меня за то, что я взвалила на плечи ее сына, старшего менеджера с перспективами, ребенка, который был ему чужим. Ей не нравилось, что у меня нет, как она это называла, истории. О, она была вежлива, но она была из тех дам с прической, похожей на шлем из голубых волос, которые любят по вечерам играть в бридж и предпочитают шерстяные трикотажные кардиганы. Все, что бы я ни делала, например рагу из чечевицы (еда хиппи) или позволяла двухлетней Ханне спать вместе со мной, — все это в ее глазах было безответственно и неумно.

Поначалу, когда мы со Стивеном пребывали на облаке любви, она ничего такого не говорила. После смерти супруга она внушила сыну, что теперь он глава семьи, и в результате обнаружила, что ее отодвинули на задний план, потому что Стивен не желал обсуждать мои возможные промахи и недостатки. До рождения Летти я могла не соответствовать их стандартам, но после ее рождения постепенно открылось, что я не способна справиться с двумя детьми на том уровне, который они от меня ожидали. На полу были разбросаны игрушки, наши постели оставались не застеленными до полудня, на моей одежде часто появлялись эполеты из детского питания, а Ханна плакала в углу из-за какого-то предполагаемого проступка, и, как следствие, моя свекровь обнаружила, что может говорить и делать все, что захочет.

Однажды, еще до того, как все стало совсем плохо, я осмелилась спросить Стивена, нельзя ли нам переехать куда-нибудь в другое место, найти дом, где мы сможем счастливо жить сами. В ответ Стивен пригвоздил меня взглядом.

— Да ты же не можешь сама даже девочек одеть, — сказал он. — Я уж не говорю о том, чтобы вести дом. Ты что думаешь, что сможешь продержаться без моей матери дольше пяти минут?

Сейчас, когда я оглядываюсь назад, мне трудно идентифицировать себя с той девушкой. На фотографиях Кэтлин, где давно отрезан Стивен, я вижу странную, потерянную девушку с какой-то неестественной для нее прической и в одежде, больше подходящей для послушницы. В ее глазах отражается страх и отчаянное нежелание признать свое жуткое положение. А с другой стороны, какой у меня был выбор? У меня не было ничего — ни денег, ни дома, и никто не мог меня поддержать. Но у меня были две маленькие дочки и мужчина, который был им отцом и готов был простить меня за то, что до него я вела безалаберную жизнь. У меня была свекровь, которая приготовилась терпеть меня в своем прекрасном доме, хоть я, по ее мнению, этого недостойна. Честно признаюсь, мои навыки ведения хозяйства были не на самом высоком уровне, а мои манеры часто их расстраивали, особенно после того, как Стивена выбрали в местный совет и он оставил работу в банке.

Эта семейка в конце концов меня сломала. С годами Стивен с помощью своей мамы начал признавать мои недостатки и промахи. О свадьбе говорили все реже, а потом и вовсе перестали. Ханна научилась молчать за обеденным столом и поняла, что чем лучше она будет себя вести, тем меньше ее будут ругать. А я поняла, что, если носить одежду с длинным рукавом, мамы в детском садике не будут интересоваться, откуда у меня синяки на руках.

Я с детства верила, что подобные вещи случаются только в плохих семьях, и всегда думала, что такое происходит из-за бедности и недостатка образования. Стивен внушал мне, что все дело в моей неадекватности, в том, что я не оправдала его надежды и неспособна выглядеть хотя бы на пятьдесят процентов достойно, и как последний аргумент — полный ноль в постели.

Когда он ударил меня в первый раз, я была в таком шоке, что решила, что это у него получилось случайно. Мы были наверху. Девочки кричали и дрались из-за какой-то дешевой пластмассовой игрушки. Я отвлеклась и оставила горячий утюг на сорочке Стивена. Он вошел в комнату злой из-за шума, который подняли девочки, увидел прожженную сорочку и дал мне затрещину, как будто я была какая-то собака.

— Ой! — воскликнула я. — Это было больно!

Стивен удивленно посмотрел на меня. Судя по лицу, ему показалось странным, что я не поняла — так и должно было быть. Я стояла, прижав ладонь к пульсирующему после удара уху, а Стивен легко сбежал по лестнице вниз, словно ничего такого не случилось.

Потом он извинялся, говорил, что слишком загружен на работе, что это последствия стресса и еще что-то в этом роде, но я иногда думаю, что тот первый случай был для него переломным моментом. Он в первый раз переступил черту.

Бывали времена, когда несколько месяцев ничего такого не случалось, а бывало, что практически за все, что я делала — срезала слишком толстую кожуру с картошки или плохо чистила его туфли, — я получала тяжелую оплеуху или удар кулаком. Стивен никогда меня не избивал, он был слишком умен для этого, одного удара было достаточно, чтобы показать мне, кто в доме главный.

К тому времени, когда я поняла, что надо что-то делать, я превратилась в собственную тень, в женщину, которая усвоила урок: лучше не высказывать собственное мнение, не перечить, не привлекать к себе внимание. И еще: рубцы от шрамов быстро бледнеют, даже если память о них остается. Но потом наступил день, когда он ударил мою дочь. Ударил сильно, за то, что она забыла снять туфельки, перед тем как выбежать на бледно-зеленый ковер в холле. Я увидела ее лицо, и ко мне вернулась решительность.

Я начала копить деньги. Например, могла попросить деньги на новое пальто для Летти — Стивен ни в чем не отказывал своей дочери, — потом покупала в благотворительном магазине какую-нибудь чистенькую, неношеную вещь и упаковывала ее в пакет из дорогого магазина. Еще экономила на походах в супермаркет, у меня был большой опыт в этом деле, так что это было не трудно. Стивен и его мать видели во мне только забитое существо и ни о чем не подозревали.

К тому времени я уже их возненавидела. Туман рассеялся, и я ясно увидела, во что превратилась моя жизнь. Я видела равнодушие Стивена, его высокомерие, его слепые амбиции, видела, как он старается дать понять моей дочери, маленькой шестилетней девочке, что в его доме она человек второго сорта. Я видела, что другие семьи живут иначе, и в конце концов поняла, что ни положение в обществе, ни происхождение, ни финансовое положение Стивена не мешают ему быть грубым скотом. К счастью, мои девочки искренне любили друг друга. Они заботились друг о друге, играли и ссорились, как и все родные сестры. Я видела, как Летти обнимала пухлой загорелой ручкой Ханну за шею, слышала, как она высоким голоском рассказывала сестре о том, чем занималась в садике, или просила сделать ей «хорошенькие волоски». Я видела, как Ханна вечером устраивалась рядом с Летти в кроватке и читала ей сказки, их светлые волосы спутывались вместе, а пастельные цвета ночнушек сливались в одно пятно. Стивен еще не успел отравить их своим ядом.

Но просто сознавать, что происходит, было недостаточно. Я понимала, что могу уехать с Ханной, их это не волновало. (Стивен любил повторять, что я только место в доме занимаю.) Но они никогда бы не отдали мне Летти. Во время одной из ссор я пригрозила, что уеду от него и заберу с собой девочек. Стивен рассмеялся мне в лицо.

— И какой судья позволит тебе воспитывать мою дочь? Подумай, что ты можешь ей дать, Элизабет. Вспомни, откуда ты — сквоты и еще бог знает что, у тебя ни образования, ни перспектив. И сравни с тем, что могу дать Летти я. У тебя нет ни единого шанса.

Подозреваю, что тогда у него уже была любовница. Он все реже, к моему большому облегчению, требовал физической близости. Его отношение ко мне стало какимто шизофреническим. Когда я одевалась красиво, он говорил, что я страшная, когда я проявляла к нему нежные чувства, он говорил, что вызываю у него отвращение. Но когда на меня смотрел кто-нибудь другой, даже если в этот момент я была в джинсах и простой рубахе, он зажимал мое лицо в ладонях и говорил, что ни один мужчина никогда до меня не дотронется. Как-то вечером один из его сослуживцев отметил, что у меня очень красивые ноги, и Стивен после этого с такой жадностью на меня набросился, что я еле ходила весь следующий день.

Меня поддерживала мысль о том, что количество денег под подкладкой моего зеленого пальто постепенно росло. В те часы, когда они были уверены, что я занимаюсь привычной работой по дому или просто гуляю с девочками в парке, я напряженно обдумывала план побега.

Стивен и его мать привыкли жить по заведенному распорядку. По вторникам и четвергам она всегда играла в бридж. А он по четвергам и пятницам вечером отправлялся «в свой клуб» — это такое более приличное определение любовницы, — а по субботам играл в гольф. По вечерам в четверг я была на верху блаженства: в моем распоряжении было несколько драгоценных часов, которые я могла провести с моими девочками. Мы смеялись, бегали по дому и шалили, и только звук ключа в замке входной двери возвращал меня в реальность, и я снова становилась тихой и покорной.

И вот однажды в четверг Стивен вернулся домой раньше обычного и нашел письмо, которое я написала Кэтлин. В нем я рассказала правду о нашей жизни. Сначала последовал приступ ярости, а потом он договорился с матерью не оставлять меня одну. После этого случая, когда я была дома, обязательно был и кто-то из них. Если же я куда-нибудь уходила, они, наоборот, находили причину оставить Летти дома или отвести ее в парк. С этого момента я никогда не оставалась с моими девочками одна. Думаю, он тогда понял, что теряет надо мной контроль. То письмо к Кэтлин (слава богу, я не успела написать адрес) потрясло Стивена. Оно потрясло его не только потому, что из него следовало, что у меня может хватить смелости рассказать обо всем кому-то еще, но и потому, что в нем в письменном виде описывались поступки Стивена, и поступки эти не были красивыми. Я думаю, что до той поры он убеждал себя в том, что его поведение вполне допустимо, что побои — это неизбежное следствие моих проступков. Жесткая правда о разбитых губах и сломанных пальцах, о том, что он ведет себя как самый настоящий садист, наверное, показалась ему вопиющей несправедливостью.

Я ждала, я научилась быть терпеливой. Мне только надо было добраться до Кэтлин, а уж там я бы разработала план, как действовать дальше. Дом Кэтлин для меня был как мираж, вечерами, когда моя жизнь становилась совсем невыносимой, я рисовала его в своем воображении. Единственное, что знал Стивен, — это то, что у меня где-то далеко есть тетка. Он понятия не имел, где она живет.

К тому времени, когда я разработала план и назначила дату его исполнения, я так нервничала, что даже удивлялась, как они этого не видят. Несколько недель кряду я не могла нормально есть. У меня постоянно крутило живот, из-за этого все мои движения стали замедленными и какими-то неловкими. Я без конца прокручивала в голове план побега и в результате стала забывчивой. Они же на пару говорили, что я ни на что не гожусь, и грозили Ханне, что если она не возьмется за ум, то станет такой же никчемной, как я. Если девочки что-то и замечали, они этого не показывали. К счастью, дети склонны жить одним днем. Я смотрела, как они играют, секретничают, с рассеянным видом поедают рыбные палочки, и представляла их в Австралии — как они бегают по Китовой пристани. Про себя я молилась Богу, чтобы он подарил им эту свободу. Я хотела, чтобы они выросли свободными, сильными, независимыми и счастливыми. Я и для себя хотела того же, но тогда плохо представляла себя как личность.

— Твою дочь надо подстричь, — сказал Стивен в то утро. — К субботе для предвыборной листовки в совет мне нужно сделать семейную фотографию. Пожалуйста, постарайся выглядеть хоть немного презентабельно. Не забудь, что твое синее платье должно быть чистым.

Он поцеловал меня в щеку — формальный поцелуй ради мамы, как не трудно было догадаться. Я ей, конечно, не нравилась, но новость о том, что у сына есть любовница, не понравилась бы ей еще больше.

— Ты вернешься к ужину? — как можно непринужденнее поинтересовалась я.

Мой вопрос вызвал у него раздражение.

— Вечером у меня встреча, — сказал он. — Но я приеду до того, как уйдет мать.

Сейчас я едва помню, как прошел тот день. Помню, что шел сильный дождь и девочки сидели дома и ссорились из-за каких-то пустяков. В школе были каникулы, мою свекровь так злило постоянное присутствие Ханны, что у нее началась «страшная головная боль». Она пригрозила, что, если я не утихомирю девочек, мне придется держать ответ перед Стивеном. Помню, я извинилась с улыбкой, а в душе понадеялась, что эта ее головная боль — предвестник опухоли.

Кажется, я каждые полчаса проверяла наши паспорта. И паспорта, и билеты были надежно спрятаны под подкладкой моего пальто. Пока эта женщина спала, я упаковала в две сумки только самое необходимое, так чтобы, заглянув в детские шкафчики, нельзя было сразу определить, что девочки уехали. Когда Ханна вошла в спальню и поинтересовалась, чем я занимаюсь, сердце у меня колотилось с такой скоростью, что казалось, в любую секунду выскочит из груди. Я постаралась сделать беспечное лицо, приложила палец к губам и сказала ей, чтобы она шла вниз. Я сказала, что хочу сделать сюрприз, но, чтобы все получилось, она должна хранить это в секрете.

— Мы уезжаем на каникулы? — спросила Ханна, и я еле сдержалась, чтобы не прикрыть ей рот ладонью.

— Что-то вроде этого. Нас ждет маленькое приключение, — шепотом ответила я. — Спускайся вниз, Ханна, и ничего не говори Летти. Это очень важно.

Она хотела еще что-то спросить, но я чуть ли не вытолкала ее за дверь.

— Иди, Ханна. Нельзя, чтобы бабушка Вилье проснулась, а то папа будет сердиться. — Это было нечестно, но я была в отчаянии.

Ханне не надо было повторять дважды, она вышла из комнаты, а я как можно тише перенесла сумки в комнату для гостей и спрятала их там под кроватью.

В тот вечер Стивен, как я и предполагала, задерживался. Я догадывалась, что по четвергам он встречался с «ней». Условленное время прошло, а Стивен все не возвращался, и свекровь начала заметно нервничать.

— Из-за него я могу опоздать на игру, — раздраженно сказала она и в восемнадцатый раз посмотрела на мокрую подъездную дорогу к дому.

Я промолчала. Я давно усвоила, что молчать безопаснее всего.

А потом произошло чудо.

— Все, я больше не могу ждать, — сказала она и встала. — Передай Стивену, что я должна была уехать. И смотри, чтобы запеканка не сгорела. Ты поставила ее на слишком большой огонь.

Я думаю, мысль о запеканке ее успокоила, она почему-то решила, что, пока готовится еда, я никуда не смогу уйти.

— Хорошего вам вечера, — с безучастным видом, насколько это было возможно, пожелала я.

Она посмотрела на меня внимательнее, и я скорее занялась тарелками, как будто начала накрывать на стол.

— Не забудь подогреть хлеб в духовке, — напомнила она.

После этих слов я услышала шорох ее плаща, и она ушла.

Я стояла в кухне, девочки возле моих ног щебетали что-то об игре, в которую играли, и свобода, казалось, была так близко, что у меня даже появился металлический привкус во рту.

Когда машина свекрови исчезла из виду, я побежала наверх и схватила таблетки, которые прятала в тайнике в своем гардеробе. Потом я спустилась обратно и, пока девочки смотрели какое-то видео, высыпала содержимое нескольких капсул в бокал, затем налила туда немного вина, хорошо перемешала и попробовала. Вкус лекарства не чувствовался. Потом подлила в бокал еще вина и сломала над ним еще четыре капсулы. Чтобы наверняка. Снова попробовала. Я решила, что, если повезет и запеканка получится достаточно острой, он ничего заметит. Было уже около половины седьмого.

Стивен должен был поесть и крепко заснуть, а до возвращения свекрови оставалось бы еще несколько часов, то есть у меня было достаточно времени, чтобы доехать на машине Стивена до Хитроу и сесть в самолет. По четвергам она играла до одиннадцати, а иногда и до полуночи. При удачном раскладе к моменту ее возвращения Стивен должен был еще спать, а мы должны были уже лететь в Австралию. Это был хороший план. Почти идеальный.

Я услышала, как машина Стивена подъезжает к дому, вздрогнула и попыталась взять себя в руки. Еще никогда в жизни я не хотела, чтобы он вернулся домой раньше, а не позже. Улыбка, которую я надела, была почти такой же искренней, как те, которые я надевала все эти годы.

— Элизабет, — сказал он.

Майк держал меня за руки.

— Все хорошо. — У него были такие добрые глаза. — Все хорошо.

Дыхание мое стало прерывистым, слезы струились по щекам.

— Не могу... — Я затрясла головой. — Не могу...

У меня сжалось горло, я едва могла вздохнуть. Я глотала ртом воздух, и каждый глоток отдавался болью в груди.

Майк обхватил меня за плечи.

— Ты не обязана ничего рассказывать, — прошептал он мне на ухо. — Ты ничего не должна мне рассказывать.

— Летти... я...

И тогда он меня обнял. Он обнимал меня и молчал. Я разрыдалась, а он даже не пошевелился, просто сидел со мной, его лицо прижималось к моему, его кожа впитывала мои слезы.

— Мам?

На пороге комнаты стояла Ханна и смотрела на нас. Она была в ночнушке, волосы спутаны после сна.

Появление Ханны помогло мне удержаться на краю. Я отодвинулась от Майка и вытерла глаза. Моя чудесная дочь, моя прекрасная, испуганная, храбрая, живая девочка.

— Почему ты плачешь? — шепотом спросила она.

Мне хотелось рассказать ей, но я должна была ее защитить. Уже много лет я не говорила при ней о Летти. Я не знала, как много она помнит, и все эти годы старалась защитить ее от воспоминаний о той ночи, потому что то, что я сделала в ту ночь, разрушило нашу жизнь.

— Ханна... — Я потянулась к ней, и слова застряли у меня в горле.

Голос Майка прозвучал спокойно и твердо.

— Летти, — сказал он. — Мы говорили о Летти, Ханна.

Она шагнула к нему, чтобы взять протянутую ей руку, и у меня чуть не разорвалось сердце, но не от боли или воспоминаний о бедной погибшей Летти, а от того, сколько любви было в этом жесте.

Я закрыла рот ладонью и выбежала из комнаты.

20

Ханна

После того как мы приехали в Сильвер-Бей, мама не говорила несколько недель. Она просто лежала в кровати как мертвая. Потом она очень надолго пропадала, но не на улице, а в комнате, как будто там была какая-то дыра. Тетя Кэтлин присматривала за мной, кормила и пыталась разузнать у меня, что произошло. Когда я плакала и никак не могла остановиться, она меня обнимала. А когда тетя решила, что меня нельзя оставлять одну, она познакомила меня с Ларой. Тетя вместе с нами пекла печенье, и получалось так, будто мы печем нашу дружбу. Как будто она хотела найти для меня замену Летти.

А когда я спросила, что с мамой и почему она не выходит из комнаты, чтобы побыть со мной, тетя Кей ответила:

— Вы с мамой пережили что-то страшное, Ханна, и она справляется с этим хуже, чем ты. Мы должны дать ей еще немножко времени.

Она дала маме время, потом еще чуть-чуть, а потом, наверное, решила, что уже хватит.

— Нам с твоей мамой надо немного поболтать, — сказала она мне. — Вы с Ларой останетесь здесь, с вами будет Йоши и собачка.

Я не знала, что думать, но они с мамой вышли в море на лодке тети Кей, а когда вернулись, мама была уже не такой печальной. Она спрыгнула с лодки на Китовую пристань, подошла ко мне и обняла. Мне тогда показалось, что она увидела меня в первый раз с момента нашего приезда в Австралию.

— Прости меня, мама, — попросила я и заплакала.

Мама была такая худая, что я чувствовала сквозь рубашку ее ребра. Но голос у нее не изменился.

— Тебе не за что просить прощения, любимая. Ты все сделала правильно. Это я во всем виновата.

Но я знала, что если бы мы с Летти не поссорились тогда при Стивене... Если бы Летти не сказала при нем, что не хочет уезжать на каникулы... Я так сильно по ней скучала. Я не могла поверить в то, что она умерла и ее больше нет.

— Я хочу, чтобы она была с нами, — плакала я.

Я почувствовала, что мама перестала дышать. Она крепко прижала меня к себе и тихо сказала:

— Я тоже, милая, я тоже.

Мама попросила меня ничего не рассказывать. Она стояла тогда в своей комнате и говорила, что это очень-очень важно. Но я так обрадовалась, что мы с мамой и Летти куда-то уедем, сможем все каникулы играть, смеяться и делать все то, что не любила бабушка Вилье, поэтому и не сдержалась.

— Я не должна была ей говорить, — шепотом сказала я.

Мама взяла меня за плечи и посмотрела в глаза. Ее глаза были ярко-ярко-синие, как небо, а ресницы от слез стали похожи на лучики звезд.

— Ты не виновата в смерти сестры, поняла? — Мама говорила строго, как будто даже хотела заставить меня замолчать, но глаза у нее были очень добрые. — Ты ни капли ни в чем не виновата, Ханна. Постарайся забыть обо всем, что тогда случилось.

Через две недели вечером в понедельник, после того как я попила чай, мы устроили панихиду по Летти. В море. Только я, мама, тетя Кэтлин и Милли. Мы вышли на «Измаиле» в самое красивое место в Австралии. Так тетя сказала. Вокруг нас прыгали дельфины, а солнце подсвечивало красным светом плывущие высоко в небе редкие облака. Тетя помолилась за Летти и сказала, что, хоть мы и в другой части света, все равно ясно, где сейчас ее душа. Я все надеялась, что какой-нибудь дельфин подплывет к нам, может, даже выпрыгнет из воды, как будто подавая знак, но, сколько я ни смотрела, ни один так и не подплыл ближе.

Когда мы распаковали вторую сумку, мама нашла хрустальных дельфинов Летти. Видно, она очень бережно их уложила, потому что даже ни один плавничок не откололся. Мама долго-долго держала одного дельфинчика в руке, а потом отдала его мне.

— Сохрани их, — попросила она. — Пусть с ними ничего не случится.

Это был последний раз, когда мы говорили о Летти.

И теперь только одна я все вспоминала. Например, как мы с Летти устраивали походный лагерь в нашей спальне. Или как бегали по саду и брызгали друг в друга из шланга. Я старалась все время держать эти картинки в голове, потому что боялась, что, когда они сотрутся, я уже не смогу вспомнить сестру. У меня на полке есть две фотографии Летти, если бы я не смотрела на них каждый вечер, я бы забыла ее лицо. Я бы забыла, какая у нее была улыбка, когда у нее выпал зуб, как она дотрагивалась до носа, когда сосала большой палец, или тепло, которое я чувствовала, когда она спала со мной в постели.

Но есть вещи, о которых я бы хотела забыть. Например, тот вечер, когда сразу после ухода бабушки Вилье мама обняла нас с Летти и сказала, что теперь все будет по-другому. Помню, как я застала ее, когда она паковала наши вещи, и обрадовалась, что мама не забыла про мою старую фланелевую собачку Спайки, без которой я не могла заснуть. Помню, как она сказала, что мы не должны ничего говорить папе или бабушке, потому что это будет для них сюрприз. Мама думала, что я не смотрю, но я видела, как она унесла сумки в комнату для гостей. Помню, я увидела у нее на руках фиолетовые синяки, очень похожие на синяк, который появился у меня, после того как Стивен разозлился из-за того, что я барабаню пальцами по столу, и так сильно дернул меня со стула, что было даже больно.

Еще я помню, что очень волновалась — почти как перед Рождеством — и все-таки рассказала кое-что Летти, но я предупредила ее, что это очень большой секрет.

А потом мы смотрели по видео «Пиноккио», хотя это и было в понедельник, а когда вернулся Стивен, от него пахло вином, но мама все равно дала ему большой бокал вина. Помню, мама тогда стояла, смотрела на него и улыбалась, пока он не сказал, что она похожа на идиотку. Когда мама накрыла на стол ужин, я заметила, что она все время на него поглядывает, как будто чего-то ждет.

А потом Летти и я как дурочки начали драться из-за мелков. Мы не могли поделить зеленый, потому что зеленый был лучше, чем темно-зеленый, который плохо рисовал по бумаге. Я победила, потому что была больше, а Летти начала плакать и сказала, что не хочет никуда ехать. И тогда Стивен спросил:

— Куда ехать?

Он бросил взгляд на маму, и они несколько секунд молча смотрели друг на друга. Потом Стивен быстро прошел мимо нее и поднялся наверх. Я слышала, как он выдвигает полки в комодах. Когда он вернулся обратно, у него было такое злое лицо, что я спряталась под стол и затащила за собой Летти. Я слышала, как он кричит:

— Где паспорта?

А потом я уже не могла разобрать, что он кричит, потому что заткнула уши и крепко зажмурилась. Они с мамой кричали, я слышала удары, мама упала и ушиблась головой об пол, он заглянул под стол и вытащил Летти. Она все кричала и кричала, а Стивен сказал, что она уедет из дома только через его труп, и голос его звучал как из-под воды. Я попыталась схватить Летти за руку, но он сильно меня оттолкнул. Стивен держал ее под мышкой, как пакет с картошкой или что-то такое, а она все продолжала кричать. А потом, когда мама очнулась, я услышала, как его машина газанула на гравийной дорожке.

— О господи, о господи, — начала кричать мама, она даже не замечала, что у нее лицо в крови.

Я схватилась за маму, мне было страшно, потому что я не понимала, куда он повез Летти.

Не знаю, сколько времени мы так просидели.

Помню, я спросила маму, где Летти, а она прижала меня к себе и сказала:

— Они скоро вернутся.

Но я не знала: верить ей или не верить. И я была очень напугана, потому что догадывалась, что, когда Стивен вернется, он будет злиться на нас с мамой еще больше.

Я думаю, когда зазвонил телефон, прошло уже несколько часов. Мама сидела на полу и дрожала, голова у нее была в крови. Я взяла трубку, это была бабушка Вилье. У нее был какой-то странный голос.

— Пожалуйста, позови свою маму, — сказала она, как будто я была чужая.

А потом она стала кричать на маму так громко, что даже я слышала. Лицо у мамы стало серым, она застонала, а я обхватила ее за коленки, чтобы они не дрожали.

Мама все повторяла:

— Что я наделала? Что я наделала?

Это была самая долгая ночь из всех, что я помню. Мама разбудила меня, когда стало светать. Я заснула прямо на полу, поэтому очень замерзла, и у меня затекли руки и ноги. Мама странным голосом сказала, что мы должны уехать. Я спросила, а как же Летти? А она ответила, что была авария, машина Стивена разбилась, и Летти умерла в больнице. Мама говорила, что это она во всем виновата, у нее так стучали зубы, как будто она плавала в бассейне с ледяной водой.

Что было дальше, я плохо помню. Мы ехали в такси, потом летели в самолете, а когда я плакала и говорила, что не хочу уезжать, мама сказала, что только так может меня защитить. Помню, я плакала каждый раз, когда мама уходила в туалет, потому что боялась, что она тоже исчезнет и я останусь совсем одна. Потом помню, тетя Кэтлин стояла возле ограждения в аэропорту. Она обняла меня как родную, хотя мы никогда и не виделись.

И все это время мне хотелось спросить маму: «Как мы могли оставить Летти?» Я думала: «Вдруг она не умерла и ждет нас в больнице?» И даже если Летти умерла, мы должны были взять ее с собой, а не оставлять там, так далеко, что мы не сможем положить цветы на ее могилу, чтобы она знала, что мы не перестали ее любить. Но я так ни о чем ее и не спросила. Потому что мама еще очень-очень долго не могла вообще ни одного слова сказать.

Вот что я рассказала Майку в то утро, когда увидела, что он обнимает маму. Я рассказала ему об этом, после того как мама ушла, хотя до этого не могла рассказать никому, даже тете Кей, только не всю историю. А Майку рассказала, потому что почувствовала, что что-то изменилось и мама не будет против, если он все узнает.

До этого я никогда не видела, чтобы мужчина плакал.

21

Майк

На следующий день, пока в отеле все отсыпались, а залив притих под ясным синим небом, в нескольких милях от Сильвер-Бей, в наполненной тихим гудением палате больницы Порт-Саммера, Нино Гейнс пришел в себя.

Кэтлин сидела, тяжело облокотившись на подлокотник синего кресла, в ногах его кровати. Она уехала из отеля сразу, как только уложила всех спать. Потом она скажет, что хотела рассказать своему старому другу о том, что произошло в тот незабываемый вечер. Ближе к рассвету усталость одолела ее, и она немного вздремнула. Потом она читала газеты за предыдущий день, иногда, когда ей казалось, что новость может быть интересна Нино, она читала вслух. В тот момент это был репортаж об открытии ресторана человеком, которого они с Нино хорошо знали.

— Это катастрофа, — прохрипел Нино.

Кэтлин была так измотана после пережитого страха за Ханну и кошмара с блуждающей сетью, что не сразу поняла, что произошло, и продолжала читать вслух.

Он, конечно, был еще очень слаб и плохо ориентировался, но этот человек в белой больничной рубашке, со всеми подключенными к нему проводами и трубками, определенно был тот самый Нино Гейнс. И вся община Сильвер-Бей благодарила за это Бога. Врачи провели полный осмотр больного — Нино ворчал, что это пустая трата времени, — сделали сканирование мозга и кардиограмму, сверились со своими руководствами и наконец объявили, что он в отличном состоянии, принимая во внимание его возраст и то, что он столько дней пролежал без сознания. Ему разрешили садиться, вытащили из рук трубочки, и ручеек посетителей постепенно превратился в сплошной поток. Кэтлин позволили сидеть у него в ногах — обычно такой привилегии удостаиваются только супруги. Со своей стороны, она обещала врачам, что не будет волновать больного, дабы у него не поднялось артериальное давление.

— Она поднимает мое давление уже больше пятидесяти лет, — сказал Нино медсестре прямо при Кэтлин. — И ни черта не происходит.

А Кэтлин сияла от счастья. После того как Нино очнулся, она все время улыбалась.

—

Не многие с молодых лет знают, в чем их предназначение. Люди ищут свое призвание, для одних это религия, для других искусство, для третьих мир собственных историй, а для кого-то заклание священных коров. Ранним утром в самом начале австралийской весны маленькая девочка взяла меня за руку и доверила мне свою большую тайну. Вот когда я наконец понял, для чего живу. С этого момента я знал, что положу все силы на то, чтобы защитить эту девочку и ее маму.

Теперь, откручивая назад события тех дней, которые последовали за появлением в заливе блуждающих сетей, я понимаю, что испытывал тогда почти шизофренические эмоции. Я был в эйфории оттого, что влюбился — влюбился, возможно, в первый раз в жизни — и мог открыто выражать свои чувства. И Лиза, казалось, тоже любила меня. Она боялась, что после того, как они с Ханной рассказали мне о Летти, я стану относиться к ней по-другому. Как к безответственной матери, или как к обманщице, или, хуже того, как к убийце.

Я нашел Лизу в ее комнате. Она сидела у окна, и я видел, как она страдает. Взяв себя в руки (когда я заплакал, Ханна обняла меня, и это было невыносимо трогательно), я вошел в комнату и закрыл за собой дверь. Подошел к Лизе, опустился на колени и обнял ее. Я ничего не говорил, потому что верил, что мое присутствие скажет все за меня. Только спустя какое-то время я понял, почему она мне об этом рассказала.

— Я не думаю, что тебе следует это делать, — сказал я.

Лиза подняла голову с моего плеча.

— Я должна, Майк.

— Ты наказываешь себя за то, что не совершала. Откуда ты могла знать, что он так отреагирует? Откуда тебе было знать, что он попадет в аварию? Господи, да он же тебя избивал, ты была в стрессовой ситуации. Ты можешь сказать, что ты... — тут я запнулся, чтобы подыскать верное слово, — что ты временно потеряла рассудок. Так говорят в подобных случаях. Я видел в новостях.

— Я должна это сделать. — Глаза у нее припухли от слез, но были ясными и полными решимости. — Фактически я убила свою дочь. Из-за меня и ее отец мог погибнуть. Я сдамся и использую эту возможность, чтобы рассказать о том, что здесь происходит.

— Этот поступок может ни к чему не привести. А для тебя все закончится катастрофой.

— Тогда дай мне поговорить с твоей знакомой из СМИ. Она скажет, поможет это или нет.

— Лиза, ты не понимаешь. Если все так... как ты рассказала, тебя посадят в тюрьму.

— Ты думаешь, я об этом не знаю?

— А как с этим справится Ханна? Разве мало потерь она пережила?

Лиза высморкалась.

— Пусть лучше она потеряет меня на несколько лет, пока у нее еще есть Кэтлин. А потом мы сможем начать все сначала. Я смогу начать все сначала. И потом, может, кто-нибудь меня услышит.

Я встал и начал ходить по комнате.

— Это все неправильно, Лиза. Что, если это не остановит застройку? Люди могут посочувствовать, но это еще ничего не значит.

— А что еще мы можем сделать?

И тут Лиза была права.

Она взяла меня за руки.

— Майк, я много лет живу как в тумане. Я обманываю себя, но разве это жизнь, когда всего боишься? Я не хочу, чтобы и Ханна так жила. Я хочу, чтобы она могла поехать, куда ей захочется, встречаться с тем, с кем захочет. Я хочу, чтобы у нее было счастливое детство, чтобы ее окружали люди, которые ее любят. А как она живет здесь?

— Черт, она хорошо здесь живет, — возразил я, но Лиза отрицательно покачала головой.

— Она не может уехать из Австралии. Как только увидят ее паспорт, нас сразу задержат. Она даже из Сильвер-Бей уехать не может. Только здесь я могу быть уверена, что нами никто не заинтересуется.

Лиза подалась вперед. Она говорила спокойно, как будто не раз обдумывала все это за прошедшие годы, и фразы получались гладкими, как обкатанная приливом галька.

— Это похоже на жизнь с блуждающей сетью. Вся эта история... то, что я сделала, Летти, Стивен... Это может быть в тысячах миль от нас, но оно существует и ждет, когда появится возможность настигнуть меня. И тогда я запутаюсь в этой сети, и она утащит меня на дно. Это будет ждать меня годами. — Лиза убрала волосы за ухо, и я мельком увидел маленький белый шрам. — Если застройка продолжится, нам придется уехать, — сказала она. — И куда бы мы ни отправились, эта сеть будет тихо дрейфовать вслед за нами.

Я закрыл лицо ладонями.

— Это все из-за меня. Если бы я сюда не приехал... Боже, в каком положении вы из-за меня оказались...

Лиза погладила меня по голове.

— Ты же не мог об этом знать. Если бы не приехал ты, приехал бы кто-нибудь другой. Я не такая наивная, я понимаю, что мы не сможем остаться в Сильвер-Бей навсегда. В общем, так, я думала об этом всю ночь. Если я сдамся властям, Ханна будет свободна и я смогу привлечь внимание к китам. Люди должны узнать об этом. — Она неуверенно улыбнулась. — И я тоже стану свободной. Ты должен понять, Майк, мне тоже необходимо от всего этого освободиться. Насколько это вообще возможно.

Я смотрел на Лизу и чувствовал, как она ускользает. Она снова была в тысячах миль от меня.

— Сделай одолжение, не предпринимай ничего, пока я кое с кем не поговорю.

Вечером я позвонил сестре. Я заставил ее поклясться, что она ни слова никому не скажет, и только после этого пересказал ей, насколько мог подробно, историю Лизы.

Последовала долгая пауза.

— Господи боже, Майк, ты дал ей мудрый совет, — изумилась Моника, а потом я услышал, как она что-то пишет. — Это все правда? Она ничего не придумала?

Я вспомнил, как Лиза дрожала в моих объятиях.

— Она ничего не придумала. Как ты думаешь, из этого получится история для СМИ?

— Ты шутишь? Да ребята из отдела новостей уписаются от счастья.

— Мне это нужно... — Я постарался взять себя в руки. — Если мы это сделаем, Моника, надо, чтобы материал вызвал у людей сочувствие к Лизе. Надо, чтобы люди поняли, как она оказалась в таком положении. Если бы ты ее знала... если бы ты знала, какой она человек, какая она мать...

— Ты хочешь, чтобы об этом написала я? — недоверчиво переспросила сестра.

— Я больше никому не доверяю.

Короткая пауза.

— Спасибо. Спасибо, Майк. Я... — Она отвлеклась, как будто бы просматривала свои записи. — Я думаю, что смогу перетянуть читателя на ее сторону. Переговорю тут с нашим адвокатом — никаких имен, естественно, — она расскажет мне, как это выглядит с правовой точки зрения. Не хочу писать ничего, что приведет к судебному разбирательству...

Я смотрел на телефонную трубку и понимал, что, хочу я этого или нет, Моника верно оценивает положение Лизы.

— И как ты думаешь... она сможет выиграть?

— Если она сможет донести до общественности, что причиной ее добровольной легилизации является не только желание разобраться со своей ситуацией, но и желание защитить несчастных китов, люди, скорее всего, примут ее сторону. Публика любит все эти истории с китами, а еще больше любит оригиналов. А если оригиналом окажется симпатичная блондинка — вообще хорошо.

— Когда ты возьмешь интервью, ты лично сможешь убедиться в том, что весь мой рассказ — правда. Я не исказил ни одного ее слова.

— Не хочу лезть в ваши отношения, Майк. Это не мое дело. Но ты должен очень аккуратно поговорить с ней и выяснить, действительно ли она этого хочет. Потому что, если все, что ты мне рассказал, правда, я не гарантирую ей спокойную жизнь. Другие газеты подхватят ее историю, они все перетрясут и могут посмотреть на нее совсем иначе. В том, что она сбежала, нет ничего хорошего.

— Ее младшая дочь умерла. Ей сказали, что Стивен в критическом состоянии. Она должна была что-то предпринять, чтобы защитить Ханну.

— Даже если у меня получится убедить всех в том, что она ангел во плоти, ее все равно могут арестовать, а потом и срок дать. Особенно если тот парень умер. Если обвинение докажет, что она дала ему таблетки, зная, что он выпил в тот вечер и что он сядет за руль... Ну, мне очень не хочется это говорить, но в лучшем случае это тянет на непредумышленное убийство.

— В худшем — на предумышленное.

— Я не знаю. Я не криминальный журналист. Но давай не будем забегать вперед. Скажи-ка мне еще раз по буквам его имя. Я попробую что-то узнать и перезвоню.

Я был бы очень рад, если бы одновременно с улучшением состояния здоровья Нино Гейнса улучшилось и положение других обитателей Сильвер-Бей, но, увы, это было не так. Протесты для публичных слушаний подавались и, как и следовало ожидать, в большинстве своем отклонялись. В газетах уже начали писать не о том, начнется ли застройка, а о том, когда она начнется. И, как бы подтверждая необратимость этого процесса, вокруг намеченного под строительство участка вырос забор. Плакаты на заборе обещали «невероятные возможности для инвестиций в дома на две, три и четыре спальни, которые станут частью уникального комплекса отдыха и развлечений».

Я читал это, и мне становилось дурно, потому что это было частью моего предложения. Сверкающий забор высотой в двенадцать футов был неуместен на пустынном пляже и только подчеркивал возраст «Сильвер-Бей». Теперь облупившаяся краска и отвалившаяся штукатурка стали как бы знаками отличия отеля. Он стоял рядом с просмоленным сараем, как безмолвный часовой ушедшей эпохи, когда отели были местом, где можно было найти укрытие или просто жить, а не уникальным местом для развлечения и отдыха или блестящей возможностью для инвестиций.

Как-то утром я наблюдал за прибытием очередного транспорта, неизвестные люди с планшетами бродили вокруг и разговаривали по телефонам. Обернувшись, я увидел, что рядом стоит Кэтлин. В ее глазах это наверняка было вторжением. После многих лет уединенной жизни на заливе теперь перед ней была перспектива видеть нескончаемый поток чужаков на пороге своего дома.

Кэтлин молча наблюдала за приехавшими людьми, лицо ее было суровым.

— Ну и когда нам паковать вещи? — спросила она, не поворачивая ко мне головы.

У меня свело желудок.

— Это еще не конец, Кэтлин, — сказал я.

Она промолчала.

— Даже если мы проиграем битву против застройки, мы сможем еще многое сделать, чтобы минимизировать потери для твоего отеля. Я разработаю бизнес-план. Можно обдумать варианты реконструкции...

Кэтлин положила руку мне на плечо, и я замолчал.

— Я очень уважаю тебя, Майк Дормер. И уважала бы еще больше, если бы могла рассчитывать, что ты скажешь мне правду.

Что я мог ей сказать? Йоши связалась с организациями по охране китов и дельфинов, те обещали в ближайшее время опубликовать доклад о негативном влиянии шумов на животных семейства китообразных. Йоши сделала запрос, не смогут ли они включить в доклад пункт о вреде моторных лодок и гидроциклов. Мы написали петицию и собрали около семнадцати тысяч подписей. Создали веб-сайт, который посещают несколько сот человек в день и куда со всего света присылают сообщения в нашу поддержку. Связались с другими сообществами по защите китов, и они также отправили в городской совет Сильвер-Бей письма с протестами против застройки.

После уроков Ханна связывалась по электронной почте с другими школами и пыталась привлечь их учеников на нашу сторону. Мой компьютер почти полностью перешел в ее владение, а я часами по телефону агитировал местных жителей. Я последовал совету сестры и старался действовать и на местном уровне, и на государственном. Но кажется, толку от этого было мало. Все чаще появлялись люди в деловых костюмах и строители в касках. Местная газета призывала местных торговцев принять участие в «новом захватывающем проекте». На двух пустых магазинах появились вывески «Продается», — видимо, хозяева пытались капитализировать свою близость к участку застройки.

Я тряхнул головой:

— Нет, это еще не конец. — В этом я пытался убедить и себя тоже.

Кэтлин развернулась и устало зашагала прочь.

— Твои бы слова да Богу в уши, — бросила она мне через плечо.

Как и предполагалось, «Гордость Ханны» с запутавшимся в блуждающих сетях рулем в ту ночь пошла ко дну. Мне было невыносимо смотреть на прозрачные воды залива. Море проглатывало лодки целиком, они исчезали без следа, словно их никогда и не было. Ни маленькой лодки, ни сетей, ни мертвых рыб. После того как выяснилось, что лодка Ханны затонула, о ней уже больше никто не заговаривал. Думаю, Грэг все еще чувствовал угрызения совести из-за того, что невольно способствовал тому, что Ханна оказалась на волосок от гибели. Как и я, впрочем. Слишком легко было представить ее там, в маленькой, запутавшейся в сетях лодке.

А потом как-то за завтраком Лиза вдруг объявила, что собирается подыскать лодку для Ханны.

— Что?

Она не сказала «Гордость Ханны».

— Я подумала, что ты уже достаточно взрослая, и попросила Питера Сойера, чтобы он, если что-то появится, дал знать. Небольшой катер, как у Лары. Но ты будешь брать уроки. И если я узнаю, что ты хоть раз вышла в море, не предупредив меня, — можешь с ней попрощаться. Больше у тебя лодки не будет. Никогда.

Ханна выронила ложку, подпрыгнула на месте и бросилась к матери на шею.

— Я никогда никуда не пойду без твоего разрешения, — обещала девочка. — Я всегда буду тебя слушаться. Правда. Спасибо, мамочка.

Она сжимала маму в объятиях и прыгала от радости, а Лиза пыталась сделать строгое лицо.

— Я тебе доверяю, — сказала она.

Ханна кивнула, глаза ее сияли от счастья.

— А я могу позвонить Ларе и рассказать ей?

— Ты увидишься с ней через полчаса.

— Ну пожалуйста.

Не дождавшись ответа, Ханна умчалась. Мы слышали, как она проскакала по коридору, а потом раздался ее звонкий голос.

Лиза опустила глаза, как будто ей было неловко за то, что она вдруг кардинально изменила свою позицию.

— Ханна живет у моря. Когда-нибудь ей все равно надо будет научиться управлять лодкой.

— Что верно, то верно, — согласилась Кэтлин и снова повернулась к плите. — Питер подыщет ей хорошую лодку.

— И потом, — Лиза на секунду встретилась со мной взглядом, — это разумное решение. Я не всегда буду рядом, чтобы за ней присматривать.

Мы с Лизой не говорили о нас. Я знал, что между нами есть связь, хотя по негласному договору мы не демонстрировали свои чувства. Началась южная миграция, пусть и слабенькая, но все же. Я иногда, когда мне надо было отдохнуть, выходил в море с Лизой. Сидел тихо и смотрел, как она уверенно двигается по палубе. Мне нравилось слышать, как меняется ее голос, когда она рассказывает о китах, нравилось, как она управляет лодкой, как между делом с любовью почесывает Милли за ухом и как радостно вскрикивает, увидев фонтанчик воды. Я остро чувствовал ее близость, когда она проходила мимо меня, или когда поворачивала штурвал, или когда наклонялась через поручни и смотрела за борт. Лиза так естественно существовала на лодке, как будто была с ней единым целым. По иронии судьбы из-за кампании протестов пассажиров стало больше, но для меня на «Измаиле» были только мы с Лизой. Я не видел никого, кроме нее.

И конечно, Ханна. Я любил Ханну, и это было продолжением моей любви к ее матери. А еще я испытывал огромное желание защитить ее. Я понимал Лизу, понимал, почему она готова все отдать ради того, чтобы жизнь дочери была спокойной. Ханна знала о нас, но ничего не говорила. И когда она заговорщицки улыбалась или тихонько пожимала мне руку, у меня горло сжималось от ее доверия, такого детского. Я хотел остаться в ее жизни, если бы Лиза мне это позволила.

Я не говорил слова любви, но это чувство жило в каждой клетке моего тела, оно не покидало меня ни на секунду и окружало, как морской туман. И Лиза стала другой, она чаще улыбалась, иногда вдруг краснела, и все это подсказывало мне, что она чувствует то же, что и я. Эта женщина, которая перенесла столько потерь, которую так жестоко предали, поверила мне и открыла свое сердце.

Все это время Лиза тихонько приходила ко мне по ночам, а я в полумраке откидывал одеяло и принимал ее в свои объятия. Она касалась кончиками пальцев моего лица и смотрела так серьезно, как будто не верила, что это мое лицо, а я понимал, что в этот момент так же серьезно и как будто не веря в происходящее смотрю на нее.

Не думаю, что когда-нибудь был счастливее, чем тогда. Это предвкушение ее прихода; слышать, как она говорит внизу с Кэтлин и Ханной; как она закрывает за собой дверь в ванную; пожелания спокойной ночи; чувство, что еще немного — и она будет моей... Догадывалась ли Кэтлин о том, что между нами происходит, я не знал, но она, конечно, многое подмечала. Однако все свое внимание Кэтлин уделяла мистеру Гейнсу. Его надо было забрать из больницы и помочь ему в дальнейшем.

А Лиза делала меня счастливым. Я любил в ней все: ветер в волосах, легкий привкус соли на ее коже, эти уже ставшие белыми от времени шрамы, веснушки, ее глаза. Когда я занимался с ней любовью, тонул в ее глазах, она была всецело моей. И боже, как я был ей за это благодарен.

Однажды ночью в тихой беседе Лиза призналась, что с рождением ребенка в твоей жизни появляется страх и любовь, с которыми ничто не сравнить. Теперь я это очень понимаю. В моей жизни появилась Лиза, и я даже мысли не допускал, что могу ее потерять. Случалось, ночью я лежал без сна, смотрел на Лизу и пытался представить ее в тюрьме, в холодной серой стране, в тысячах миль от Сильвер-Бей, где рядом с ней не будет друзей и любящих людей. Но у меня ничего не получалось. Эта картинка просто не укладывалась у меня в голове. Лиза смеялась, когда я так говорил.

— Со мной все будет в порядке. — Она утыкалась лицом мне в плечо и обнимала.

Для меня это было как благословение.

— Не представляю тебя далеко от моря.

— Я не кит, я могу выжить без моря. — По голосу Лизы было слышно, что она улыбается.

Только мне почему-то не верилось в то, что ей это по силам.

— Я помогу заботиться о Ханне, — сказал я. — Если хочешь.

— Я не ждала, что ты это скажешь.

— Я о ней позабочусь.

— Но мы же не знаем, сколько меня здесь не будет.

— Тем более я должен остаться.

Наступила тишина. Я слышал ее дыхание. Когда она снова заговорила, голос у нее срывался:

— Я не хочу... Я не хочу, чтобы Ханна потеряла еще одного близкого человека. Не хочу, чтобы она привязалась к тебе. Ведь может случиться так, что через несколько лет ты поймешь, что это для тебя слишком. Я имею в виду ожидание.

— Ты правда так думаешь?

— Человек не всегда знает, на что способен, — ответила Лиза и немного помолчала. — Я через это прошла и знаю лучше других. И ситуация нестандартная.

Я лежал и обдумывал ее слова.

— Если захочешь уехать, я не стану тебя винить, — тихо сказала Лиза. — Ты был нам... хорошим другом.

— Я никуда не уеду.

После того как я это сказал, в комнате воцарилась новая атмосфера, исчезла зыбкость, появилась уверенность. Я сказал это не задумываясь, просто произнес вслух то, что было честным отражением меня, того, что я чувствовал. Я взял Лизу за руку и погладил ее пальцы.

— Ханне очень будут нужны друзья, — дрогнувшим голосом сказала она.

В коридоре поскуливала во сне Милли. Я держал Лизу за руку, пока не почувствовал, что самый трудный момент миновал. Я понимал, что Лиза старается не думать о дочери, пытается отстраниться, чтобы все сделать правильно. В такие минуты я всей душой хотел принять ее боль на себя.

— Ты не обязана это делать, — в сотый раз повторил я.

Лиза поцелуем заставила меня замолчать.

— Знаю, тебе трудно это сознавать, но я чувствую, что наконец что-то делаю. Впервые в жизни я контролирую ситуацию. — Было понятно, что она улыбается и гордится собой. — Я у штурвала.

— Мой капитан. — Я крепче прижал Лизу к себе.

— Я стараюсь. — Лиза вздохнула и обхватила меня ногами.

Сестра позвонила в то утро в четверть четвертого, она вообще не очень обращала внимание на разницу во времени. Лиза пошевелилась во сне, а я на ощупь нашел свой мобильный.

— Привет, какую тебе новость сообщить первой: плохую или хорошую?

Я приподнялся на локте, потер глаза и ответил сонным голосом:

— Не знаю. Все равно.

— Хорошая новость: он еще жив и я его нашла. Потребовалось время, потому что у него теперь двойная фамилия. Думаю, вторая фамилия жены. Старушка умерла, это нам на пользу, меньше людей подтвердит его версию. Все это означает, что твоей девушке не будет предъявлено обвинение в убийстве.

Моника замолчала, а я обдумывал ее слова и пытался взбодриться.

— А теперь плохая новость, Майк: он стал членом городского совета. Уважаемый член общества. Женат, как я уже сказала, двое детей, стабильное положение, незапятнанная репутация. Круглые столы, благотворительность. Советник с парламентскими амбициями. На фото во всех газетных репортажах или руку шефу полиции пожимает, или передает чек на благое дело. Все это не на пользу твоей девушке.

22

Лиза

Майк и днем и ночью работал, чтобы остановить застройку. Иногда он засиживался глубоко за полночь, и я боялась, что он надорвется. Кэтлин готовила ему, я относила еду наверх, сидела с ним в комнате и пыталась как-то помочь, но я не очень хорошо контактирую с людьми. У меня голова шла кругом, когда я слышала, как Майк обхаживает и очаровывает своих собеседников, с какой уверенностью излагает свои соображения как единственно правильное решение всех проблем. Он ни с кем не боялся разговаривать. Кто бы ни оказался на том конце провода, Майк легко мог попросить связать его с кем-то на более высоком уровне. А если не находил понимания, то связывался с еще более важными людьми. У него была отличная память на цифры, в переговорах он сыпал статистическими данными, как будто читал по написанному. И всех без исключения предупреждал о вреде шума и уровне загрязнения, о дополнительных расходах и снижении деловой активности в других местах. Он объяснял, как постепенно будут приходить в упадок местные бары, рестораны и отели, рассказывал, где будет оседать прибыль от нового отеля, то есть очевидно, что не в Сильвер-Бей.

И все равно этого было недостаточно. Майк просил Йоши связаться с ее друзьями из научной среды и уговорить их сделать исследования о том, как шум влияет на китов. Но Йоши сказала мне, когда Майка не было поблизости, что такие исследования занимают много времени. Кита нельзя положить в чашку Петри[1] и потыкать иголкой, чтобы узнать, как он на это реагирует. Южная миграция была в самом разгаре, киты возвращались в Антарктику. Пройдет ноябрь, и они еще долго не появятся в наших водах, а потом будет уже поздно. Когда я говорила обо всем этом Майку, он, казалось, меня не слышал, просто снимал трубку и упрямо набирал следующий номер.

Я думаю, он решил, что если сможет остановить застройку своими методами, то я не полечу в Англию и все как-нибудь наладится. Когда я сказала ему, что полечу в любом случае, он назвал меня мазохисткой. Больше всего я боялась, что «история», как называл ее Майк, ни на что не повлияет и не поможет спасти китов.

Майк распространил меморандум по всем лодкам. Он пытался организовать акцию протеста, когда в отеле «Блу Шоалс» выставили макет будущего гостиничного комплекса. Но скоро понял, что это не так-то просто: многие люди уже воспринимали новый отель как данность и планировали нажиться после его открытия. Даже тех, кто был недоволен застройкой, трудно было бы заставить принять участие в каких-то акциях. Люди в Сильвер-Бей не из того теста. Море делает такое с людьми:

1 *Чашка Петри* — лабораторная посуда, имеет форму невысокого плоского цилиндра, закрывается крышкой подобной же формы; применяется в микробиологии и химии.

когда живешь рядом с тем, на что не можешь повлиять, становишься фаталистом.

Ханна была лучшей помощницей Майка. Они с Ларой сделали для него баннеры, на которых было написано, что их школе не нужны деньги на новый автобус или на дополнительные блага, если эти деньги будут получены от застройки. Они сочиняли новые тексты, агитировали своих одноклассников, рассказали по местному радио о том, как не похожи друг на друга дельфины, которые заходят в наш залив, и о том, что у них даже есть имена. Когда мы с Кэтлин услышали по радио голос Ханны, мы чуть не лопнули от гордости за нашу девочку. Майк создал для нее аккаунт, и она связывалась по электронной почте со всеми обществами по защите китов и дельфинов, которые только могла найти в интернете.

У Ханны не было ни минуты свободной, и это помогало ей отойти от шока, который она испытала при встрече с сетями-призраками. Днем она была уверенной в себе, энергичной и решительной. Но почти каждую ночь моя девочка приходила ко мне, как в те времена, когда ей было шесть лет, и забиралась под одеяло.

Я решила, что, как только буду готова, сразу ей обо всем расскажу. Как-то в пятницу после школы я купила Ханне мороженое и отвела на Китовую пристань. День был теплый, мы уселись в конце пристани и болтали ногами в воде. Маленькие серебристые рыбки пощипывали нас за пальцы, а Милли, в надежде получить мороженое, пускала слюни нам на плечи. Адвокат предупредил меня, что, если я вернусь в Англию, будет суд и мне придется объяснить, что тогда произошло, и моей дочери, скорее всего, придется давать показания. Я рассказала Ханне о возможном ее выступлении в суде.

Ханна не притронулась к мороженому.

— Я должна буду вернуться и жить там со Стивеном? — спросила она.

Даже от одного его имени меня бросило в дрожь.

— Нет, любимая. Ты останешься с Кэтлин. Она после меня самая твоя близкая родственница.

Мысленно я поблагодарила Бога за то, что мы так и не поженились и у него хоть на Ханну нет никаких прав.

— Тебя посадят в тюрьму? — спросила она.

Я не могла соврать своей дочери, поэтому сказала, что такое вероятно. Но еще добавила, что если повезет и судья решит, что я временно была не в себе или что-нибудь вроде этого, то мне дадут маленький срок или вообще осудят условно.

Так сказал адвокат, когда мы с Майком накануне приходили к этой женщине за консультацией. Майк сидел с мрачным лицом и сжимал под столом мою руку.

— Вы хоть понимаете, что она ни в чем не виновата? — уже не в первый раз спрашивал Майк, как будто это ее надо было в этом убеждать.

Уже потом я поняла, что он так прощупывал почву, пытался оценить, какую реакцию вызовет моя история у незаинтересованного человека. Адвокатша, несмотря на щедрый гонорар, оставалась безучастной. Единственное, что смог из нее вытащить Майк, — это что обстоятельства складываются «не в мою пользу». А потом она заявила, что выносить судебное решение не ее дело, но по тону, как она это сказала, стало ясно, что она его уже вынесла.

Самое главное, говорила я Ханне, стараясь при этом улыбаться, что, когда все кончится, мы сможем свободно распоряжаться своей жизнью. Она сможет поехать, куда захочет, мы сможем говорить о Летти и помогать дельфинам и китам.

— Эй, — сказала я, обнимая ее рукой за плечи, — ты даже сможешь поехать в Новую Зеландию. В школьную поездку, о которой столько мечтала. Как тебе такое?

Хана сидела, отвернувшись от меня, и смотрела в дальний конец залива. Но когда она ко мне повернулась, страх в ее глазах заставил сжаться мое сердце.

— Я не хочу ехать в Новую Зеландию, — сказала Ханна, и мне показалось, что она вот-вот расплачется. — Я хочу, чтобы ты осталась со мной.

У меня не получилось ее заболтать. В ее глазах были страх и отчаяние, и я ненавидела себя за то, что я была причиной страданий моей малышки.

— Все от меня уходят, — прошептала она.

— Нет, милая, это не так...

— А теперь и ты уйдешь, и я останусь совсем одна.

Ханна поплакала какое-то время, а я выронила мороженое и крепко прижала ее к себе. Мне нельзя было плакать.

На самом деле мне было физически плохо при одной только мысли о том, что нас с ней разлучат. В последние дни я уже не обнимала ее просто так, между делом, потому что это просто приятно, я обнимала ее, потому что хотела как бы сохранить на себе ее отпечаток. Когда я на нее смотрела, я хотела, чтобы ее образ навсегда остался у меня перед глазами. Я словно готовилась к месяцам, а может, и годам, когда у меня не будет возможности увидеть или обнять мою девочку.

Я теряла Ханну, и это не давало мне заснуть по ночам. А еще я все время думала о грядущих переменах. О том, что меня не будет с ней рядом, когда она начнет созревать как девушка. Я не буду знать, какой она стала. Простит ли она меня? Простит ли она себя?

Я закрыла глаза, вдыхала запах ее волос и вспоминала свою погибшую Летти. Когда я поняла, что вот-вот сломаюсь, я встряхнулась и позволила Ханне сделать то же самое.

Ханна взяла себя в руки. Моя храбрая, сильная девочка. Она вытерла глаза ладошками, извинилась и сказала:

— Я не хотела плакать.

— Сейчас может казаться, что все плохо, но потом станет легче. — Я пыталась внушить ей уверенность, которую сама не чувствовала. — Мы будем писать друг другу, будем разговаривать по телефону, все это закончится, ты и заметить не успеешь, — сказала я и вытащила запутавшуюся у нее в волосах ниточку водорослей.

Ханна шмыгнула носом.

— А самое главное, когда мне надо будет говорить о Летти, я всегда смогу рассказать о китах. И о дельфинах.

— Ты думаешь, это поможет остановить застройку?

— Может быть. Хотя бы так ее жизнь и ее смерть смогут послужить чему-то хорошему.

Мы сидели на пристани, смотрели на воду и размышляли над моими последними словами. Ханна была деликатной девочкой и не сказала мне правду. А правда была в том, что от того, что Летти умерла, никому не могло стать лучше. Потом Ханна посмотрела на меня и спросила:

— А у нее есть могила в Англии? Место, куда можно принести цветы?

Мне пришлось сказать, что я не знаю. Я даже не знала, похоронили мою дочь или кремировали. Ханна, видимо, почувствовала, что мне не по себе от этих мыслей.

— Это не важно, где сейчас Летти, — произнесла она. — Потому что она всегда здесь. — Ханна взяла мою руку и приложила к своей груди.

Больше она ничего не сказала, но я прочитала это в ее глазах: «И ты всегда будешь в моем сердце».

А я не знала, как мне следует это воспринимать — как обещание или как укор.

Кэтлин была не из тех, кто любит устраивать шумные вечеринки. На самом деле, несмотря на то что отель был делом ее жизни, она была самым необщительным человеком из всех, кого я знала. Кэтлин гораздо лучше чувствовала себя в кухне или на своей лодке, чем в компании гостей или туристов. Это была одна из причин, по которым мы с ней так хорошо друг друга понимали. И поэтому я немного удивилась, когда спустя два дня после нашего разговора с Ханной Кэтлин объявила, что, когда Нино Гейнса выпишут из больницы, она намерена созвать гостей. Кэтлин собиралась все устроить на улице, чтобы Нино мог дышать свежим воздухом и любоваться заливом, ну и перемолвиться парой слов со всеми своими друзьями.

— Ланс, хватит уже мух ловить. Пора устроить в этой жалкой дыре праздник, — сказала она, когда у всех ребят от удивления отвисли челюсти.

— И потом, — продолжила Кэтлин, — если мы сейчас выкатим его на всеобщее обозрение, они не будут беспокоить его в ближайшие недели. Что может быть хуже, чем толпа доброжелателей на твоем пороге, когда тебя только выписали из больницы.

Прошло три дня. Погода стояла теплая, в воздухе уже чувствовалось приближение лета. Мы все собрались под аккуратно натянутым тентом. К отелю подъехала машина Кэтлин. Открылась задняя дверь, а еще через несколько секунд Фрэнк помог своему отцу выбраться из машины.

— Добро пожаловать домой! — хором закричали мы.

Ханна побежала вниз по тропинке, чтобы первой обнять Нино, он был для нее почти как дедушка, которого она не знала.

Нино выпрямился. Он сильно похудел — воротник рубашки свободно болтался вокруг шеи, — ослаб и не очень твердо стоял на ногах. Нино держался за открытую дверцу машины и, прищурившись, смотрел на нас из-под полей шляпы.

— Этот парад человечности — все, что ты могла организовать для меня, Кейт? Отвези-ка меня обратно в больницу, — сказал Нино и притворился, будто собирается снова забраться в машину.

Я не смогла сдержать улыбку.

— Неблагодарный старый хрыч, — проворчала Кэтлин, вытаскивая из машины его сумку.

— Вообще-то, предполагается, что ты должна мне во всем потакать, — заметил Нино. — Я могу в любую минуту скопытиться.

— Будешь так себя вести, я тебе в этом помогу, — пообещала Кэтлин и захлопнула дверцу.

— Мистер Гейнс, вы сядете рядом со мной, — сказала Ханна, держа старика за руку, пока он медленно поднимался по тропинке. — Это специальное кресло.

— С уткой под сиденьем, хочешь сказать? — спросил Нино.

Ханна рассмеялась:

— Нет, там специально для вас подушки.

— А, ну тогда ладно.

Нино подмигнул мне, и я вышла вперед, чтобы его обнять.

— Мы рады, что ты дома, Нино.

— Что ж, Лиза, кто-то же должен расшевелить твою тетушку, верно? Нельзя дать ей засохнуть.

Он слишком старался быть веселым, но я понимала почему. Для такого мужчины, как Нино Гейнс, тяжело, когда с ним обращаются как с инвалидом.

День выдался чудесным. Ребята из команд преследователей устроили себе выходной, и по молчаливому соглашению никто не заводил разговор о застройке и о том, что нас ждало впереди. Мы болтали о погоде, о футболе, о жуткой больничной еде и южном правильном[1], которого кто-то видел за Элинор-Айлендом. Мы пили, смотрели, как Ханна с Ларой и Милли носятся по песчаному пляжу, Ланс и Йоши потанцевали под какие-то записи Ханны. Время от времени подъезжали на бутылочку пива рыбаки, соседи и дальние родственники Нино. Майк сидел рядом со мной и иногда брал меня за руку под столом. Его нежность и сила заставляли меня мысленно уноситься туда, где не следует находиться в половине четвертого дня во время семейной вечеринки.

«Посмотри, как все изменилось», — думала я в эти моменты, а сама тайком посматривала на мужчину, который появился в моей жизни и теперь сидел рядом со мной за столом. Посмотри на Ханну, на Кэтлин и Нино, на ребят, которые дарили тебе свою дружбу и поддерживали даже больше, чем некоторых поддерживают родственники. У меня была семья. Что бы ни случилось, пусть даже не все остаются навсегда, у меня была настоящая семья. От этой мысли я вдруг почувствовала себя очень счастливой. Майк, кажется, это уловил, потому что я заметила, как он удивленно приподнял бровь, как будто хотел спросить о чем-то. Я улыбнулась, а он поднес мою руку к губам и поцеловал кончики пальцев.

1 *Южный правильный* — имеется в виду южный кит, млекопитающее семейства гладких китов.

Тогда уже Нино удивленно посмотрел на Кэтлин.

— Сколько, говоришь, меня здесь не было? — поинтересовался он.

— Не спрашивай, — отмахнулась она. — Я за молодыми не поспеваю.

— А где Грэг? — проговорила Ханна с дальнего конца стола. — Он уже должен был приехать.

— Грэг сегодня утром был таким загадочным, — ответила Кэтлин. — Я встретила его на рыбном рынке. Сказал, что у него миссия.

— Да? И как же ее зовут? — Нино натянул шляпу на глаза и откинулся в кресле. — Боже, Кейт, как хорошо к вам вернуться.

И тут Кэтлин меня удивила. Она наклонилась к Нино и поцеловала его в щеку.

— Как хорошо, что ты к нам вернулся, старый дурак.

До того как кто-то из нас успел что-то сказать, послышался вой мотора грузовика Грэга, а уже в следующую секунду машина появилась на дороге и затормозила напротив отеля.

— Извините, если помешал, — сказал Грэг, вылезая из кабины.

Грэг был в отглаженной рубашке и чисто выбрит — большая редкость — и с виду непривычно доволен собой.

— Просто подумал, надо вам сообщить: может, вы все захотите через полчаса собраться у моего сарая. Это, скажу вам, стоит того.

— У нас вечеринка, если ты еще не заметил, — сказала Кэтлин и подбоченилась. — А ты должен был приехать еще два часа назад.

— О, прости, Кэтлин, но это важно.

— Что происходит, Грэг? — спросила я.

Он пытался сохранять серьезное лицо совсем как школьник, который приготовил какой-то розыгрыш.

— Хочу вам кое-что показать, — ответил он мне.

Майка он проигнорировал, но в этом не было ничего необычного. С тех пор как Грэг понял, что у нас роман, он постоянно делал вид, что в упор не видит Майка. Грэг посмотрел себе под ноги, потом на Кэтлин.

— Йош, ты готова?

Я посмотрела на Йоши. Она кивнула.

— Отлично. Я хочу вам всем кое-что показать. Рад, что вы вернулись, мистер Гейнс. С удовольствием потом выпью с вами парочку пива.

После этого Грэг небрежно прикоснулся к козырьку фуражки — слишком небрежно даже для его стандартов — и пошел обратно к грузовику. Сделав резкий поворот, так что земля веером вылетела из-под колес, он поехал к своему сараю у пристани.

— Снова балуется янтарной жидкостью? — поинтересовался Нино, глядя вслед.

Йоши и Ланс молча переглянулись. Они что-то знали, но явно не собирались с нами делиться. Кэтлин пожала плечами.

— Ты же знаешь Грэга, — сказала она. — Любит нас удивить.

Ханна радостно улыбалась, а у меня екнуло сердце. Я надеялась, что это не новая лодка для моей дочери.

Ждать долго не пришлось. Нино с Ханной остались в отеле, а мы не торопясь пошли по тропинке к морю. Удивительное дело, но возле сарая Грэга начали собираться люди. Я заметила в толпе репортеров и подумала, что буду чувствовать, когда на меня направят камеры. Мне приходилось видеть такое в кино. Будут журналисты толпиться на ступеньках здания суда? Будут они за мной охотиться? Я поежилась, хотя день был теплый, и постаралась выбросить из головы эти мысли.

— Йоши? — окликнула я, но она притворилась, будто не слышит.

Я хотела узнать от нее что-нибудь, пока мы не пришли, но она только почесала нос, а Ланс сделал театрально-непроницаемое лицо.

— Надеюсь, Нино там справится, — ворчала Кэтлин. — Не нравится мне, что он там остался.

— Пять минут покоя ему не помешают, — сказал Майк. — Он наверняка немного устал.

— Думаешь, мне следует вернуться? — заволновалась Кэтлин.

— Если что, Ханна к нам прибежит, — сказала я и слегка подтолкнула ее локтем. — Нино сейчас наслаждается жизнью. Он счастлив, как ребенок.

— Он ведь правда хорошо выглядит, да? — Кэтлин оглянулась и посмотрела на отель, а потом грубовато добавила: — Старый дурак.

Грэг стоял перед своим сараем и курил. Он смотрел на толпу, как будто ждал, когда все будут в сборе. Пару раз он вполголоса обменялся шутками с каким-то рыбаком, который стоял рядом с ним. Грузовика рядом с сараем не было.

Я попыталась представить, что он там приготовил, но у меня опять ничего не получилось. Все это было действительно очень на него не похоже.

Наконец Грэг сплюнул сигарету на землю, придавил ее ботинком и открыл ключом висячий замок. После этого с кряхтением распахнул потрепанные непогодой двери и включил в сарае свет. Пока мы вглядывались в полумрак помещения, Грэг откинул с кузова грузовика брезент, и мы увидели его трофей. Это была огромная тигровая акула. Глаза у нее еще не помутнели, а пасть была слегка приоткрыта, достаточно, чтобы увидеть скошенные острые зубы. Вся толпа сделала дружный вдох. Эта тварь, даже мертвая и привязанная стропами на лебедке, внушала ужас.

— Ходил сегодня с утра пораньше порыбачить, — сказал Грэг репортерам и похлопал ладонью тушу акулы. — К устью залива, не дальше. Там всегда хороший улов. Сначала подумал, что подсек голубого марлина. Но вы посмотрите, что за тварь проглотила мою лесу! Перетащила меня через кокпит как не фиг делать. Тони, выкатывай ее! — крикнул он парню, который сидел в кабине.

Грэг отошел в сторону, а грузовик дал задний ход и выехал на свет. Защелкали камеры.

— Я позвал вас, ребята, потому что раньше у нас тут так близко тигровые не появлялись. И я хочу предупредить всех в заливе, чтобы не подпускали детей к воде. Эти монстры и в залив способны зайти, от них можно всего ожидать. Вы знаете, тигровые акулы — злобные твари. Мы видели, что проклятая сеть могла притащить к берегу все, что угодно.

Грэг с довольным видом похлопал акулу.

— Отвез ее на рыбный рынок, парни ее для меня осмотрели и взвесили. Говорят, возможно, она не одна заплыла в наши воды.

От вида этой акулы у меня мурашки по спине пробежали — я все думала о Майке и Ханне, как они плавали там, в черных бурлящих волнах, и о том, как Майк сказал мне, что наткнулся там на что-то ногой.

Наверное, ему тоже стало не по себе, потому что он подошел ко мне ближе и сжал мою руку.

Потом вперед вышла Йоши и начала быстро, без запинки выкладывать репортерам необходимую информацию.

— Тигровые акулы известны как морские падальщики. Вот эту, например, могла привлечь в залив блуждающая сеть, которая притащила с собой огромное количество мертвых рыб, птиц и млекопитающих. Не исключено, что эта большая девочка могла быть не одна, и есть угроза, что другие будут в наших водах еще довольно долгое время. Тигровые акулы пожирают все: рыбу, морских черепах, людей... — Йоши выдержала паузу, за это время собравшиеся прочувствовали услышанное и начали нервно переглядываться. — Только не спрашивайте меня, — добавила Йоши. — В Департаменте по охране окружающей среды и культурного наследия вам скажут, что таких крупных тварей у нас в заливе нет.

— Надо расставить акульи сети, — предложил кто-то в толпе. — Тогда они уйдут к другим пляжам.

— И как ты собираешься расставлять их в заливе, где полно дельфинов? — резко оборвал его Грэг. — В них и кит запутаться может. В этом заливе акульи сети появятся только через мой труп.

— Было бы неплохо, — усмехнулся кто-то.

— Акулы умные, — сказала Йоши. — Если мы расставим сети в устье залива, они либо проплывут над сетью, либо обогнут ее. Сверьтесь с цифрами, и вы увидите, что количество смертей акул не зависит от того, есть сети в заливе или нет.

— А я думаю, что они делают из мухи слона. Все знают, что человека скорее молнией убьет, чем акула сожрет.

Я узнала по голосу одного из владельцев отелей. Ясное дело, ему не нравилась такая реклама в начале сезона.

— Эта старушка тоже считала, что у нее один шанс на миллион попасться на удочку, — сказал Грэг, облокотившись на сигарообразную тушу акулы.

В толпе рассмеялись.

— Вам следует остерегаться тигровых акул, потому что они, преследуя черепах, подходят близко к берегу, — настойчиво посоветовала всем Йоши. — И еще они очень упрямые. Эти зверюги будут возвращаться, чтобы сожрать то, что успели попробовать.

Владелец отеля тряхнул головой, Грэг это заметил и повысил голос:

— Отлично, Элф, хочешь — иди поплавай. Ребята, я просто подумал, что мой долг предупредить вас об этих тварях.

— Случаи атак акул участились, — продолжала Йоши. — Это всем известный факт. Есть решение этой проблемы. Мы можем оградить буйками и сетями места купания. Я уверена, что береговая охрана в состоянии это сделать. Просто они уже не будут такими огромными по площади.

— А пока, — Грэг натянул капитанскую фуражку на лоб так, чтобы я не видела его глаза, — советую всем держать своих спиногрызов подальше от воды. Мы с ребятами, если заметим этих тварей в заливе, сразу сообщим в береговую охрану, ну и рыбаки тоже, конечно.

Люди в толпе начали обеспокоенно переговариваться, несколько человек достали свои мобильники, остальные подошли к грузовику, чтобы потрогать акулу. Я подумала о Ханне, о том, что пообещала подыскать ей лодку. Конечно, я знала, что никто не позволит своим детям выходить на лодках в Сильвер-Бей, пока там могут быть акулы. Но после нашего разговора и данного мной обещания мне было трудно сообщить ей эту новость. Пока я обо всем этом раздумывала, Кэтлин вышла вперед и внимательно посмотрела на мертвое чудовище.

— Акула, да? — спросила она и скрестила руки на груди.

— Как видишь, — ответил Грэг, а сам в это время подтянул акулу повыше, чтобы репортеры могли сделать более впечатляющие фотографии.

— И где, ты говоришь, ее...

— А вот, джентльмены, — сказал Грэг, прежде чем Кэтлин успела закончить вопрос, — всемирно известная Леди Акула из Сильвер-Бей — Кэтлин Виттер Мостин. Эта леди лет пятьдесят назад поймала акулу еще крупнее моей. Самую большую акулу-няньку из всех, что были пойманы в Новом Южном Уэльсе. Я правильно говорю, Кэтлин? Как вам такая история, а?

Кэтлин молча смотрела на Грэга. В ее взгляде была явная угроза, если бы она на меня так посмотрела, я бы побежала искать убежище. Кэтлин поняла, что попала в ловушку, и ей это совсем не нравилось. Но Грэг продолжал болтать как ни в чем не бывало.

— Вот, джентльмены, видите? В Сильвер-Бей снова появилась популяция акул. Ребята из Общества охраны дикой природы, конечно, обрадуются, но я искренне хочу предупредить наших добрых граждан: пока есть угроза нападения акул, не надо купаться, не занимайтесь виндсерфингом, вообще, если уж решили заняться каким-нибудь водным видом спорта, соблюдайте крайнюю осторожность.

Репортеры с блокнотами и микрофонами наперевес окружили Кэтлин. Сверкнули фотовспышки. Грэг продолжал позировать рядом с акулой. После кошмара с блуждающими сетями у местных газетчиков на ближайшие две недели появилась история для первой полосы.

По их голосам, когда они задавали вопросы, было слышно, что они рады такой удаче.

— Да, забыл сказать, если кому интересно: эта маленькая красавица продается, — крикнул Грэг. — Свежее не бывает. Получатся чудесные суши.

— Я думал, что у вас не водятся дельфины и акулы в одном месте, — сказал Майк, когда мы шли обратно к отелю.

День был ясным, вдалеке приветливо блестело море. Я выпила пару бутылок пива и съела немыслимое для меня количество еды. В полумиле впереди, возле отеля, Ханна с Ларой исполнили какой-то танцевальный номер для Нино Гейнса и со смехом повалились на землю. В такой день, как этот, я могла легко поверить, что мир, в котором я живу, прекрасен.

— Иногда я думаю, что весь мир перевернулся с ног на голову, — призналась я и откинула волосы, чтобы посмотреть на Майка.

Мне захотелось поцеловать его, но, с другой стороны, мне почти всегда хотелось его поцеловать.

«Я должна это запомнить», — говорила я себе, и мне хотелось стать такой, как маленький телефон Майка: накопить внутри все чудесные моменты, чтобы потом, в будущем пересмотреть их во всех подробностях.

— Не уходи, — попросил меня Майк вечером того же дня.

Он стоял в ванной комнате и чистил зубы. Голый, только на бедрах полотенце. А я вошла следом за ним, чтобы набрать стакан воды.

— Куда? — спросила я, подставляя стакан под кран.

Я в тот момент прикидывала список дел на завтра. Может показаться глупым, но тогда я должна была думать о том, есть ли у Ханны школьная форма на ближайшие годы, еще надо было подписать доверенность, организовать общий с Кэтлин счет. Адвокат сказала, что, прежде чем раскрыться кому-либо, с моей стороны будет разумно уладить все личные дела. Список этих дел оказался таким длинным, что у меня голова шла кругом.

— Не делай этого. Это безумие. Я много думал об этом и повторю: это безумие.

Майк смотрел на меня из зеркала. Его голая спина была напряжена, и я поняла, что не ошибалась, когда думала, что ему весь вечер что-то не дает покоя.

Майк почти не говорил на вечеринке. Хотя Грэг разболтался, как никогда, а ребята изрядно выпили, так что трудно было ввернуть словечко в их разговор. Я думала, что Майк отмалчивается, потому что Грэг изо всех сил старался его задеть.

— Без обид, приятель, — повторял Грэг после каждого подкола.

Майк сдержанно улыбался в ответ, но я видела, как у него подергивается щека. Мы слышали, что ребята еще сидят внизу, хотя Нино, то есть тот, из-за кого была устроена вечеринка, уже давно уехал домой спать.

Я вздохнула:

— Давай не будем сейчас снова все обсуждать.

Мне хотелось радоваться прожитому дню, насладиться им до конца и мирно заснуть.

— Ничто не остановит застройку, — сказал Майк и сплюнул в раковину зубную пасту. — Я знаю, что собой представляет «Бикер холдингс». Они видят в этом проекте деньги, а когда Деннис Бикер видит деньги, его ничто не может остановить. Это зашло слишком далеко. А ты готова вот так, бессмысленно, пожертвовать собственной жизнью и жизнью Ханны.

— Что значит — бессмысленно? — изумилась я. — А наш с Ханной душевный покой уже ничего не стоит?

— Но у вас все хорошо, — возразил Майк.

У него на подбородке осталось немного зубной пасты, но что-то мне подсказывало, что он не поблагодарит, если скажу ему об этом.

— У вас обеих хорошая жизнь. Возможно, вы не можете делать все, что вам хотелось бы, но кто, скажи мне, может? Ханне ничто не угрожает, она счастлива, ее окружают люди, которых она любит. Ты счастлива. Такой счастливой я тебя никогда не видел. Этот парень... Стивен... он жив, у него жена и двое детей, то есть можно предположить, что и он счастлив. Никто тебя не опознает, тем более после стольких лет. Мы с тобой станем парой, останемся здесь и... дальше посмотрим. Зачем рисковать всем этим ради того, что, вероятнее всего, у тебя не получится сделать?

— Майк, мы говорили об этом уже миллион раз. Это единственный шанс спасти китов. Я не хочу сейчас это обсуждать. Давай просто ляжем в постель, а?

— Но почему? Почему каждый раз, когда я начинаю этот разговор, ты отвечаешь мне одно и то же? Что тебе сейчас мешает?

— Я устала.

— Мы все устали. Это нормальное человеческое состояние.

— Да, но я слишком устала для разговоров.

Майк говорил правду, и это действовало мне на нервы. Я не хотела говорить об этом, потому что тогда я бы начала подробно разбирать свое решение. А я боялась, что, столкнувшись с сильными аргументами против, весь мой решительный настрой улетучится.

Внизу запел Грэг. Я слышала, как ребята над ним смеются, а Ланс вдобавок еще пронзительно засвистел.

— Это коснется не только тебя.

— Ты думаешь, я об этом не знаю? — возмутилась я.

— Ханна от тебя почти не отходит. Она весь вечер ходила за тобой, как собачонка.

— Спасибо, но я не нуждаюсь в том, чтобы ты что-то мне говорил о моей дочери. — Кровь ударила мне в лицо.

Майк не должен был говорить мне об этом. Я ненавидела его за то, что он видит страх Ханны.

— Но кто-то же должен с тобой поговорить. Ты ведь даже с Кэтлин это не обсуждала.

— Я поговорю с Кэтлин, когда буду готова.

— Ты не хочешь говорить с ней, потому что знаешь, что она скажет то же самое, что и я. Ты хоть представляешь, что такое тюрьма?

— Не надо меня опекать.

— Ты думала, каково это — двадцать три часа в сутки сидеть под замком? А другие заключенные навесят на тебя ярлык детоубийцы? Ты думаешь, что выдержишь такое?

— Я не буду сейчас об этом говорить, — ответила я и стала собирать свои вещи.

— Если тебе тяжело слышать, когда я говорю об этом, как ты будешь выслушивать те же слова в суде? Или в полиции? Или от людей, которые захотят сделать тебе больно? Ты думаешь, их будет волновать, что с тобой в действительности произошло?

— Почему ты так со мной?

— Потому что считаю, что ты не подумала хорошо о том, что собираешься сделать. И я не уверен, что ты понимаешь, на что идешь.

— Я сама могу о себе позаботиться.

— Откуда такая уверенность? Разве у тебя есть опыт?

— Это из-за Грэга, да? — с вызовом бросила я.

— Грэг здесь вообще ни при чем. Я хочу, чтобы ты поговорила...

— Нет, все из-за Грэга. Он весь вечер тебя доставал, и ты вспомнил, что не единственный мужчина, с которым я была.

Майк сел напротив меня и закрыл глаза, как будто так мог меня не слышать.

Но я все равно продолжала:

— А теперь ты отыгрываешься на мне. Что ж, если ты хочешь поругаться, то я...

— Снова сбежишь? Знаешь что? Я больше не думаю, что это как-то связано с китами.

— Что?

— Ты хочешь наказать себя за смерть Летти. Эта застройка заставила тебя снова посмотреть на то, что случилось. И теперь ты решила, что можешь все исправить, если принесешь себя в жертву.

Грэг внизу умолк. Окно было открыто, но мне было уже плевать.

— И в этом нет смысла. Ты уже заплатила за то, что произошло. Ты миллион раз заплатила.

— Я хочу начать с чистого листа. И мы должны...

— Спасти китов. Я знаю.

— Тогда почему ты продолжаешь на меня давить?

— Потому что ты не права. Ты приняла неправильное решение.

— Да кто ты такой, чтобы судить — правильные мои решения или неправильные?

— Я тебя не сужу. Но ты должна об этом подумать, Лиза. Ты должна понять, что, если...

— А ты не должен лезть в мои дела.

— Если ты на это пойдешь, ты потянешь за собой Ханну.

У меня кровь застыла в жилах. Я не могла поверить, что он использует против меня это оружие. Если бы слова Майка не пронзили меня, как острый нож, я бы никогда не сказала ему то, что сказала.

— А кто нас к этому привел, Майк? В следующий раз, когда захочешь судить меня, задай себе этот вопрос. Как ты уже заметил, нам здесь было хорошо. Мы были счастливы. И если нам с Ханной следующие пять лет придется провести в разлуке, спроси себя, кто, черт возьми, во всем этом виноват.

Стало тихо. И в комнате, и под окном. Слышен был только шум волн, а спустя несколько секунд скрип стульев и тихий звон стекла — кто-то начал убирать со стола посуду.

Лицо Майка стало серым. Я пожалела, что не могу забрать свои слова обратно.

— Майк...

Он поднял руку:

— Ты права. Прости.

Мне стало так больно, я поняла, что на самом деле Майк не хотел меня обидеть, он просто не мог смириться с мыслью, что теряет меня.

23

Моника

Поведение брата в последние месяцы очень меня удивляло. Если бы в это время в прошлом году мне предложили предсказать, каким будет жизнь Майка, я бы уверенно сказала, что к марту он женится на Ванессе. Она будет целенаправленно идти к беременности, а он будет ползти вверх по намыленному карьерному столбу в своей компании. Стильная квартира, может, новый дом или дом для отдыха где-нибудь в жарких краях, еще одна роскошная машина, горные лыжи, дорогие рестораны и бла-бла-бла. Самая радикальная перемена — смена лосьона после бритья или галстук новой расцветки.

Но выяснилось, что я понятия не имела, где Майк будет в марте. Оказалось, мой брат способен нас всех удивить. Например, он мог бы быть в Новой Зеландии, а мог поехать на Галапагосские острова строить лодки и носить дреды. А пока он в Австралии, защищает женщину с ребенком, бежавшую от правосудия, и спасает китов. Такие дела. Когда я рассказала родителям это (брат меня простит, я не смогла устоять), отец так завопил, что я испугалась за его вставные челюсти.

— Что это значит — он ушел с работы? — орал папа, и я слышала, как мама просит его не забывать о давлении. — И долго он планирует оставаться в Австралии? — А потом: — Мать-одиночка? А что, черт возьми, с Ванессой случилось?

Я подумала, что у Майка раньше обычного случился кризис среднего возраста, что Лиза, наверное, его первая любовь, ведь люди, когда влюбляются в первый раз в жизни, способны на странные поступки. Возможно, теперь одного бизнеса для Майка было недостаточно.

А на прошлой неделе он позвонил мне и рассказал эту историю. Не стану врать. Первое, о чем я тогда подумала, никак не было связано с причиной звонка Майка — как защитить Лизу? Меня посетила другая мысль — о том, какой интересный получается материал: женщина человека с амбициями политика, которую он систематически избивал, бежит из страны после того, как случайно убивает их общего ребенка. Здесь было все: преступление, связанное с насилием, давно похороненные тайны, погибший ребенок, прекрасная блондинка. Господи, в этой истории были даже киты и дельфины. Я тогда сказала Майку, что осталось прибавить кенгуру и у нас будет полная колода. Майку это не показалось смешным.

Вот только история не складывалась. Я буквально под лупой изучила этого парня, даже узнала, что он сменил имя. Я перепроверяла информацию о нем по всем базам данных. Почти целую неделю я занималась только этой историей, ребята из отдела новостей на стену лезли от злости, потому что я не могла сказать им, чем занимаюсь. Но история все равно не складывалась.

24

Майк

Милли стала сдавать. Она почти не ела, спала урывками, все время была настороже, тревожилась, злилась. Дважды дискредитировала себя на «Измаиле»: щерилась на пассажиров. Однажды напачкала на ковре в гостиной — признак депрессии, но надо отдать Милли должное, она, кажется, почувствовала себя виноватой. Куда бы ни шла Лиза, Милли бежала за ней, как черно-белая тень. Своим собачьим чутьем она уловила, что хозяйка планирует уехать, и боялась, что, если потеряет бдительность, Лиза исчезнет.

Я понимал, что она чувствует. Тревога. Бессилие. После вечеринки в честь Нино мы больше не обсуждали планы Лизы. Я работал с удвоенной силой, отчасти потому, что думал, что только так смогу ее остановить, отчасти потому, что мне было больно находиться рядом с ней. Я не мог смотреть на нее, прикасаться к ней, целовать ее без того, чтобы не думать о том, что буду чувствовать, когда потеряю ее. Если выражаться грубым языком финансиста, я больше не хотел инвестировать в то, что вот-вот могли у меня отнять.

Кэтлин, видимо, уже узнала о планах Лизы — у них состоялся разговор. Она справлялась с этим по-своему, как привыкла справляться со всеми трудностями, то есть упорно продолжала делать свое дело. Я не говорил с ней об этом, посчитал, что не имею права, но я видел, что она уделяет повышенное внимание Ханне, планирует поездки и специальные покупки. Я понимал, что она тоже готовится к грядущим переменам. Мистер Гейнс теперь приезжал почти каждый день, пока Ханна была в школе, я часто заставал их вдвоем на кухне: они тихо беседовали, или читали газеты, или слушали, как они выражались, беспроводное радио. Я был рад за них, рад, что у Кэтлин есть человек, который поддержит ее в трудную минуту, и даже немного завидовал их счастью. И Лиза, после всего, через что ей пришлось пройти, тоже заслуживала спокойной и счастливой жизни, но вместо этого ее снова ждали страдания.

Лиза простила меня за то, что я тогда ей наговорил. Она была со мной ласкова, иногда проводила пальцем по моей щеке и с искренним сочувствием смотрела в глаза. Ночью ее страсть становилась все интенсивнее, она словно жаждала до конца использовать каждую минуту, которую мы еще могли провести вместе. Иногда я говорил ей, что не могу. Меня так угнетало ожидание того, что должно было с нами случиться, что я просто не мог быть с ней.

Лиза никогда ничего не говорила по этому поводу, она просто обнимала меня тонкими руками и утыкалась носом в затылок. Так мы подолгу лежали в темноте, она знала, что я не сплю, я знал, что не спит она, но мы не знали, что сказать друг другу.

Несколько раз Лиза интересовалась, когда позвонит Моника, чтобы взять у нее интервью. Она старалась спрашивать об этом непринужденно, но я понимал, что ей хочется действия, чтобы уже знать, сколько времени ей осталось. Сначала я уклонялся от ответа, потом попробовал несколько раз связаться с Моникой, но все время попадал на голосовую почту. И каждый раз, когда нам с сестрой не удавалось поговорить, я испытывал облегчение.

Проект по застройке набирал обороты, но и это не могло вывести меня из ступора. У меня кончились идеи, иссякла энергия, и, несмотря на все мои старания, мне не удалось организовать демонстрацию в день, когда выставили архитектурный макет на всеобщее обозрение. Владелец «Блу Шоалс» позвонил мне и сказал, что, как бы он ни относился к тому, что я делаю, «уличные драки ему ни к чему», а в обед в служебном помещении отеля они будут отмечать Крещение и я сам все должен понимать. По голосу он показался мне симпатичным человеком, мне совсем не хотелось портить чей-то семейный праздник, поэтому я все отменил. Кэтлин только рассмеялась, когда я ей об этом рассказал, и пошутила, что у меня был шанс устроить настоящую революцию.

Лиза вышла в море на «Измаиле», Ханна была в школе, я попытался вести боевые действия, сидя за столом, но потерпел поражение и поэтому решил пойти в «Блу Шоалс». Несмотря на все свои неудачи, я получал удовольствие от прогулки: в те дни уже установилась хорошая погода, небо было ярко-синим, дул теплый бриз и Сильвер-Бей казался самым прекрасным местом на земле. Я привык к панораме залива, вулканические горы на горизонте радовали глаз, ряды бунгало и домов для туристов уже не вызывали у меня раздражения, пирожковые и винные лавки стали привычными пунктами остановки во время прогулки вдоль берега. В этом уголке мира было все, что нужно человеку. Были моменты, которые я использовал, чтобы вернуть себе уверенность и как-то успокоиться, и самым главным было мое решение остаться в Сильвер-Бей. Пока Лиза не вернется, я буду помогать Кэтлин удерживать ее дело на плаву и присматривать за Ханной.

При том, как складывались обстоятельства, я чувствовал, что хоть это я в состоянии сделать.

У стойки приема гостей в «Блу Шоалс», кроме меня, никого не было. Администратор — наверное, она узнала меня — показала большим пальцем за угол фойе. Там, окруженный картонными щитами с информацией об ожидаемом количестве гостей и о выгодах для местного сообщества, на стенде из плексигласа размером примерно четыре на шесть футов был выставлен макет.

Именно так я себе его и представлял. Вообще-то, присмотревшись, я понял, что он даже лучше, чем я себе представлял. Четыре здания с внутренними дворами и бассейнами. Солнечные козырьки повторяли очертания холмов за отелем. Гостиничный комплекс — белый, блестящий, безупречный и дорогой. Обычно всегда чувствуешь жутковатую безжизненность, когда смотришь на архитектурные макеты, но, глядя на этот, можно было легко представить компании людей возле бассейнов, усталых туристов, которые возвращаются в свои номера после проведенного на пляже дня. Площадка для водных видов спорта выдавалась далеко в залив, вокруг нее пристроились маленькие пластиковые лодочки, я заметил даже двух водных лыжников, за которыми стелился белый пенный след. Вдоль Китовой пристани — дорогие белые яхты и катамараны. Песок белый, белые здания, сверкающие стекла. Маленькие сосны взбираются на горы за отелем, море бирюзового цвета. В такое место можно влюбиться. Я должен был признать, это было похоже на кусочек рая, и, оставаясь бизнесменом, я не мог не испытать какой-то извращенный восторг перед собственным талантом. Потом я посмотрел в сторону небольшой бухты в конце залива и увидел, что ни отеля Кэтлин, ни Музея китобоев больше не существует. Только белый мыс.

Злость снова наполнила мое сердце.

— Выглядит очень даже неплохо, не находите?

Я поднял голову и увидел рядом со стендом мистера Рейли. Он был в рубашке с коротким рукавом, а пиджак перебросил через плечо, будто не ожидал, что день будет теплым.

— Вы должны быть довольны собой, — добавил он.

Я выпрямился.

— Мне вот интересно, где они взяли все эти маленькие фигурки?

— Существуют специализированные фирмы, — вежливо ответил я. — Можно заказать.

— У моего сына макет железной дороги, он его обожает, — продолжил мистер Рейли и присел, чтобы макет оказался на уровне глаз. — Надо будет с ними связаться и заказать несколько фигурок. Порадую сына.

Я промолчал, просто смотрел на место, где должен был стоять отель Кэтлин.

— В трех измерениях все выглядит иначе, — заметил мистер Рейли. — Я-то, когда смотрел на план, думал, что все понимаю, но макет делает проект живым.

— Это ошибка, — сказал я. — Этот проект разрушителен для вашего района.

Мистер Рейли немного сдулся и встал.

— Я слышал, вы решили у нас осесть. Удивляете вы меня, Майк, учитывая, сколько сил вы положили на этот проект.

— Просто я вижу то, что вы упускаете, — сказал я, — и не хочу быть частью этого.

— Не верю, что мы много потеряем.

— Всего лишь ваших дельфинов и китов.

— Дружище, вы излишне драматизируете ситуацию. Люди из береговой охраны установили глушители на диско-лодках. Их не видно в заливе уже больше десяти дней. Они все поняли.

— Это пока не началось строительство зданий.

— Майк, нет никаких свидетельств, указывающих на то, что высотные дома на берегу могут нарушить покой обитателей залива.

— Дома — нет, водные виды спорта — да.

— Бикер пообещал, что они установят жесткие правила.

— Вы думаете, что восемнадцатилетний парень на гидроцикле будет соблюдать какие-то правила? Одно влечет за собой другое, мистер Рейли, — сказал я. — И все это плохо отражается на китах.

— Должен с вами не согласиться, — сказал он. — На этой неделе в заливе были замечены как минимум два кита, что вполне приемлемо для этого времени года. Преследователи снова выходят в море. Дельфины никуда не делись. Простите, что говорю вам это, но я действительно не понимаю, почему вы так решительно настроены против застройки.

Мы стояли друг против друга, а между нами находился огромный стеклянный стенд. Мне хотелось врезать ему, что было совсем на меня не похоже и к тому же прискорбно, потому что при других обстоятельствах он бы мне даже понравился. Я сделал глубокий вдох и показал на макет:

— Мистер Рейли, сделайте мне одолжение, скажите, что вы видите, когда смотрите на это?

Рейли засунул руки в карманы.

— Кроме того, что я сам был бы не прочь там остановиться? Я вижу новые рабочие места. Вижу активность, которой так не хватает в нашем городе. Вижу новый автобус, школьную библиотеку из кирпича, а не на колесах, а еще я вижу оживление торговли, новые возможности для людей. — Он криво улыбнулся. — Вы сами знаете, Майк. Это ведь вы открыли мне глаза на все это.

— А я скажу вам, что вижу я. Я вижу перебравших пива туристов, которые гоняют по заливу на моторных лодках. Вижу дельфинов, изувеченных винтом, потому что они не успели уйти с дороги. Я вижу диско-лодки, которые в погоне за выручкой берут на борт слишком много желающих поглазеть на дельфинов. Вижу китов, которые перестали ориентироваться и выбросились на этот нетронутый белый берег. Вижу, что останется от миграции горбатых китов, их маршрут отодвинется на много миль от Сильвер-Бей, и неизвестно, сколько из них погибнет в процессе. И сколько людей, которые зависят от китов, потеряют работу. А еще я вижу чертову большую дыру на месте семейного отеля, который простоял там семьдесят с лишним лет.

— Отель «Сильвер-Бей» может существовать по соседству с новой застройкой.

Я указал ему на макет:

— А они, кажется, так не думают.

— Вы же не рассчитывали, что они разместят на макете все местные дома до одного.

— Вы любите пари, мистер Рейли? Хотите поставить пять сотен долларов на то, что через год после открытия всего этого «Сильвер-Бей» будет стоять там, где стоит?

С минуту мы помолчали. В дверях отеля появилась пожилая пара. Они с беспокойством поглядывали в нашу сторону. Я понял, что в споре перешел на крик. Я слишком устал и перестал видеть ситуацию со стороны. Надо было взять себя в руки. Рейли ободряюще кивнул гостям и снова повернулся ко мне.

— Дружище, должен вам сообщить, вы меня удивили. Такой крутой поворот на сто восемьдесят градусов, — сказал он, но в его голосе не было враждебности. — Объясните мне кое-что, Майк. Сейчас вы против застройки, но когда-то вы видели ее преимущества. Должны быть причины, по которым вы так настойчиво хотели продвинуть свой проект. Вот и ответьте мне: когда вы приходили ко мне уже столько месяцев назад, когда вы хотели построить у нас этот отель, что вы видели, глядя на план застройки? Только честно.

Я посмотрел на макет, на эту неодолимую силу, и сердце мое словно налилось свинцом.

— Деньги, — сказал я. — Я видел деньги.

Я вернулся в отель. Ханна сидела за компьютером в моей комнате. Окно было открыто, яркий солнечный свет заливал покрашенный в белый цвет дощатый пол, поблекший персидский ковер и желтые следы из песка, которые остались от моих кед после утренней пробежки. Снаружи из какой-то машины доносилась грохочущая музыка, а где-то за дюнами тихо подвывал трейлбайк. Легкий ветерок пробегал от окна к двери. Теперь я редко закрывал дверь в свою комнату — гостей не было уже несколько недель, а Кэтлин вела себя так, будто я там живу. Она даже плату с меня не брала.

— Майк! — радостно воскликнула Ханна.

Она развернулась в кресле и подозвала меня к себе. Оказалось, что она получила письмо от какой-то девочки из штата Гавайи, которая у себя тоже боролась с застройкой.

— Она пришлет нам список организаций, которые ей помогали, — сказала Ханна. — Они и нам помогут.

— Это здорово, — как можно оптимистичнее сказал я, а сам хотел закрыть лицо ладонями. — Отличная работа.

— Мы с Ларой всем разослали письма. На самом деле всем. Звонил кто-то из «Саус-Бей икзаминер», они видели наши петиции и хотят, чтобы мы прислали им фотографии.

— А твоя мама что говорит? — спросил я.

— Она сказала спросить тебя. — Ханна улыбнулась. — Я составила список всего, что мы сегодня сделали. Он вон в той синенькой папке, в углу. Я связалась с хоккейным клубом; когда вернусь, продолжу. Ты же выйдешь в море со мной и с мамой?

— Что?

Я думал о разговоре с мистером Рейли. Перед уходом из «Блу Шоалс» он сказал мне, что слушания будут закрыты через три дня. При этом добавил, что это конфиденциально, но комиссия не нашла в представленных документах ничего, что могло бы изменить их отношение к застройке.

— Мама сказала, что мы втроем выйдем в море на «Измаиле», ты забыл?

— О. — Я попытался улыбнуться. — Да, конечно.

Ханна натянула школьный кардиган и сунула мне в руки газету.

— Ты видел фотографию тети Кей с акулой? Она в ярости. Грозится, что пустит кишки Грэга на подвязки.

Под заголовком «Леди Акула предупреждает о возвращении тигровых акул» была размещена фотография, на которой репортер поймал момент, когда Кэтлин подошла к Грэгу. Выражение лица у нее было почти таким же «добрым», как у акулы. А рядом уже знакомая мне фотография семнадцатилетней Кэтлин в купальнике.

— Я эту страницу сканировала, а газету надо вернуть мистеру Гейнсу, только он сказал не говорить тете Кэтлин, что он купил себе газету, а то она его на гарпун насадит. Если хочешь почитать, я ее тебе на стол положила. И еще две — «Сентинл» и «Сильвер-Бей адвертайзер», но у них фотки не такие хорошие.

Бедная Кэтлин. Она была права, когда сказала, что эта акула будет преследовать ее до конца дней.

Ханна, радостно махнув мне рукой, сбежала вниз по лестнице. Казалось, она для себя решила не думать о неминуемом отъезде ее мамы. Возможно, некоторые вещи трудно осознать, когда тебе одиннадцать лет. А может, она, как я, надеялась на вмешательство высших сил.

Я слышал звонкий голосок Ханны, когда она шла вместе с друзьями к дороге, и в сотый раз мысленно попросил у нее прощения.

И вот в этот момент зазвонил мой мобильный.

— Моника?

Я посмотрел на часы: в Англии было два часа ночи.

— Как дела? — спросила Ванесса.

Первая мысль, которая мелькнула у меня в голове: «Где, черт возьми, моя сестра?» Потом раздражение. Ванесса не могла не знать, что мои попытки противостоять застройке ни к чему не приводят.

— Какие дела?

— Жизнь и все такое. Я не о проекте сейчас, — сказала она.

— Я в порядке.

— Слышала, ты еще в Австралии. Я говорила на днях с твоей мамой.

На заднем плане что-то монотонно шумело. У меня перед глазами на секунду возникла картинка — наша лондонская квартира: плоский телевизор в углу, большие замшевые диваны, дорогая мебель. Я не скучал по всему этому.

— Отец завел файл, — сказала Ванесса. — Собирает все, что ты делаешь для отмены застройки. Каждый день пополняет.

— О чем ты говоришь?

— Хочу, чтобы ты знал: то, что ты делаешь, не пустая трата времени.

— Но это его не останавливает.

Короткая пауза.

— Нет, — признала Ванесса, — не останавливает.

За окном на дерево села стая длиннохвостых попугаев. Я все еще не мог привыкнуть к тому, что такие яркие создания могут существовать в дикой природе.

— Тина уволилась.

И что? Хотел спросить я, глядя в окно.

Я закрыл глаза. Я слишком устал. Днем я пытался сдвинуть гору, мой мозг просчитывал все возможные варианты, выискивал лазейки, а ночью я лежал без сна и смотрел на Лизу, мне страшно было проспать последние моменты, перед тем как она исчезнет из моей жизни.

— Я скучаю по тебе, — сказала Ванесса.

Я ничего не ответил.

— Я никогда не видела тебя таким, Майк. Ты изменился. Ты сильнее, чем я думала.

— И что?

— И... я подумала... — Ванесса сделала вдох и продолжила: — Я могу его остановить. Я знаю, он ко мне прислушается.

Мир на мгновение замер.

— Если это так много для тебя значит, я остановлю это. Но прошу тебя... пожалуйста... давай сделаем еще одну попытку.

Выдох, который, как пузырь, поднимался из моих легких, остановился на полпути.

— Ты и я?

— Мы были хорошей командой, согласен? — В голосе Ванессы не было уверенности, скорее мольба. — Я думаю, мы можем стать даже лучше. Ты заставил меня это понять.

— О, — тихо выдохнул я.

— Ты причинил мне боль, Майк, я не стану это отрицать. Но отец говорит, что это все Тина, и я не думаю, что ты мог намеренно мне изменить. Поэтому... поэтому я... я не хочу терять то, что у нас было. Мы были командой. Отличной командой.

Я смотрел в пол невидящим взглядом.

Когда я заговорил, у меня вдруг пересохло во рту, и слова давались с трудом:

— Ты хочешь сказать, что, если я вернусь к тебе, ты остановишь застройку.

— Это плохая формулировка. Это не *услуга за услугу*, Майк. Но я скучаю по тебе. Не знаю, что это значит для тебя, поэтому хочу все расставить по своим местам. И мы сможем начать серьезный бизнес с одним из альтернативных вариантов.

— Если мы будем вместе.

— Верно, вряд ли я стану впрягаться в такое ради человека, который мне безразличен. — Было слышно, что Ванесса теряет терпение. — Это настолько жуткая перспектива? Если мы попробуем еще раз? Когда мы разговаривали в последний раз, мне показалось...

Я тряхнул головой, чтобы как-то привести мысли в порядок.

— Майк?

— Ванесса, я не ожидал, ты действительно... удивила меня. Послушай, я сейчас должен идти. Давай я перезвоню тебе позже. Хорошо? Я тебе перезвоню. Утром. По вашему времени.

Ванесса начала что-то возражать.

Я прервал звонок и сел, в ушах звенело. У меня не было выбора. Ванесса была единственным в мире человеком, который мог бы остановить застройку.

В общем, я нашел оправдания: сказал, что у меня болит голова и мне надо отзвониться нескольким людям. То, что я использовал два оправдания и только одно из них казалось правдоподобным, сразу насторожило Лизу. Она точно поняла, что я не еду с ними на прогулку по совсем другой причине. Если на лице Ханны отражалось искреннее разочарование и она просила меня, чтобы я передумал, то ее мама просто с интересом посмотрела на меня и промолчала. Уже потом я задался вопросом: видела Лиза в тот момент, что это часть эмоционального напряжения, что я намеренно на том этапе отдалялся от нее... что я пытался защитить самого себя?

— Я встречу вас, когда вы вернетесь, — как можно непринужденнее пообещал я.

— Как пожелаешь, — сказала Лиза. — Мы на пару часов.

Милли уже была на посту — стояла рядышком со своими девочками.

Мне этого совсем не хотелось, но я должен был все обдумать в одиночестве. Мы с Лизой настолько хорошо чувствовали настроение друг друга, что, проведи она со мной еще пару минут, я бы уже ничего не смог от нее скрыть. Двигатель набрал обороты, «Измаил», подпрыгивая на волнах, отошел от пристани, и я помахал им вслед. Я махал, пока они не скрылись из виду. А потом сел на песок.

Так начался самый долгий день в моей жизни. Смотреть на отель было тяжело, поэтому я встал и побрел по прибрежной дороге, через дюны. На два часа я отключился от реальности, я сам не знал, куда иду, и не видел ничего вокруг себя. Мне надо было идти, потому что оставаться без движения с такими мыслями было еще тяжелее.

Я шел, засунув руки в карманы, и смотрел под ноги. Кивал людям, которые со мной здоровались, и не замечал тех, кто проходил мимо молча. Мой шаг, даже на нетвердой почве, был тяжелым и размеренным, как у вьючной лошади. Я еще не привык к набравшему силу весеннему солнцу, и, к тому времени, когда вышел через сосновый перелесок к Ньюкасл-роуд, нос у меня успел обгореть. Несмотря на бессонную ночь, я не чувствовал ни жары, ни жажды, ни усталости. Я шел и думал, но каждое найденное решение было губительным.

Я, Майкл Дормер, известный быстротой своих решений, блестящей способностью взвесить все «за» и «против» в любой ситуации и дать правильный ответ, теперь понял, что ничего не могу сделать. Остается только рухнуть на колени, как ребенку, и заплакать. А единственный человек, у которого я мог попросить совет и чье мнение уважал, — Лиза; ради нее я и должен был принять проклятое решение.

Когда они возвращались, я уже был на пристани. Со стороны могло показаться, что я никуда и не уходил. Я позволил себе выпить пару бутылок пива. Вдруг я понял, что джинсы у меня грязные, а в руке — бутылка.

Я бы с удовольствием надел кепку, но сообразил, что так стану похожим на Грэга.

«Измаил» обогнул мыс и постепенно из маленькой белой точки превращался в мягко подпрыгивающий на волнах белый катер. Я видел сеть, натянутую под утлегарем[1], где, наверное, разрешили посидеть Ханне, чтобы лучше разглядеть дельфинов. Когда «Измаил» подошел ближе, я увидел ее. В спасательном жилете поверх купальника и в шортах, она уверенно передвигалась по палубе. Милли стояла рядом с Лизой у штурвала, она была в радостном предчувствии, что сейчас окажется дома, точно так же радостно каждое утро она с нетерпением ждала, когда ее возьмут на прогулку в море. Они были такими красивыми и счастливыми, что при других обстоятельствах у меня бы душа запела от этой картины.

Ханна стояла у руля. Заметив меня, она, прыгая с одной ноги на другую, широко помахала рукой над головой. Ноги у нее были тонкие, с еще не развитой мускулатурой, как у всех девочек в пубертатном возрасте, и в редкие моменты, когда ее движения становились плавными, я узнавал в ней Лизу.

— Мы видели Бролли! — кричала Ханна.

Когда они подошли ближе, она закричала еще громче, чтобы я смог услышать ее за шумом двигателя и плеском волн.

— Она в порядке! Никаких порезов, вообще никаких ран. Это не она была в сетях, Майк. Ты не ее освободил! И угадай еще что? С ней был ее малыш!

Ханна сияла от счастья, они обе сияли. Лиза как мама радовалась простому счастью дочки.

1 *Утлегарь* — наклонный брус, являющийся продолжением бугшприта и служащий для выноса вперед добавочных косых парусов.

Были у них и другие приключения. Они видели горбача, правда он не подошел близко, а еще действительно больших морских черепах, и они выловили возле пролива китовый ус, но Милли, пока на нее не смотрели, успела его частично сожрать.

— Мне правда жалко того дельфина, — сказала Ханна, спрыгивая на пристань, пока ее мама пришвартовывалась. Двигатель постепенно заглох.

— Но ты наверняка его спас, да, Майк? Он же мог оттуда выбраться. А я так рада, что с Бролли все хорошо. Я уверена, что она меня узнала. Мама разрешила мне посидеть на сетях, и Бролли целую вечность плыла вместе с нами.

Лиза легко спрыгнула на пристань и начала закреплять швартовые канаты. Она была в кепке, так что я не сразу смог разглядеть ее лицо.

— Я поверить не могла, когда ее увидела, — задыхаясь от возбуждения, рассказывала Ханна, она подхватила Милли на руки и прижала к груди. — Просто не могла поверить.

— Ну вот, видишь? Иногда хорошие вещи случаются, — сказала Лиза, щеки у нее порозовели от усилий. — Надо только верить.

Я промолчал. Подозреваю, счастливая улыбка Ханны определила за меня мой выбор, я больше не был уверен в том, что Лиза права.

В ту ночь я спал один, вернее, не спал, а сидел в старом кожаном кресле, пока мои мысли не стали похожи на спутанные и потрепанные канаты с лодки Лизы. Настроение Ханны к вечеру резко упало, в обратной пропорции к ее счастливому настроению днем, и ночь она провела в комнате мамы. Я смотрел в черное окно на огни рыбачьих лодок и слышал, как плачет Ханна, а Лиза тихо ее успокаивает. Рано утром я встал, чтобы приготовить себе чашку чая, и столкнулся в кухне с Кэтлин. Кэтлин была в домашнем халате, она взглянула на меня и покачала головой:

— Тяжко ей сейчас. — А я не понимал, о ком это она — о Ханне или о Лизе.

Говорят, что мать генетически запрограммирована на то, чтобы успокаивать своего плачущего ребенка. Что ж, в ту ночь я был готов на все, только бы остановить слезы Ханны. В ее слезах я видел каждую потерю, которую ей пришлось пережить в прошлом, и все потери, которые ждали ее впереди. Я никогда не считал себя чувствительным, но тогда меня перекрутило от жалости к Ханне. Только человек с каменным сердцем мог спокойно слышать, как она плачет. Когда я на рассвете наконец уснул, Ханна уже несколько часов как притихла. Но я чувствовал, что сон ее тревожный, и также чувствовал присутствие Лизы, я знал, что в двадцати футах по коридору за белой деревянной дверью она тоже не спит.

На следующее утро Лиза отвозила Ханну в школу, а я ждал ее возвращения на парковке. Специально стоял у задней стены отеля, чтобы никто не мог меня заметить.

— Привет, красавчик, — крикнула Лиза, сдавая назад.

Она улыбалась и была рада нашей встрече. Весь предыдущий день мы ни минуты не оставались наедине.

— Какая отрада для глаз, — сказала Лиза, выйдя из машины и захлопнув дверь.

— Давай прогуляемся, — предложил я.

Лиза удивленно посмотрела на меня:

— Что-то случилось?

Ни она, ни я не сделали ни шага навстречу друг другу. В другой ситуации я бы уже держал ее в объятиях, не смог бы устоять перед желанием хоть ненадолго прижать ее к себе.

— Майк?

Я постарался придать своему лицу, насколько это было возможно, нейтральное выражение.

— У меня новости, — я расправил плечи, — я собираюсь остановить застройку. Я переговорил кое с кем... из тех, кто за этим стоит, и я думаю, что смогу убедить их перенести застройку в другое место.

Лиза, чтобы лучше меня разглядеть, прикрыла ладонью глаза от солнца. Лицо у нее было усталое, под глазами темные круги.

— Что-что?

— Я думаю, что смогу остановить их... Я знаю, что смогу.

Лиза нахмурилась:

— Они просто остановят застройку? Больше никаких слушаний? Вообще ничего? Просто возьмут и остановят?

Я тяжело вздохнул:

— Думаю, что да.

— Но как?

На губах Лизы играла улыбка, словно она не решалась дать волю своим чувствам, пока не убедится в том, что я говорю правду.

— Я не хочу, чтобы ты кому-нибудь об этом рассказывала, пока я сам не буду в этом уверен. Я собираюсь лететь в Лондон.

— В Лондон? — Полуулыбка слетела с ее губ.

— Тогда тебе не придется никуда лететь, — медленно сказал я. — Тебе не надо будет никуда лететь.

Лиза стала разглядывать свои туфли, потом море. Она смотрела куда угодно, только не на меня.

— Майк, ты знаешь, что дело не только в застройке. Мне надо начать жизнь с чистого листа. Я должна перестать бегать.

— Тогда сделай это, когда Ханна подрастет. Расскажи обо всем полиции, когда она не будет в тебе нуждаться так, как сейчас. С этим можно подождать.

Она стояла передо мной, и я видел, как она обдумывает мои слова. Понятно, возможность никуда не уезжать из Сильвер-Бей принесла бы ей невероятное облегчение. Но похоже, Лиза уже смирилась с мыслью об отъезде, и ей тяжело было отыграть назад. Наконец она посмотрела мне в глаза:

— Что происходит, Майк?

— Я собираюсь убедиться в том, что тебе ничего не угрожает, — ответил я. — И в том, что Ханна вырастет с мамой.

Теперь Лиза смотрела на меня долго и вопросительно. И я знал, каким будет ее следующий вопрос. Лиза отшвырнула ногой гальку.

— Ты вернешься?

— Наверное, нет, — сказал я.

— Я думала, ты хочешь... Ты хочешь жить с нами?

Я промолчал. Что я мог ей сказать?

— Ты не ответил на мой вопрос.

— Мне надо, чтобы ты мне верила.

— Но ты не вернешься назад. Никогда.

Я покачал головой.

Лиза стиснула зубы. Я знал, что она хочет спросить, как я могу так поступить с ней после того, как признался в любви. Я знал, что у нее есть миллион вопросов, но с этой минуты она уже не может ответить на самый главный. Я знал, что она хочет попросить меня остаться. Но все же больше всего на свете она хотела остаться со своей дочерью.

— Почему ты не хочешь мне все рассказать? Почему ты мне не доверяешь?

«Потому что я не могу сделать выбор за тебя, — мысленно ответил я. — Но я могу сделать свой выбор ради тебя».

— Ты всегда задаешь так много вопросов? — как бы в шутку спросил я.

Но я не улыбался. Я шагнул вперед и обнял Лизу, она напряглась, и понял, что сердце мое разбито.

На Сильвер-Бей незаметно опустился вечер. В любом маленьком городе вечерние сумерки сопровождает особенный ритм: птицы громкими трелями объявляют о конце дня и затихают; машины заползают на подъездные дорожки; родители зовут детей ужинать, а те — кто вприпрыжку, кто волоча ноги — идут домой; где-то вдалеке собачонка истерическим лаем предупреждает о конце света. В Сильвер-Бей были и другие звуки: через открытые окна было слышно, как брякали кастрюли; скрипели покореженные двери сараев у пристани; внизу, на прибрежной дороге, шелестели по песку шины автомобилей; одни рыбаки готовили свои лодки к спуску на воду, а другие в это время, кряхтя и добродушно переругиваясь, затаскивали свои лодки на берег. А потом, когда солнце медленно опустилось за холмы, в заливе начали подмигивать огни, изредка вдалеке появлялась подсветка нефтеналивного танкера, и наконец наступила полная темнота. В эту темноту можно проецировать все, что угодно: песню невидимого кита, биение сердца, бесконечное и ненужное будущее.

Я наблюдал за всем этим, сидя в старом кожаном кресле. И, учитывая важность того, что должно было случиться и уже случилось, мой финальный разговор казался даже каким-то мелким и скучным.

— Ванесса?

Она ответила на втором гудке. Я посмотрел в окно, а потом резче, чем собирался, опустил жалюзи.

— Майк... — долгий выдох, — я не была уверена, что ты позвонишь.

По голосу казалось, что Ванесса и в себе не уверена. Мне стало интересно, сколько она там ждала моего звонка. Я обещал позвонить раньше, но долгое время сидел в своей комнате, тупо смотрел на телефон и никак не мог заставить себя набрать ее номер.

— Майк?

— Ты все еще хочешь быть со мной?

— А ты хочешь быть со мной?

Я закрыл глаза.

— Мы через многое прошли. Мы причинили друг другу боль. Но я все забуду. Я действительно все отпущу.

Мне даже стало легче, когда она ничего на это не сказала.

— Когда вылетаешь? — спросила Ванесса.

25

Моника

Я не рассказала Майку о том, что планирую сделать, боялась, что он станет отговаривать или захочет, чтобы я просто сделала то, о чем мы договорились, и перестала рыться в деталях. Я догадывалась, что он чуть не кипятком писает от злости на меня. Майк оставлял резкие сообщения на голосовой почте, и каждый раз, когда я включала свой телефон, там высвечивались сообщения о пропущенных звонках из Австралии. Прошлой ночью он звонил раз сто и предупредил, чтобы я ни с кем не разговаривала, пока не переговорю с ним.

Но я не могла ему перезвонить, ведь до сих пор еще ничего не прояснилось. Сначала я должна была понять, что происходит. Я не лучший журналист в мире, скорее рабочая лошадка, тут я себя никогда не обманывала, но я чувствовала, что происходит что-то странное, и это меня заводило. Хотя бы в одном отношении я похожа на своего брата — я дотошная. Поэтому в один из своих выходных на неделе я отправилась в Суррей. На станции взяла такси — адрес был у меня нацарапан на клочке бумаги — и уже через десять минут стояла перед большим домом в Вирджиния-Уотер.

— Симпатичное местечко, — заметил таксист, поглядывая на дом через лобовое стекло, пока выписывал мне счет.

— Да... подыскиваю площадку для съемки порнофильма, — ответила я. — У них, кажется, неплохие расценки.

Когда таксист уезжал, я улыбалась, девушка Майка меня бы одобрила.

Очень скоро я поняла, что не смогу обследовать дом по своему первоначальному плану, — он был окружен высокой изгородью и стоял так далеко от дороги, что я непременно привлекла бы внимание, если бы отправилась пешком по длинной подъездной дорожке. А я хотела осмотреть дом по-тихому, может, если получится, узнать кое-что о его обитателях, его историю, чтобы понять, что, собственно, ищу. Вместо этого я стояла в начале подъездной дорожки, наполовину укрывшись за деревом, которое росло рядом с чугунными воротами, и ждала неизвестно чего.

Дом был в стиле Тюдор, большой, с освинцованными окнами, я всегда думала, что в таких мечтают жить бухгалтеры. (Может, это порочит бухгалтеров или дома а-ля Тюдор, но я лично жила в двухкомнатной квартире над бургер-баром, и, судя по отзывам моих друзей, у меня не было вкуса.) Газоны и клумбы довольно хорошо ухожены даже для октября, из чего следовало, что садовник не обделял их своим вниманием. «Пять или шесть спален, — подумала я, глядя на дом со стороны дороги. — Как минимум три ванных комнаты. Много ковров и богатые шторы». Возле дома стояла «вольво-эстейт», а в сыром саду — дорогая игровая площадка из дерева.

На мне была теплая куртка, но я все равно поежилась. Несмотря на всю его роскошь, было в этом доме что-то холодное, а я не считала себя девушкой с капризами. Майк рассказал мне о том, что там происходило, и я невольно представляла, как у окна стоит молодая женщина, смотрит на дорогу и пытается придумать план побега.

Когда мимо проезжали машины, и водители, и пассажиры поворачивали голову в мою сторону. В таких местах люди не ходят пешком, так что я торчала там, как прыщ на голой попе. Пока я размышляла, какие шаги предпринять дальше, в окне дома на втором этаже мелькнула женщина. Брюнетка с короткой стрижкой в светлом джемпере. Видимо, его жена. Мне стало интересно, что он ей рассказывал о прошлой жизни. Может, она тоже планировала сбежать от него или с ней он обращался хорошо? Или это был брак равных? Потом я вспомнила о том, что Лиза рассказывала моему брату, и подумала, что, возможно, любовь ослепила его, а на самом деле Лиза его обманывала. Как еще можно было объяснить все это? Как объяснить огромные пробелы в ее рассказе?

И вот пока я размышляла, из-за дома показалась девочка в толстом синем джемпере и джинсах. Я услышала приглушенные звуки радио, а потом плач ребенка, которого пытались успокоить. Видимо, девочка оставила дверь открытой. Я спряталась обратно за дерево, но девочка, судя по звуку ее шагов, шла прямо в мою сторону, в конец подъездной дорожки, вероятно, чтобы забрать почту из почтового ящика. Я вышла из-за дерева и постаралась правдоподобно изобразить, будто как раз проходила мимо.

— Привет. Мистер Вилье дома? — спросила я, и у меня изо рта вырвались белые облачка пара.

— Если вы по делам городского совета, то он принимает посетителей по пятницам, — ответила девочка.

— По пятницам.

Девочка кивнула.

— А мне в его офисе сказали, что сегодня он работает дома.

Даже не знаю, почему я решила соврать. Наверное, подумала, что, если удастся разговорить девочку, я смогу узнать чуть больше о нем самом.

— Он в Лондоне, — сказала девочка. — По четвергам вечером он всегда в Лондоне.

— О, — сказала я. — Должно быть, я все неправильно поняла. Мистер Вилье все еще в банке, так?

— Да.

— Я видела его фотографию в газете. Очень представительный мужчина.

Девочка достала из почтового ящика письма и бегло просмотрела конверты. Потом она посмотрела на меня и предложила:

— Если хотите, я могу дать вам его номер.

Я заглянула в свой блокнот.

— У меня есть. Но все равно спасибо.

«Надо бы попроситься в дом», — думала я, но я не знала, что сказать его жене. Я еще не придумала, кем представиться, а без легенды заходить в дом не имело смысла.

«Здравствуйте, миссис Вилье. Я журналист. Не могли бы вы ответить на пару вопросов? Правда ли, что ваш супруг, столп общества, на самом деле социопат, который избивал свою сожительницу? Он урод и садист, который частично виноват в смерти собственного ребенка? Кстати, у вас чудесные шторы».

— Я позвоню ему в офис. Спасибо, — сказала я и улыбнулась дружески и деловито, как будто это не имело такого уж большого значения.

Можно было пойти в деревню и выпить там чашечку кофе. Вернуться никогда не поздно, надо было только разработать план проникновения в дом. Возможно, лучше было бы начать с его жены. Я могла бы притвориться местной писательницей, которая жаждет написать о семье Вилье. Если бы мне удалось застать ее одну, как знать, что бы она мне наговорила за чашкой чая.

— Тогда до свидания.

— До свидания.

Девочка стояла напротив меня, потом она убрала волосы за ухо, повернулась и пошла к дому. Я заметила, что она сильно хромает. И тут с моим сердцем произошло нечто странное.

Я уже слышала это выражение: «Весь мир рухнул в бездну». Ненавижу клише. Когда пишу, всегда стараюсь их избегать. И тем не менее в тот момент именно эта фраза эхом прозвучала у меня в голове.

Я поставила сумку на тротуар, выпрямилась и как дура смотрела вслед девочке.

— Простите! — крикнула я, не заботясь о том, кто может меня услышать. — Простите!

Я так кричала, пока девочка не повернулась и не пошла обратно в мою сторону.

— Что? — спросила она и наклонила голову набок.

И вот тогда я это увидела. И на секунду все замерло.

— Как... как тебя зовут? — спросила я.

26

Кэтлин

Я как раз готовила завтрак для Ханны и тут услышала, как хлопнула входная дверь. Не такое уж необычное явление для дома, где есть собака, живет девочка-тинейджер и приходят гости родом из амбара. Но сила, с которой моя древняя дверь ударила по косяку, а потом топот Майка, который через ступеньку прыгал вверх по лестнице, а мужчина он немаленький, заставили меня тихо выругаться. Его шаги напоминали удары стенобитного орудия. И окно у себя Майк наверняка оставил открытым, потому что, когда он вошел в комнату, дверь за ним грохнула так, что все стены в доме вздрогнули.

— Мы пока еще не планируем снос! — крикнула я в потолок и вытерла руки о фартук. — Провалишься через пол, будешь платить за ремонт!

У нас было включено радио, и я не сразу разобрала, что он там кричит, но шум в его комнате заставил нас Ханной бросить свои дела.

— Как ты думаешь, он там опять с кем-нибудь дерется? — спросила Ханна.

— Делайте ваше домашнее задание, мисс, — сказала я, но радио тем не менее выключила.

Дом старый, деревянный, местами ветхий, так что из кухни можно услышать многое из того, что происходит наверху. Когда Майк бросился через комнату и оттащил кресло от стола, мне захотелось сказать, что у этого парня муравьи в штанах.

— Может, его тарантул укусил? — искренне предположила Ханна.

— Моника! — вопил Майк в телефон. — Перешли их прямо сейчас! Прямо сейчас!

Мы с Ханной переглянулись.

— Это его сестра, — тихо сказала Ханна.

А я подумала: «Та журналистка» — и мой миролюбивый настрой окончательно пропал.

Я готовила сырный омлет и, чтобы как-то отвлечься от мрачных мыслей о домашних проблемах, яростно взбивала яйца. До того как Лиза рассказала мне о своих планах, я никогда так старательно не занималась готовкой и так тщательно не прибиралась в отеле. Жаль вот гостей не было, они бы получили пятизвездочный сервис. Я опустила голову и взбивала яйца, пока не забыла, о чем думала, а яйца превратились в легкую пену, которая грозила улететь из миски. И лишь спустя несколько минут я поняла, что после криков Майка наверху наступила гробовая тишина. Не было слышно ни привычных шагов, когда он переходит от стола к кожаному креслу, ни скрипа, когда он ложится на кровать.

Ханна снова с головой ушла в свои учебники, но эта тишина наверху показалась мне очень странной.

Я сняла сковородку с огня и подошла к лестнице.

— Майк? — крикнула я. — Все в порядке?

Тишина.

— Майк? — снова позвала я и взялась за перила, приготовившись подняться наверх.

— Кэтлин, — отозвался Майк дрожащим голосом, — я думаю, вам лучше подняться.

Когда я вошла в комнату, Майк попросил меня сесть на кровать. Сказать по правде, он был такой бледный и не похож на себя, что я не сразу согласилась и немного помедлила, пытаясь понять, что происходит. Майк присел передо мной на корточки, как будто собирался сделать предложение. Затем он произнес эти два коротких слова, и когда я их услышала, я почувствовала, как кровь отхлынула у меня от лица. Уже потом Майк сказал, что тогда испугался, что со мной случится удар, как с Нино Гейнсом.

«Он шутит, — подумала я той частью мозга, которая у меня еще не отключилась. — Или сошел с ума. В нашем доме все это время жил сумасшедший».

— Что ты такое говоришь? — спросила я, когда ко мне вернулся голос. — Это у тебя такие шутки?

Я вдруг очень сильно на него разозлилась, но Майк махнул на меня рукой и сказал, довольно грубо для него, чтобы я замолчала и подождала, пока он проверит почту.

В то время как я возмущалась, он встал и начал открывать сообщения. И когда я уже начала думать, не уйти ли мне, на экране его компьютера открылась маленькая коробочка и появилась она. В это невозможно было поверить. Цветная фотография. Она смотрела на нас настороженно, как будто, как и я, не могла понять, что происходит. У меня задрожали руки.

— Эту фотографию Моника сделала сегодня. Похожа на нее, да?

Я не могла оторвать глаз от этого лица. А потом Майк, запинаясь, пересказал мне то, что сообщила ему сестра.

— Ханна, — каркающим голосом произнесла я. — Позови Ханну.

Но Ханне, видно, тоже стало интересно, что происходит наверху, потому что она уже стояла в дверях с карандашом в руке и внимательно смотрела то на меня, то на Майка.

— Ханна, солнышко, — сказала я и показала трясущейся рукой на компьютер. — Ты должна кое на что посмотреть. Я хочу, чтобы ты сказала, похожа ли... похожа ли...

— Летти. — Ханна подошла ближе к компьютеру и провела пальчиком по носу сестры. — Летти.

— Она жива, милая, — сказала я, и тут пришли слезы.

Я не могла нормально говорить несколько минут, а Майк все время держал руку у меня на плече.

— Боже, спаси нас, она жива.

Еще я боялась за Ханну, боялась, что она испытает больший шок, чем я. Когда я смотрела на фотографию этой девочки, мысли у меня путались, а сердце замирало в груди. Я ее не знала, но ее жизнь и ее смерть витали над этим домом, словно она жила и умерла здесь. И как только мы могли подумать, что Ханна справится с этим лучше нас?

Но из нас троих не плакала одна Ханна.

— Я знала, — сказала она и широко улыбнулась. — Я знала, что Летти не могла умереть. Только не так, как киты и дельфины. Я никогда не чувствовала ее как мертвую.

Ханна повернулась к компьютеру и снова провела пальцем по картинке. Они были так похожи, можно было подумать, что Ханна смотрится в зеркало. Мне теперь даже трудно поверить, что я могла в этом сомневаться.

Майк отошел к окну и почесал затылок.

— Какие сволочи, — говорил он, позабыв, что в комнате Ханна. — Как они могли скрывать от нее правду все эти годы? Как они могли сделать с ней такое? Как они могли так поступить с ребенком?

Масштаб их лжи поняла и я, и когда я это поняла, с моего языка слетели слова, которые я не слышала со времен войны.

— Скотина! Трусливая падаль! Сын бешеной суки! Мерзкая...

— Акула? — предложил Майк и приподнял бровь.

— Именно акула, — согласилась я и мельком взглянула на Ханну. — Да. Акула. Уж я бы точно с удовольствием выпотрошила его, как акулу.

— Я бы его пристрелил, — сказал Майк.

— Пристрелить его мало. — У меня перед глазами на секунду возник Старый Гарри — моя гарпунная пушка, которая висела на стене в Музее китобоев, а в голову пришла мысль, которая повергла бы в ужас всех, кто меня знал.

Я понимала, что мысли Майка крутятся в ту же сторону.

Тут снова заговорила Ханна.

— У меня есть сестра, — сказала она, и простая, искренняя радость в ее голосе остановила нас с Майком. — Вот смотрите! У меня есть сестра.

И она подставила лицо ближе к сильно увеличенной фотографии, чтобы мы сами смогли в этом убедиться. Мы с Майком посмотрели друг на друга и хором сказали:

— Лиза.

Мы не знали, как ей об этом сказать. Как сообщить эту новость. Лиза находилась в море, а новость была такая громадная и потрясающая, что просто передать ее по радио нельзя. Но мы сидеть дома и ждать ее возвращения тоже не могли. В результате я одолжила катер у Сэма

Грейди. С Майком — Ханна на носу, я у румпеля — мы вышли из залива и направились к Брейк-Ноус-Айленду. Бриз был слабеньким, море спокойное. Очень скоро к нам присоединилась стая дельфинов, их веселые прыжки перекликались с нашим настроением. Ханна свесилась через борт, смеялась и кричала:

— Они знают! Они пришли, потому что они знают!

И впервые я не стала ее одергивать. Кто я такая, чтобы говорить, будто мне известно, как устроена жизнь? Кто я такая, чтобы говорить, будто животные знают меньше меня? В тот момент я поняла, что меня уже ничего не удивит.

Вот и Лиза. Она стояла у штурвала, рядом — Милли. Лодка была полная, в основном тайванцы. Туристы заинтересовались нашим появлением, некоторые свесились через борт, некоторые еще держали в руках камеры. Как только они увидели у нас в кильватере дельфинов, сразу захлопали как сумасшедшие.

Заметив нас, Лиза пошла в нашу сторону. Солнце было у нее за спиной, и поэтому ее волосы, казалось, горели.

— Что случилось? — крикнула она, когда мы встали борт к борту.

Она даже не стала ругать Ханну за то, что та была без спасательного жилета. Увидев нас троих в маленьком катере, она, конечно, сразу поняла, что мы вышли в море не просто так.

Я посмотрела на Майка, он кивнул в ответ, и я начала кричать, но ничего не получилось, потому что я начала захлебываться слезами. Голос у меня сорвался. Только после нескольких попыток и при помощи клетчатого носового платка, который передал мне Майк, я смогла наконец четко произносить слова.

— Лиза, она жива! Летти жива!

Лиза перевела взгляд с меня на Майка, потом снова посмотрела на меня. Две чайки сделали круг у нас над головами и закричали, как будто передразнивая мой крик.

— Это правда! Летти жива! Сестра Майка видела ее. Она действительно жива.

Я помахала фотографией, которую успел распечатать Майк, но ветер захлестнул ее вокруг моей руки, да и Лиза была слишком далеко, чтобы ее разглядеть.

— Зачем ты это говоришь? — надтреснутым от боли голосом спросила Лиза.

Она оглянулась и посмотрела на пассажиров, которые внимательно наблюдали за происходящим.

— О чем ты говоришь?

С трудом удерживая равновесие, я развернула распечатанную фотографию и подняла ее над головой. Я держала ее двумя руками, как плакат.

— Смотри! — крикнула я. — Смотри! Они тебя обманули! Эти сволочи тебя обманули! Она не погибла в аварии. Летти жива, и она едет домой.

Туристы притихли, кое-кто из тайванцев, наверное почувствовав грандиозность происходящего, начал хлопать в ладоши. Мы смотрели на нее снизу вверх и ждали, наши лица светились от радости. А потом чайки, покричав, улетели куда-то, а Лиза на секунду взглянула на небо и рухнула без чувств на палубу.

Майк сказал, что до этого даже не понимал, как сильно любит свою сестру. За три часа разговора, пока Лиза, все еще бледная после шока, сидела, прижавшись к Майку, Моника рассказала ему, как она встретилась со Стивеном Вилье. Встретилась она с этим гадом в его офисе. Там с чашечкой чая в руке она поведала ему о том, что работает над историей об уважаемом в обществе советнике, который, чтобы расстаться со своей женщиной, наврал ей, что их дочь погибла. Этот советник систематически избивал женщину, пока она не стала опасаться за свою жизнь. У этой женщины есть фотографии побоев, и они заверены доктором. Да, тут Моника присочинила, но она сказала, что к тому времени у нее уже поднялось давление от злости на этого Вилье и она просто решила, что стоит подстраховаться. Мне нравилось слушать Монику Дормер.

Больше всего поразило ее то, что этот Вилье быстро сдался. Он слушал не перебивая, а потом спросил:

— Что вы хотите?

Он, видите ли, был женат, и у него были два маленьких сына. Когда Моника сказала ему, что Летти все равно узнает правду о том, что он сделал, ей показалось по его голосу, что он уже давно ждал этого разговора. Они заключили сделку: ребенок возвращается к матери и все это остается семейным делом. Вилье как-то слишком уж быстро согласился, и у Моники создалось впечатление, что у него не самая счастливая семья на свете.

И наконец, лучшая часть рассказа. Он знал, где жила Лиза все эти годы. Возможно, узнал благодаря своим связям в полиции или нанял частного детектива. Ирония была в том, что этот Вилье хотел, чтобы Лиза была подальше от него, не меньше, чем этого хотела Лиза. Он признался, что это его мать решила сказать Лизе, будто ее ребенок умер. Отчасти потому, что они еще не знали, выживет ли Летти, ну и из злости, конечно. Лиза исчезла, и они решили, что все правильно сделали, потому что это оказался самый легкий способ избавиться от нее. Она была непредсказуема и поэтому являлась угрозой для его карьеры и препятствием для заключения брака с элегантной брюнеткой по имени Дебора. И они получили то, что хотели. По словам Моники, Вилье чувствовал себя немного пристыженным. Желая оставаться в роли мужчины, который еще способен контролировать ситуацию, он заявил, что хочет, чтобы у него был «надлежащий доступ». На что Моника ответила, что его доступ будет целиком зависеть от желания его дочери.

На следующий день в компании адвоката и детского психолога, ведь сестра Майка никогда не имела дела с детьми и поэтому немного боялась, они пришли в его дом и сказали Летти, что она едет на каникулы. Все прошло быстро. Мы потом волновались, что слишком уж быстро. Учитывая, какой шок испытала девочка, узнав, что мама никогда ее не бросала. Моника призналась (а Майк сказал, что это совсем на нее не похоже), что, пока они не уехали из этого дома, она все время боялась, что Вилье передумают.

Летти предстояло осознать, что в ее жизни было очень много лжи и секретов. Но Моника сказала, что она смелая и умная девочка и хотела узнать о своей семье все. У них там уже была ночь, и Летти уложили спать, но утром, то есть когда у нас будет вечер, Моника позвонит нам и впервые после пяти лет разлуки Лиза сможет поговорить со своей девочкой. Со своей младшей дочерью, с ее воскресшей из мертвых малышкой.

Я выпустила Милли погулять последний раз перед сном и заметила в Музее китобоев свет. Догадаться, кто туда зашел, было несложно. Музей я никогда не запирала, там не было ничего ценного, на что могли бы позариться воры, да и Милли облаяла бы любого чужака.

Лиза и Ханна наверху разговаривали по телефону, это был личный разговор, поэтому я прихватила пару бутылок пива и пошла в музей. Наверное, он чувствовал себя так же, как и я, то есть немного лишним. Это было время Ханны и Лизы. Мы могли радоваться вместе с ними, даже плакать от радости, но на самом деле, не зная Летти, мы не могли почувствовать и тысячной доли того, что чувствовали они. Находиться в доме, пока они разговаривают, было как-то неловко, как будто навязываешься или подслушиваешь влюбленных.

И потом, мне хотелось разузнать о том, что Лиза рассказала мне накануне, еще до того, как в ее жизни снова все изменилось, — о том, что застройку могут остановить. Она сказала, что ничего точно еще не известно и ей нельзя никому об этом рассказывать, пока не будет подтверждения. Еще она сказала, что этим занимается Майк, потом помрачнела и добавила, что завтра он уедет навсегда, и больше уже ничего мне не рассказывала.

Майк не сразу услышал, что я пришла. Он сидел на одном из гнилых обломков «Мауи II»: одна рука лежала на старом брусе, плечи сгорблены, как будто он взвалил на себя тяжелый груз. Странная поза для человека, который столько смог сделать.

Милли проскочила мимо меня, подбежала к Майку, посмотрела ему в лицо и завиляла хвостом.

— О, привет, — сказал он.

Майк сидел прямо под лампой, и по его лицу сверху вниз тянулись длинные тени.

— Вот подумала, что ты можешь быть здесь, — сказала я и протянула ему пиво, а сама села на стул неподалеку и открыла свою бутылку.

— Не похоже на вас, — заметил он.

— Сегодня день такой, все переменилось, — ответила я.

Мы сидели и пили без лишних слов, как старые товарищи. Через распахнутые двери нам открывался вид на темнеющий берег. Мы смотрели на огни проезжающих машин, лодок, которые рыбаки готовили к ночному выходу в море, и слушали повседневные звуки Сильвер-Бей. Я все никак не могла поверить в то, что мне сказала Лиза — что Майк может удержать нас на краю. Я не могла поверить, что нам позволят еще немного пожить так, как мы жили раньше.

— Спасибо, — тихо сказала я. — Спасибо тебе, Майк.

Он поднял голову и посмотрел на меня.

— За все. Я не знаю, как ты все это сделал, но спасибо.

Майк снова опустил голову, и я поняла: что-то не так. Судя по мрачному выражению лица, он пришел сюда не только из-за того, что не хотел мешать Лизе. Ему надо было побыть одному.

Я сидела и ждала. За свою достаточно долгую жизнь я хорошо усвоила: хочешь поймать больше рыбы — сиди тихо и не суетись.

— Я не хочу уезжать, — признался Майк, — но только так я смогу остановить застройку.

— Я не понимаю...

— У меня не было выбора... Я не мог поставить ее перед выбором. Ей и так пришлось принимать слишком много трудных решений.

Могу поклясться, ему даже двигаться было тяжело, так на него что-то давило.

— Я хочу, чтобы вам было это известно, Кэтлин. Какие бы вещи вы обо мне ни услышали в будущем, важно, чтобы она знала, что я ее любил.

Майк пристально смотрел на меня, прямо прожигал взглядом, мне даже стало как-то неуютно.

— Я не хочу, чтобы вы плохо обо мне думали, — запинаясь, продолжил он. — Но я обещал...

— Ты действительно не можешь рассказать мне, о чем идет речь?

Майк покачал головой.

Мне не хотелось расспрашивать его. Можете назвать меня старомодной, но я считаю, что, если заставляешь человека слишком много говорить о своих чувствах, ему становится физически некомфортно.

— Майк, — сказала я после долгого молчания, — ты спас Лизу. Ты спас обеих моих девочек. Это все, что мне надо знать.

— Она ведь будет счастлива, да? — спросил он, уже не глядя на меня, и у меня появилось дурное предчувствие.

— С ней все будет хорошо. Она будет со своими девочками.

Он встал и медленно прошелся по помещению. Я смотрела на его спину и в этот момент поняла, как мне жаль, что он уезжает. Пусть он сначала наделал дел, но зато потом постарался все исправить, он расплатился за свои ошибки сполна и несколько раз. Видит Господь, я не романтичная натура, можете спросить Нино, он вам расскажет, но, когда дело касалось Лизы и Майка, я всегда надеялась на счастливый конец. Теперь я точно знала, что он достойный человек, каких в наших краях мало. Я бы и сказала ему об этом, только не уверена, кто из нас тогда смутился бы больше.

Майк остановился напротив моей фотографии «Леди Акула». Я почувствовала, что надо быть рядом, и подошла к нему.

Та самая фотография. Пожелтевший от времени оригинал в рамочке. Я, а по бокам отец и мистер Брент Ньюхейвен с их невидимым тросом. Я собственной персоной в купальнике, улыбаюсь в объектив, мне семнадцать, и такой я буду преследовать себя всю свою жизнь.

Я глубоко вздохнула:

— Открою тебе один секрет. Это не я поймала эту треклятую акулу.

Майк удивленно повернулся ко мне.

— Не было этого. Эту тварь поймал партнер моего отца. Сказал мне, что так будет лучше для отеля. Хорошая реклама. Если все будут думать, что акулу поймала именно я, это привлечет больше туристов. — Я отпила еще пива. — Я терпеть не могла врать. И до сих пор ненавижу. Но сейчас кое-что поняла. Если бы мы так не сделали, отель бы не выжил в те первые пять лет.

— Или на его месте последние лет двадцать стоял бы шестиэтажный дом, — криво усмехнувшись, предположил Майк.

Я повернула фотографию лицом к стене и сказала:

— Иногда ложь — это способ облегчить боль.

Я положила руку на плечо Майка и подождала, пока он снова сможет на меня взглянуть. Он кивнул в сторону двери, как будто нам пора было уходить, и мы посмотрели на темный отель, где на втором этаже горел свет в комнате Лизы.

— И знаешь что? Я никогда не видела в нашем заливе тигровых акул. Никогда, — заявила я и вышла в темноту.

— Грэг вот увидел, — ответил Майк, закрывая за собой дверь.

— Ты меня не слышишь, — сказала Леди Акула.

27

Майк

Вещей у меня было на полтора чемодана, то есть пустого места во втором чемодане хватило бы, чтобы в него вложить другой. Эта пустота перекликалась с пустотой у меня в голове. Я подумал, что мог бы стать единственным пассажиром, которого можно было бы оштрафовать за неиспользование возможности провезти багаж установленного веса. Так получилось, что за время, прожитое в Сильвер-Бей, я сносил половину своего гардероба и теперь целыми днями ходил в джинсах (осталось две пары) или, если было слишком жарко, в шортах и в футболке. «Не так-то много для такого бурного периода в моей жизни», — думал я, раскладывая вещи на кровати. С таким багажом я мог накупить в дьюти-фри до черта подарков родителям.

Штормовку брать не стал, она была как-то особенно связана с этим местом, и я не хотел видеть, как она висит в неподходящей обстановке. Костюмы передал в благотворительный магазин Сильвер-Бей. И футболку, в которой был, когда Лиза в первый раз легла ко мне в постель, тоже брать не стал. И джемпер, который одолжил ей, когда мы сидели на улице до двух ночи, и который, я надеялся, она захочет носить. Не взял свой ноутбук, оставил его в гостиной для Ханны, решил, что она использует его с большей пользой, чем я. И еще Летти. Хотя она вернется в семью уже через несколько часов, я все равно не мог разлучить Ханну и Лизу с ее цифровыми фотографиями. Может показаться странным, но для меня забрать это было почти как разлучить их во второй раз. Лиза с Ханной часами сидели у моего ноутбука, разглядывали эти снимки, сравнивали Ханну и Летти и находили тысячи сходств и отличий.

Лиза вышла в море на «Измаиле». Последняя прогулка, перед тем как они поедут в аэропорт. Со вчерашнего дня я ее почти не видел и начал думать, не будет ли лучше для нас обоих, если я уеду тихо, не попрощавшись. Я говорил себе, что они все равно будут заняты, днем надо было закончить обустраивать комнату для Летти. Ханне разрешили в этот день пропустить школу. А накануне они весь вечер что-то красили, вешали новые шторы, приносили в комнату все, что может понравиться десятилетней девочке, и про дельфинчиков Летти не забыли. Сейчас Ханна была наверху — под музыку прикалывала постеры. Эти постеры она с некоторым сомнением в правильности принятого решения сняла у себя со стены.

— Как ты думаешь, им там, в Англии, нравится эта группа? А что любят девочки в Англии? — тревожно спрашивала она у меня, как будто я мог знать ответ, как будто это могло иметь значение.

Я наблюдал за всем этим со стороны, дистанцировался от их счастья, меня целиком захватили мысли о потерях, которые мне предстояло пережить. Возможно, они будут по мне немного скучать, но у них хватало своих забот, и впереди ждала целая жизнь. Похоже, в тот вечер один я заливался слезами. Я смотрел на маленькую бухту, на горы вдалеке, на беспорядочно рассыпанные крыши домов Сильвер-Бей, слушал пение птиц, приглушенное урчание моторов, музыку Ханны, и у меня было такое чувство, будто меня отрывают от дома. Куда я возвращался? К женщине, которую я не был уверен, что смогу полюбить, в город, в котором буду задыхаться.

Я думал о том, что мне придется по кусочкам собирать мою старую жизнь, снова бывать в барах и ресторанах, в которых бывают знакомые из Сити, продираться сквозь толпы на улицах, подстраиваться в новом коллективе на новой работе в каком-нибудь безликом офисном квартале. Я думал о Деннисе, который наверняка убедит меня вернуться. А какая альтернатива? Потом я представлял, что еду в новом костюме в битком набитой электричке, закрываю глаза и вижу, как Ханна бежит по песчаному берегу, а следом за ней бежит Милли. Я думал об улыбке Ванессы, о ее парфюме и туфлях на высоком каблуке, о нашей квартире, где все по высшему разряду, о моей спортивной машине, о ловушках из нашей прошлой жизни, и мне становилось тошно. Я понимал, что все это ничего для меня не значит. Я хотел остаться в Сильвер-Бей. Каждая клеточка моего тела хотела остаться в этом месте.

Но хуже всего было то, что мне все еще нравилась Ванесса. Я хотел, чтобы она была счастлива. Меня волновало, насколько я честен перед ней. Хотя бы поэтому, если она действительно собиралась сделать то, что пообещала, я тоже должен был сдержать данное мной обещание.

Я мысленно повторял это сотни раз в день. Я отлично представлял себе, как спустя несколько месяцев лежу без сна в постели, а у меня перед глазами лицо Лизы, ее подрагивающая улыбка, ее понимающий взгляд. Ее образ будет преследовать меня. Я мог представить, как зарываюсь лицом в футболку, на которой еще оставался ее запах. Как занимаюсь любовью с женщиной, чье тело неинстинктивно подстраивается под мое.

«Хватит», — резко пресек себя я, пока шел к взятой напрокат машине, чтобы подъехать на ней к парадному входу в отель. У Лизы были ее девочки, а я должен был позаботиться об их будущем. Два из трех — неплохой результат для любого. Я подъехал задним ходом к отелю, но не вышел, сидел и тупо смотрел на приборную панель. Я наконец освоился с этим рычагом переключения передач, поставил его в нужное положение и выключил зажигание. Эта небольшая деталь добила меня окончательно.

Мой рейс был только на следующее утро, но, стоя возле отеля, я понял, что меня, как трясина, затягивают дурные мысли и лучше уехать сразу. Я мог бы приехать в город и переночевать в отеле. Правда, это означало, что я не встречусь с сестрой и не стану свидетелем воссоединения Лизиной семьи, но я знал, что Моника меня поймет. Если бы я остался до завтра, если бы я хоть на пять минут позволил себе подумать, будто являюсь частью этой семьи, я бы не смог сдержать данное обещание.

Я вышел из машины, повернулся к дороге и тут услышал знакомый вой мотора. На подъездную дорожку с грохотом буйков и сетей в кузове заехал пикап Грэга и, вздрогнув всем корпусом, остановился — его бампер в нескольких дюймах от моего.

Грэг вылез из кабины и натянул фуражку на глаза.

— Слышал новости о малышке. Невероятно. Просто фантастика какая-то.

— Новости быстро распространяются, — сказал я.

Хотя все было просто: накануне вечером Ханна помчалась на Китовую пристань и поделилась этой новостью с каждым из преследователей лично. Они не знали всех обстоятельств, но они знали, что у Лизы есть дочка в Англии и теперь она едет к маме. Они были достаточно смекалистыми, чтобы не лезть с расспросами. Во всяком случае, напрямую.

— Завтра приезжает, да?

Я кивнул. Грэг вытащил из кармана пачку сигарет и закурил.

— Хорошая работа. Не стану притворяться, будто ты мне нравишься, но, черт, я не могу собачиться с парнем, который воскресил ребенка из мертвых.

Грэг сделал глубокую затяжку. Мы с минуту смотрели на Китовую пристань, у которой в тот момент стояла только лодка Грэга.

— Спасибо, — наконец сказал я.

— Ага.

У нас за спиной в отеле зазвонил телефон. Наверное, кто-то из будущих гостей. Моника звонить не могла — она уже несколько часов была в небе. Кэтлин предложила ей пожить у них, сколько она пожелает. Сказала, что это самое меньшее, что она может для нее сделать, и счастливо улыбнулась, а я вдруг позавидовал Монике. Завтра ночью она будет спать в комнате, о которой я уже начал думать как о своей. «Сильвер-Бей» вот-вот должен был отправиться в мою «память». Необычный короткий период моей жизни, по которому я буду тосковать. И эти бесконечные «если бы», которые я постараюсь не рассматривать слишком подробно.

Мысли о сестре заставили меня вспомнить о чемоданах, и я пошел за ними в дом. Когда я вышел обратно,

Грэг все еще стоял там, облокотившись на свой пикап. Он посмотрел на мой багаж, потом на меня:

— Собрался куда-то?

— В Лондон, — сказал я и закинул чемоданы в открытый багажник, а потом с силой его захлопнул.

— Лондон? В Англии?

Я не стал утруждать себя ответом.

— Надолго?

Я хотел сначала ему наврать, но какой в этом был смысл? Он бы и так все узнал.

— Да.

Последовала пауза, Грэг работал мозгами.

— Не вернешься?

— Нет.

Его физиономия засветилась в буквальном смысле слова. Он был весь на ладони, как ребенок.

— Не вернешься, значит. Какая жалость. Для тебя, конечно.

Я слышал, как он еще раз затянулся сигаретой, слышал улыбку в его голосе, когда он сказал:

— Я всегда считал, что ты странный тип, я теперь вижу: так и есть.

— Прямо психолог, — сказал я и стиснул зубы.

Мне хотелось, чтобы он убрался куда-нибудь подальше.

— Значит, покидаешь нас, да? Не сомневаюсь, ты принял правильное решение. В своем гнезде-то лучше будет, а? Уверен, Лиза это как-нибудь переживет. Она теперь станет другой. Будет гораздо счастливее. И кстати, можешь за нее не волноваться, я пригляжу, чтобы она не осталась без... внимания.

Он многозначительно приподнял одну бровь и был явно доволен собой. Если бы я не опасался, что Ханна может нас увидеть, я бы точно врезал по его тупой роже. Я знал, что Грэг даже хочет, чтобы я полез на него с кулаками. Он не одну неделю пытался спровоцировать меня на драку.

— Если я все правильно помню, Грэг, — тихо сказал я, — она выбрала не тебя.

Грэг в последний раз затянулся и бросил сигарету на землю.

— Ай, приятель, — сказал он, — мы с Лизой давно уже знаем друг друга. Я большой парень. А с тобой, как я понимаю, она была, просто чтоб отвлечься. Так, малюсенькая точка на старом радаре.

Еще секунда, и мы бы точно схватились, но тут из дома вышла Кэтлин.

— Майк! — возмущенно окликнула она меня. — Зачем ты вынес свои чемоданы? Я думала, ты только завтра уезжаешь.

Я оторвал взгляд от Грэга и пошел к Кэтлин.

— Я... ждал звонка. А потом подумал, что поеду.

Кэтлин внимательно посмотрела на меня, потом на Грэга.

— Только не смотри так на меня, — с улыбочкой сказал Грэг. — Я как мог старался ему объяснить, что все тут хотят, чтобы он остался.

— Зайдешь на минутку? — спросила меня Кэтлин.

— Я не возражаю. — Грэг пожал плечами.

— Еще бы ты возражал.

Я прошел за Кэтлин в гостиную.

— Ты не можешь сейчас уехать, — сказала Кэтлин и встала передо мной, уперев руки в бока. — Ты не видел Летти. Ни с кем не попрощался. Черт, я хотела сегодня ужин в честь тебя устроить.

— Спасибо большое, Кэтлин, но я думаю, будет лучше, если я уеду.

— И не хочешь подождать, пока вернется Лиза? Не хочешь с ней попрощаться?

— Лучше не надо.

Кэтлин смотрела на меня, а я не мог понять, что отражается на ее лице — сочувствие или разочарование.

— Ты действительно не можешь остаться? Хотя бы до обеда?

Я пытался мыслить здраво, но у Ханны в комнате грохотала музыка в стиле диско. Она подпевала тоненьким голосом немного не в такт, а у меня сердце еще колотилось как бешеное после выброса адреналина. Я шагнул вперед и протянул Кэтлин руку.

— Спасибо за все, Кэтлин, — сказал я. — Если мне сюда кто-нибудь позвонит, передайте им, пожалуйста, номер моего мобильного. Я вам позвоню, как только буду уверен насчет застройки.

Кэтлин глянула на мою руку, потом посмотрела в глаза. Я понял, что мне тяжело встретиться с ней взглядом.

Она меня обняла, ее старые руки оказались удивительно сильными.

— Обязательно позвони, — сказала она мне в плечо. — Не исчезай вот так. Забудь про эту чертову застройку. Просто позвони мне.

Я вышел из отеля и пошел к машине, пока боль в ее голосе не заставила меня изменить принятое решение.

По прибрежной дороге я ехал медленно, действительно медленно, и не из-за выбоин или каких-то неровностей, а потому что у меня было такое ощущение, что соринки мне попали в оба глаза, и я плохо видел дорогу. У Китовой пристани я остановился и потер глаза. Я вдруг поймал себя на том, что в глубине души хочу увидеть, как из-за мыса в залив заходит «Измаил». Я надеялся, что, может, в последний раз увижу ее тоненькую фигурку, увижу, как ветер развевает ее волосы, и собачонку у руля. Я надеялся, что смогу только один раз взглянуть на нее, перед тем как моя жизнь потечет в противоположном направлении, в сторону другого полушария.

Но я видел только сверкающую на солнце воду, нити из буйков, которыми был отмечен канал для прохода лодок, и заросшие зелеными соснами холмы вдалеке. У меня даже не было возможности написать ей письмо; рассказать ей о том, что я чувствую, было равносильно тому, как если бы я рассказал ей правду, а этого я сделать не мог. «Ты все сделал правильно, — говорил я себе, — в первый раз в своей жизни ты сделал доброе дело».

Я так редко совершал правильные поступки, что не мог толком понять, был ли жуткий страх, который я тогда испытывал, той самой эмоцией, которая должна сопровождать эти правильные поступки.

Когда зазвонил мой мобильный, я ехал по автостраде уже минут двадцать. Я притормозил на обочине и достал из чехла телефон.

— Майк? Пол Рейли. Вообще-то, это звонок вежливости. Я подумал, вы должны первым узнать, что застройка остановлена.

Она сделала это. Я глубоко вздохнул, хотя сам не знал, был ли это вздох облегчения, или он означал, что я смирился с тем, что теперь должен выполнить свою часть соглашения.

— Что ж, — сказал я, тут мимо прогрохотал грузовик, и у меня даже машина задрожала. — Мы с вами не соглашались в этом вопросе, но я рад, что так случилось. Бандаберг — чудесный город, действительно лучший вариант для этого проекта.

— Я лично так не считаю. Я полагал, что данная застройка будет крайне полезна для нашего города.

— Мистер Рейли, ваш город — уникальное место, у вас есть нечто лучшее, чем эта застройка. Когда-нибудь вы и те жители, которые были за проект, поймете это.

— Очень необычно выключать свет в конце дня. Я хочу сказать, они ведь на этой неделе должны были начать закладывать фундамент. Но разве с финансистами поспоришь.

— «Бикер холдингс» все исследуют, — сказал я. — Если они обнаружили, что у Бандаберга больше преимуществ, то...

— Бикер? Бикер здесь ни при чем.

— Простите, что вы сказали? — Мимо меня проезжали легковые автомобили и грузовики, звук в телефоне периодически пропадал.

— Это все венчурные капиталисты. Финансисты. Решили перекрыть финансирование, пока не найдется другое место.

— Ничего не понимаю.

— Видимо, занервничали из-за акул. Прослышали обо всех этих публикациях в газетах, о предупреждениях об опасности заходить в воду и перепугались. — Рейли вздохнул. — Я так понимаю, они решили, что будет сложно продавать людям отдых с водными видами спорта в заливе, куда заплывают акулы. Но я думаю, что страхи преувеличены.

Судя по голосу, Рейли был сильно разочарован.

— Похоже, англичане, как только услышат слово «акула», так сразу начинают плохо соображать, — добавил он.

Мне стало интересно, почему Ванесса сначала обратилась в «Вэлланс».

— Вы удивили меня, мистер Рейли, — признался я, а сам лихорадочно думал. — Спасибо, что позвонили. Но простите, мне необходимо сейчас кое с кем переговорить.

С минуту я сидел и даже не замечал, как мимо проносятся машины. Потом потянулся к сумке за ноутбуком и только тогда вспомнил, что у меня его больше нет. Я посмотрел на свои чемоданы, потом выехал на дорогу и на полной скорости помчался к следующему съезду с автострады.

— Деннис?

— Майкл? А я-то думал, когда же ты позвонишь, негодник этакий. Звонишь позлорадствовать, да? — Судя по голосу, Деннис был изрядно под хмелем.

Там у них было уже одиннадцать вечера, так что, зная Денниса, я предположил, что он позволил себе несколько рюмок. Или больше.

— Ты же знаешь, это не мой стиль.

Я разговаривал на ходу, прижимал телефон плечом к уху и одновременно съезжал по круговой развязке на дорогу в Сильвер-Бей. К отелю я мчался на полной скорости, машина подпрыгивала на ухабах, а я рассеянно прикидывал, сколько надо будет заплатить в прокате за сломанную подвеску.

— Конечно нет, я совсем забыл, ты же у нас теперь чертова мать Тереза. Чего ты хочешь? Хочешь упросить меня, чтобы я взял тебя обратно?

Я пропустил этот вопрос мимо ушей.

— И куда вы его переносите?

— В маленький городок, прямо под Бандабергом. — Я услышал, как Деннис пропустил рюмку. — Там будет даже лучше. Венчурные капиталисты счастливы, местный совет на сто процентов на нашей стороне. Проект оставим тот же. Налоговые льготы на порядок выше. Честно тебе скажу, ты сделал нам одолжение.

Возле отеля никого не было. Я, продолжая держать телефон возле уха, прошел через парадный вход, потом по холлу в пустую гостиную. Мой ноутбук был там, где я его оставил. Наверху все еще играла музыка Ханны. Я сомневался, что она заметила, что я уезжал.

— Я сделал вам одолжение?

— Перепугал «Вэлланс», твой лоббист завалил их сказками про акул.

— Мой лоббист?

Это было очень странно.

— Деннис... я...

— Что ты там устроил? Нанял жестких профессионалов из «Гринпис»? — Он понизил голос. — Только между нами, я признаю: ты сделал отличную работу, когда переслал сюда все эти репортажи об акулах. Сначала я злился как черт. Мы днем и ночью работали, только бы удержать проект в фарватере, а «Вэлланс» на борту. Но теперь я думаю, что мы бы не смогли заработать на заливе, который кишит акулами. Гораздо лучше для нас уйти выше по берегу. Так кто это был? И самое главное, сколько ты им заплатил? Я-то знаю, профессиональные агитаторы берут дорого.

Деннис не упомянул о Ванессе. Пока он говорил, я открыл свой ноутбук и просмотрел отправленные письма, пытаясь понять, что же все-таки произошло.

— Ну и что собираешь дальше делать, Майк? — продолжал Деннис. — Будешь заниматься этим профессионально? Знаешь, я держу слово. Тебя в Сити никто не возьмет.

Я проверил адресатов в своем почтовом ящике и нашел письма, которые были отосланы в «Вэлланс». Открыл одно с прикрепленной статьей из газеты и начал читать.

— Парень, если тебе очень нужна вакансия, я смогу подыскать тебе маленькое местечко. Только за то, что ты оказал мне услугу. Зарплата, ты ж понимаешь, уже будет не та.

«Уважаемые господа — так начиналось письмо, — я пишу вам, чтобы сообщить о риске нападения акул для новой застройки в Сильвер-Бей...»

Я читал, и до меня наконец дошло. Она сделала то, что я считал невозможным.

— Майк?

Музыка зазвучала громче. Я слышал, как она поет, и просто шутки ради поднял телефон и направил на ее голос.

— Майк? — переспросил Деннис, когда я вернул трубку к уху. — Что там у тебя за шум?

— Это, Деннис, тот самый, как ты выразился, профессиональный агитатор, лоббист, который берет втридорога за свои услуги, тот, кто отменяет многомиллионные проекты. Ты слышишь это?

— Что? — никак не мог понять Деннис. — О чем ты говоришь?

— Это, — сказал я и рассмеялся, — одиннадцатилетняя девочка.

Мне осталось сделать еще один звонок, и я вышел из отеля, потому что хотел говорить без свидетелей. Перед тем как набрать номер, я немного постоял, вдыхая чистый воздух, который ничто не загрязняло уже полвека и который, если повезет, будет таким же чистым еще лет пятьдесят. Но ощущения покоя у меня не было. Пока не было.

— Итак, ты сделала это, — сказал я.

Ванесса перевела дух, как будто не ожидала, что это буду я.

— Майк, — сказала она. — Да. Ты уже слышал. Я же говорила тебе, что у меня получится.

— Да, у тебя точно получилось.

— О, ты знаешь, я всегда добиваюсь того, чего хочу.

Она рассмеялась и начала рассказывать о новой квартире, о том, что заказала на вечер столик в ресторане, куда нелегко попасть простым смертным. Голос у нее был возбужденный. Она всегда говорила чуть быстрее обычного, когда нервничала.

— Я потянула за кое-какие ниточки, ужинать будем в восемь тридцать. У тебя будет достаточно времени, чтобы выспаться и привести себя в порядок.

— Как?

— Как мне удалось забронировать у них столик? Нужно просто знать, к кому...

— Как тебе удалось убедить отца пойти на попятную?

— О, ты же знаешь папу. Я могу вертеть им, как захочу. Так всегда было. Ничего не поменялось, ты летишь австралийской авиакомпанией? Я отпросилась с работы, чтобы тебя встретить. Думаю, мне не помешает записать номер рейса.

— Ему, наверное, было нелегко уговорить «Вэлланс» подвинуться так далеко по берегу.

— Ну, я просто... — Ванесса начала раздражаться. — Я перечислила ему причины, которые мы с тобой рассматривали, и в конце концов он согласился, что это разумное решение. Майк, он ко мне прислушивается, альтернативный вариант у нас уже был готов, ты же знаешь.

— Как это восприняли в «Вэлланс»?

— Прекрасно. Послушай, мы можем поговорить о твоем прилете?

— Не вижу смысла.

— Не хочешь, чтобы я тебя встретила? Я хотела преподнести тебе сюрприз. Не могу удержаться, скажу. Это новенькая двухместная «мазда». Та самая, которую ты заказывал. Я смогла вырвать ее у дилеров по исходной цене. Ты в нее влюбишься.

— Я не прилечу, Несс.

Я слышал, как у нее перехватило дыхание.

— Что?

— Ты давно об этом знала, когда позвонила мне? Я только что проверил почту, отправленную отсюда в «Вэлланс». По моим прикидкам, ты знала о том, что застройка переносится, уже дня два или три.

Ванесса ничего на это не ответила.

— Значит, ты думала, что я ухвачусь за эту возможность и продам себя, чтобы явиться в роли великого спасителя. А ты бы заслужила вечную благодарность Майка.

— Все было совсем не так.

— Ты думаешь, я бы не узнал, что это не твоя заслуга? Ты думаешь, что я настолько глуп?

Последовала долгая пауза.

— Я думала... к тому времени, когда ты все узнаешь, мы будем счастливы и это уже не будет иметь никакого значения.

— Наши отношения от начала до конца были бы построены на обмане.

— О, тебе так не идет говорить об обмане. Ты и Тина. Ты и эта чертова застройка.

— Ты бы допустила, чтобы я вернулся, покончил со своей жизнью здесь, обманув меня...

— Обманув тебя? Покончил со своей жизнью? Майк Дормер, только не выставляй себя жертвой. Это ты меня обманывал, если не забыл.

— Вот поэтому я и не вернусь.

— А знаешь что? Я даже не была уверена, хочу ли, чтобы ты вернулся. Я бы позволила тебе вернуться, а потом взяла бы за ухо и выставила за дверь. Ты жалкий, Майк, лживое жалкое ничтожество. — Ванесса сорвалась, мысль о том, что ее разоблачили, привела ее в бешенство. — И знаешь, я рада. Я рада, что ты все узнал. Теперь не надо тратить время на дорогу в аэропорт. И, честно говоря, я бы никогда к тебе и не притронулась, если бы ты...

— Удачи, Ванесса, — холодно сказал я, когда ее голос перескочил на октаву выше. — Всего тебе наилучшего.

Я отключил телефон. В ушах у меня звенело.

С этим было покончено.

Я посмотрел на свой маленький телефон и со всей силы забросил его подальше в море. Он практически без брызг ушел в воду в футах тридцати от берега. Поверхность воды быстро стала гладкой. Меня переполняли такие эмоции, что я, не в силах держать это в себе, заорал:

— Господи! — Мне хотелось ударить по чему-нибудь кулаком или пройти по берегу колесом. — Господи!

— Я не уверен, что он тебя слышит, — сказал мужской голос у меня за спиной.

Я резко обернулся и увидел, что в конце стола преследователей сидят Кэтлин и мистер Гейнс. Он был в синей флисовой рубашке и в своей старой широкополой шляпе. Они сидели и спокойно за мной наблюдали.

— Знаешь, это был очень симпатичный телефон, — сказала Кэтлин, обращаясь к Нино. — Это поколение не знает цену вещам. Они все такие.

— И еще несдержанные. В мое время мы так не орали, — заметил мистер Гейнс.

— Думаю, это все гормоны, — сказала Кэтлин. — Не знают, куда девать.

Я подошел к ним ближе.

— Моя комната, — сказал я, стараясь дышать ровно. — У меня есть шанс... я могу пожить в ней еще какое-то время?

— Тебе лучше заглянуть в твои книги, Кейт, — посоветовал мистер Гейнс, наклоняясь ближе к Кэтлин.

— Я посмотрю, если она еще не занята. У нас сейчас начнется горячая пора... Теперь ведь, кроме нас, туристам негде остановиться. Я обычно не придираюсь к гостям, — добавила она, — но ты так орешь.

Мой пульс постепенно приходил в норму, я был благодарен Богу за этих двух стариков, которые так по-доброму надо мной подшучивали, за солнце, за синюю воду в заливе, за не видимых моему глазу китов и дельфинов, которые весело танцевали под этой водой. За мысли о беззаботной молодой женщине в потрепанной старой кепке, которая где-то в море преследовала китов.

Кэтлин жестом пригласила меня сесть и пододвинула ко мне бутылку пива.

Я сделал первый восхитительный глоток. «Мне нравится это пиво», — думал я, отрывая бутылку от губ. Мне нравился отель и маленькая бухта. Мне нравилась перспектива моей будущей жизни, с меньшим, чем раньше, доходом, с капризными подростками и непослушной собакой и с полным домом женщин с характером. Я был просто не в состоянии осознать масштаб того, что со мной произошло.

Кэтлин это уловила.

— Знаешь, — сказала она спустя несколько минут и поднесла сморщенную руку ко лбу, — сейчас все выступают за акул. Говорят, что их недооценивают, что они продукт среды их обитания. — Кэтлин поджала губы. — А я так скажу: акула и есть акула. Не встречала еще ни одной, которая хотела бы стать мне другом.

— Это верно, — мистер Гейнс одобрительно кивнул.

Я откинулся на спинку стула, и мы втроем некоторое время просто сидели и молчали. Дальше по берегу я видел расчищенную под строительство площадку и блестящие щиты, которые должны были уже скоро убрать. Из комнаты Ханны по-прежнему доносилась музыка, где-то в заливе урчал мотор лодки, на холмах тихо перешептывались сосны. Я собирался жить там столько, сколько мне позволят. Эта мысль подарила мне удовлетворение, которое я не испытывал еще никогда в жизни.

— Это ведь не Грэг поймал ту акулу? — спросил я.

Кэтлин Виттер Мостин, легендарная Леди Акула, рассмеялась отрывистым лающим смехом. Когда она повернулась ко мне, я увидел в ее глазах стальной блеск.

— За свои семьдесят с лишним лет я усвоила одно правило, Майк. Если акула собралась напасть на тебя, хочешь остаться в живых — делай все, что можешь.

28

Ханна

Дорога от Сильвер-Бей до аэропорта в Сиднее заняла три часа двадцать восемь минут, еще двадцать минут ушло на поиски места для парковки. И еще плюс к этому четыре остановки по пятнадцать минут, потому что меня тошнило от волнения. Мой желудок меня подводил — так всегда бывало, когда я ходила в море с преследователями, но мне так и не удалось убедить Йоши, что это никакая не морская болезнь. Тетя Кей понимала. Она каждый раз говорила мне, что это ничего страшного. Пока меня тошнило у канавы, я слышала, как она говорила остальным, что специально взяла с собой восемь полиэтиленовых пакетов и четыре рулона кухонных полотенец.

В машине нас ехало пять человек: Майк, мама, мистер Гейнс, тетя Кей и я. Это была не наша машина, а семиместный седан мистера Гейнса. Мы одолжили его, потому что Майк сказал, что в маминой машине, когда мы поедем обратно, не хватит места для одного человека. За нами ехал конвой грузовиков с траловыми сетями и канатами. Они все наверняка пропахли рыбой и притворялись, будто едут не с нами, а по своим делам. Только когда мы останавливались, грузовики тоже останавливались, но из них никто не выходил. Они просто сидели и смотрели, как будто нет ничего интереснее, чем девчонка, которую тошнит в канаву. В какой-нибудь другой день я бы хотела умереть от стыда.

Никто не подходил близко, потому что все знали, как моя мама охраняет свою личную жизнь, но все хотели там присутствовать. Маме было все равно. Честно говоря, мне кажется, она бы и королеву Англии не заметила, если бы та приехала посмотреть. За последние двадцать четыре часа она разговаривала только со мной, все время поглядывала на свои часы и считала, сколько осталось времени, а еще иногда брала меня за руку. Если бы Майк не удержал ее, я думаю, она бы еще два дня назад приехала в зал прилета и ждала бы там.

Майк все правильно рассчитал. Даже с четырьмя лишними остановками мы приехали за пятнадцать минут до прилета.

— Пятнадцать самых долгих минут в нашей жизни, — бормотал мистер Гейнс.

А Майк приплюсовал еще двадцать на багаж и паспортный контроль. И все эти минуты мама стояла как вкопанная и крепко держалась за ограждение, а мы все пытались затеять разговор и смотрели в сторону пропускных ворот. В какой-то момент мама так крепко сжала мою руку, что у меня даже пальцы посинели, и Майку пришлось сказать ей, чтобы она меня отпустила. Он дважды подходил к стойке авиакомпании «Квантас» и возвращался, чтобы сообщить, что наш самолет летит, а не упал на землю.

Наконец, как раз когда я подумала, что меня сейчас снова затошнит, начали появляться первые пассажиры рейса QA2032. Они тонким ручейком проходили через открывающиеся в обе стороны двери. Мы молча смотрели в их сторону, и каждый изо всех сил старался разглядеть девочку с фотографии, которая была распечатана на уже измятом листе бумаги.

«Вдруг она не прилетит? — подумала я, и сердце у меня чуть не выскочило от паники. — Вдруг она решила, что лучше останется со Стивеном? Вдруг мы простоим так несколько часов, а никто не появится? Или еще хуже, вдруг она уже прилетела, а мы ее не узнали?»

И тут она появилась. Моя сестра, почти такая же высокая, как я, волосы у нее были светлые, как у мамы, а нос с горбинкой, как у меня. Она крепко держала за руку сестру Майка. На ней были голубые джинсы и розовая толстовка с капюшоном. Она хромала и шла медленно, как будто все еще боялась встретиться с тем, что ее здесь ждет. Сестра Майка увидела нас и помахала рукой, и даже издалека было видно, что улыбка у нее от уха до уха. Она на секунду остановилась и что-то сказала Летти. Летти кивнула и посмотрела в нашу сторону. Они пошли быстрее.

К этому моменту мы уже все плакали, еще даже до того, как они к нам подошли. Моя мама начала тихо трястись. А тетя Кэтлин все повторяла в носовой платок:

— О Господи, спасибо тебе, Господи.

Оглянувшись, я увидела, что у меня за спиной Йоши плачет на груди у Ланса, даже Майк, который держал меня за плечи, глотал слезы. А я и улыбалась и плакала одновременно, потому что знала, что иногда в мире больше добра, чем ты можешь себе представить, и что все теперь будет хорошо.

Когда Летти была уже близко, мама нырнула под ограждение и побежала, она бежала и на бегу издала такой звук, какой я никогда в жизни не слышала. Ей было все равно, что могут подумать другие. Они с моей сестрой встретились взглядом, их как магнитом притягивало друг к другу, и уже ничто в мире не могло их остановить. Мама схватила Летти, прижала ее к себе, а Летти плакала и держала маму за волосы. Не знаю, как по-другому это описать, но казалось, что каждая из них обрела кусочек себя. Я подбежала к ним и тоже их обняла, а потом тетя Кэтлин и Майк. Я уже смутно сознавала, что вокруг были люди, которые, наверное, думали, что это просто второй ребенок вернулся домой.

Если бы не этот звук, который издала моя мама, когда они опустились на пол, обнимали друг друга и плакали, а мы окружили их со всех сторон.

Потому что этот звук, который издавала мама, пока качала в своих объятиях мою сестру, был долгий, печальный и странный. Как будто в нем были боль и любовь всего мира. Он эхом отлетал от стен аэропорта, отскакивал от сверкающих полов, и люди, услышав его, замирали на месте. Они оглядывались по сторонам в ужасе и в восторге одновременно. Тетя Кэтлин потом сказала, что это было точь-в-точь похоже на песню горбатого кита.

Эпилог

Кэтлин

Меня зовут Кэтлин Виттер Гейнс, и я семидесятишестилетняя новобрачная. Даже когда я произношу это вслух, мне хочется поморщиться, так это глупо звучит. Да, он под конец все-таки меня поймал. Сказал, что если ему суждено отбросить копыта, то он бы хотел сделать это, зная, что я буду рядом. А я посчитала, что это не такая уж большая просьба для женщины, которая знает, что он любил ее всю свою жизнь.

Я больше не живу в отеле постоянно. Мы с Нино так и не смогли договориться, где будем жить: он сказал, что хочет быть поближе к своим виноградникам, а я сказала ему, что не собираюсь проживать свои последние дни вдали от моря. Поэтому мы делим неделю на два дома, и пусть все в Сильвер-Бей думают, что мы парочка капризных стариков, нас такое соглашение вполне устраивает.

Майк и Лиза живут в отеле. Отель теперь стал немного современнее и уютнее, чем в те времена, когда я управляла им в одиночку. Майк занялся другими делами, которые ему интересны и приносят кое-какой доход. Например, занимается маркетингом вин Нино, но меня это не особенно волнует, пока у нас на столе вечером есть бутылочка-другая отменного вина. Майка то и дело посещают идеи, как сделать больше денег или расширить площади и еще черт его знает, о чем он там говорит. Я не соглашаюсь, остальные ему кивают, улыбаются и ждут, когда он сам успокоится.

Будут еще другие застройки, другие угрозы, и мы будем с ними бороться. Но сейчас мы живем без страха. Нино Гейнс (или я должна сказать — мой муж?) купил участок Буллена. Сказал, что это мне свадебный подарок. Что-то вроде страховки для наших девочек. Я даже не хочу думать о том, сколько он за это заплатил. У них с Майком есть идеи по поводу этого участка. Иногда они спускаются туда, к выцветшим рекламным щитам, бродят по участку, но, когда заходит разговор, оказывается, что ни тот ни другой не хотят ничего там строить. А я продолжаю делать то, что делала всегда, — управляю немного обветшалым отелем на краю залива и суечусь, когда гостей становится больше.

Ниже по прибрежной дороге дела с миграцией идут отлично. Каждый день приходят сообщения о стаях китов, о самках с детенышами. С пассажирами у преследователей тоже дела обстоят хорошо, ничем не хуже, чем в то же время в прошлом году. Преследователи приходят и уходят, отпускают все те же соленые шутки и каждый вечер жалуются на мои неудобные скамейки.

Йоши снова уехала в Таунсвилл, изучать способы защиты китов. Обещала вернуться, а Ланс часто заводит разговор о том, что собирается ее навестить, но я сомневаюсь, что он поедет.

Грэг ухаживает — хотя это слишком деликатное для него выражение — за двадцатичетырехлетней барменшей из боулинга, и она, кажется, отвечает ему взаимностью. В любом случае он теперь меньше времени болтается у наших стен, и я вижу, что Майка это очень даже устраивает.

Летти расцвела. Они с Ханной сразу стали такими близкими подругами, словно не виделись всего пять дней, а не лет. Несколько раз я замечала, что они спят в одной постели, и хотела это запретить, но Лиза сказала мне, чтобы я зря не волновалась.

— Пусть, — сказала она, глядя, как они спят в обнимку. — Очень скоро они сами захотят иметь личное пространство.

Она сказала об этом с такой легкостью, что мне трудно было поверить, что передо мной та самая Лиза Маккалин.

Первые недели были непростыми. Мы буквально на цыпочках ходили вокруг этой девочки, все очень боялись, что она не выдержит таких резких перемен в своей жизни. Долгое время она ни на шаг не отходила от мамы, словно боялась, что их снова кто-нибудь разлучит. В конце концов я не выдержала и отвела ее в Музей китобоев. Там я показала ей свой гарпун и сказала, что, если кто-нибудь вздумает близко подойти к моим девочкам, я встречу его с моим Старым Гарри. Она немного удивилась, но думаю, что я ее все-таки успокоила. Нино сухо заметил, что, наверное, поэтому у меня нет детей.

Ей стало гораздо лучше только после того, как позвонил ее отец. Он сказал Летти, что она может оставаться у нас сколько захочет, и разрешил все решать самой. С этого момента она спала спокойно, хотя и в кровати своей сестры.

Вот так это и закончилось. Сестра Майка сдержала данное слово и не стала публиковать нашу историю. Майк говорит, что, вообще-то, это история любви, только не о них с Лизой (хотя стоит один раз посмотреть, как они смеются вместе, и сразу все понятно), а история Лизы и ее девочек. Иногда, если ему хочется меня подразнить, он говорит, что это история обо мне и Нино.

Я говорю ему, что вижу это иначе. Посмотрите подольше на море, когда оно капризничает или бушует, посмотрите, каким оно бывает прекрасным и жутким, и у вас будут все истории, какие только захотите. О любви и опасностях, обо всем, что жизнь может принести в вашу сеть. А то, что порой не ваша рука управляет штурвалом и вам остается только верить, так это хорошо.

Теперь почти каждый день, если у Лизы забронировано не слишком много прогулок, они все вместе выходят на «Измаиле», смотреть, как киты возвращаются к местам своего кормления. Сначала я думала, что это Лиза так создает семью, но очень быстро поняла, что девочек тянет в море не меньше, чем ее. И они мне сказали, что дело не в том, чтобы увидеть китов и дельфинов. Главное для них было в том, что они не могут увидеть. Девочки любят наблюдать за тем, как киты, совершив последний прыжок, исчезают из виду. Они представляют, что там, под водой, целая жизнь. В морских пучинах поют песни, расстаются и встречаются, матери воспитывают детенышей и дарят им свою любовь. Это особый мир, в котором все человеческое не имеет никакого значения.

Майк поначалу над ними посмеивался за то, что они такие фантазерки, а теперь пожимает плечами и признает: что, черт возьми, он может об этом знать? Что мы все об этом знаем? Случались и более странные вещи на планете. Я часто смотрю, как они вчетвером бегут под ярким солнцем по Китовой пристани, и думаю о своей сестре, а иногда и об отце, которому обязательно понравилась бы такая история.

Они бы поняли, что эта история о неуловимом балансе; о правде, с которой мы бьемся всякий раз, когда Господь посылает к нам эти создания или когда мы открываем наши сердца, потому что порой можно через простую близость уничтожить нечто прекрасное.

«А иногда, — твердо добавляет Майк, — у тебя просто нет выбора. Нет, если ты хочешь жить по-настоящему».

Я никогда не подам виду, конечно, что не могу позволить ему думать, будто он всего добился сам. Но в этом случае, только в этом, я с ним согласна.

Благодарности

Хочу, не расставляя никого в каком-то определенном порядке, сказать спасибо Меган Ричардсон, Мэтту Демпси и Майку, капитану «Муншэдоу V», общине преследователей китов в Нельсон-Бей и всем членам команд, которые в августе две тысячи пятого года тратили свое время, рассказывая мне о повадках китов и о своей жизни в море. Также спасибо полицейским Нового Южного Уэльса за то, что объяснили мне, какие именно нарушения на воде они пресекают с особой строгостью.

Спасибо издательству «Hachett Livie» (некогда «Hodder»), Австралия и Новая Зеландия, это его усилиями появилась на свет эта книга, и в отдельности: Рейвин Дэвис, Дебби Макиннс из рекламного агентства «Debbie McInnes», Малькольму Эдвардсу, Мэри Драм, Луизе Шервин-Старк, Кевину Чепмэну и Сью Мюррей, а также Марку Канасу из «Altour».

Как всегда, спасибо моему редактору Кэролин Мэйс, сумевшей скрыть панику, когда я решила пустить под откос книгу, на которую она рассчитывала больше, чем на эту. И Шейле Кроули, моему агенту, за ее неиссякаемый энтузиазм и способности к продажам. Спасибо Эмме Найт, Люси Хэйл, Эриол Бишоп, Хейзл Орм, Аманде О'Коннелл и всей команде «Hodder UK» за их упорный труд и поддержку, а также Линде Шонесси, Робу Крайтту и всем из «A P Watt» за все то же.

Ближе к дому спасибо Клэр Уайлд, Долли Денни, Барбаре Ральф и Дженни Колган за их практическую помощь и дружбу в трудные годы. Надеюсь, вы знаете, как я вам за это благодарна.

Еще спасибо Лиззи и Брайану Сэндерс, Джиму и Элисон Мойес, Бетти Макки, Кэти Рансимэн, Люси Уорд, Джеки Тирн, Монике Хэйуорд, Дженни Смит и всем из «Writersblock».

Огромнейшее спасибо Чарльзу, Саскии и Гарри, которые всегда помогали заводить мой плюющийся движок. И Локи — за то, что наглядно доказал: совершенство — понятие относительное.

Джоджо Мойес, июль 2006 г.

Мойес Дж.

М74 Серебристая бухта : роман / Джоджо Мойес ; пер. с англ. И. Русаковой. — М. : Иностранка, Азбука-Аттикус, 2014. — 480 с.

ISBN 978-5-389-07412-5

Лиза Маккалин мечтает убежать от своего прошлого. Ей кажется, что пустынные пляжи и дружелюбные люди из тихого городка в Австралии помогут ей обрести душевный покой.

Единственное, что не смогла предусмотреть Лиза, — это появление в городке Майка Дормера. У него прекрасные манеры, он одет по последней моде, а его взгляд повергает в смущение.

У Майка далеко идущие планы: он хочет превратить тихий городок в сверкающий огнями модный курорт.

Единственное, что не смог предусмотреть Майк, — это что у него на пути встанет Лиза Маккалин. И конечно, он не мог даже помыслить, что в его сердце вспыхнет любовь...

Впервые на русском языке!

УДК 821.111

ББК 84(4Вел)-44

Литературно-художественное издание

ДЖОДЖО МОЙЕС
СЕРЕБРИСТАЯ БУХТА

Ответственный редактор Ольга Рейнгеверц
Редактор Наталия Лукина
Художественный редактор Виктория Манацкова
Технический редактор Татьяна Тихомирова
Компьютерная верстка Ирины Варламовой
Корректоры Анна Быстрова, Валентина Гончар

Подписано в печать 15.08.2014. Формат 84×100 1/32.
Печать офсетная. Тираж 25 000 экз. Усл. печ. л. 23,4 . Заказ № 3425/14.

Знак информационной продукции
(Федеральный закон № 436-ФЗ от 29.12.2010 г.):

ООО «Издательская Группа „Азбука-Аттикус"» —
обладатель товарного знака «Издательство Иностранка»
119334, г. Москва, 5-й Донской проезд, д. 15, стр. 4

Филиал ООО «Издательская Группа „Азбука-Аттикус"»
в Санкт-Петербурге
191123, г. Санкт-Петербург, Воскресенская наб., д. 12, лит. А

ЧП «Издательство „Махаон-Украина"»
04073, г. Киев, Московский пр., д. 6 (2-й этаж)

Отпечатано в соответствии с предоставленными материалами
в ООО «ИПК Парето-Принт».
170546, Тверская область, Промышленная зона Боровлево-1, комплекс № 3А.
www.pareto-print.ru

ПО ВОПРОСАМ РАСПРОСТРАНЕНИЯ ОБРАЩАЙТЕСЬ:

В Москве:
ООО «Издательская Группа „Азбука-Аттикус"»
Тел.: (495) 933-76-00, факс: (495) 933-76-19
E-mail: sales@atticus-group.ru; info@azbooka-m.ru

В Санкт-Петербурге:
Филиал ООО «Издательская Группа „Азбука-Аттикус"»
Тел.: (812) 327-04-55, факс: (812) 327-01-60
E-mail: trade@azbooka.spb.ru; atticus@azbooka.spb.ru

В Киеве:
ЧП «Издательство „Махаон-Украина"»
Тел./факс: (044) 490-99-01. E-mail: sale@machaon.kiev.ua

Информация о новинках и планах, а также условия сотрудничества
на сайтах: www.azbooka.ru, www.atticus-group.ru